세상이 변해도
배움의 즐거움은
변함없도록

시대는 빠르게 변해도
배움의 즐거움은
변함없어야 하기에

어제의 비상은
남다른 교재부터
결이 다른 콘텐츠
전에 없던 교육 플랫폼까지

변함없는 혁신으로
교육 문화 환경의 새로운 전형을
실현해왔습니다.

비상은 오늘, 다시 한번
새로운 교육 문화 환경을 실현하기 위한
또 하나의 혁신을 시작합니다.

오늘의 내가 어제의 나를 초월하고
오늘의 교육이 어제의 교육을 초월하여
배움의 즐거움을 지속하는 혁신,

바로, 메타인지 기반 완전 학습을.

상상을 실현하는 교육 문화 기업 비상

메타인지 기반 완전 학습

초월을 뜻하는 meta와 생각을 뜻하는 인지가 결합한 메타인지는
자신이 알고 모르는 것을 스스로 구분하고 학습계획을 세우도록 하는
궁극의 학습 능력입니다. 비상의 메타인지 기반 완전 학습 시스템은
잠들어 있는 메타인지를 깨워 공부를 100% 내 것으로 만들도록 합니다.

비상교재 인강이 듣고 싶다면?
온리원중등 바로 수강

온리원중등
7일 무료 체험

전 강좌
수강 가능

체험 신청하고
무제한 듣기

QR코드 찍고 비상교재 전용 강의가 있는
온리원중등 체험 신청하기

콕 강의
30회 무료 수강권

개념&문제별
수강 가능

쿠폰 등록하고
바로 수강하기

※ 박스 안을 연필 또는 샤프 펜슬로
칠하면 번호가 보입니다.

100%
당첨
N Pay
10,000원

CU
10,000원

Bonus!
무료 체험 100% 당첨 이벤트

무료 체험시 상품권, 간식 등 100% 선물 받는다!
지금 바로 '온리원중등' 체험하고 혜택 받자!

7일 무료체험 및 수강권 이용 방법

1. 무료체험은 QR 코드를 통해 바로 신청 가능하며 체험 신청 후
   체험 안내 해피콜이 진행됩니다.(배송비&반납비 무료)
2. 콕강의 수강권은 QR코드를 통해 등록 가능합니다.
3. 체험 신청 및 수강권 등록은 ID당 1회만 가능합니다.

경품 이벤트 참여 방법

1. 무료체험 신청 후 인증시(기기에서 로그인)
   전원 혜택이 제공되며 경품은 매월 변경됩니다.
2. 콕강의 수강권 등록한 전원에게 혜택 제공되며 경품은
   두 달마다 변경됩니다.
3. 이벤트 경품은 소진 시 조기 종료될 수 있습니다.

온리원중등

장학생 1년 만에
96.8% 폭발적 증가!

* 2022년 3,499명 : 21년도 1학기 중간 ~ 22년도 1학기 중간 장학생수 누적
** 2023년 6,888명 : 21년도 1학기 중간 ~ 23년도 1학기 중간 장학생수 누적

역대최다!

2022년
3,499명*

2023년
6,888명**

성적 향상이 보인다

1. 독보적인 강의 콘텐츠

검증된 베스트셀러 교재로
인기 선생님이 진행하는 독점 강좌

2. 학습 성취 높이는 시스템

공부 빈틈을 찾아 메우고
장기기억화 하는 메타인지 학습

3. 긴장감 있는 학습 환경

공부 시작부터 1:1 코칭 진행,
학습결과 분석해 맞춤 피드백 제시

4. 내신 만점 맞춤 솔루션

실력 점검 테스트, 서술형 기출 족보,
수행평가 1:1 멘토링, 과목별 자료 제공

비상교육 온리원중등과 함께 성적 상승을 경험하세요.

내신 성적을 쑥쑥 ~ 올리는!!

내공의 힘

중등역사
2·2

STRUCTURE 구성과 특징

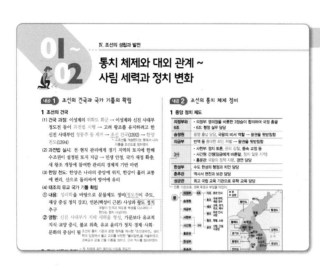

내공 ① 단계 | 차근차근 내용 짚기

핵심 개념만 뽑아 단기간에 공략! 꼭 알아 두어야 할 교과 내용을 표와 시각 자료로 이해하기 쉽게 정리하였습니다.

내공 ② 단계 | 개념 확인하기

핵심 개념을 잘 이해하였는지 확인하는 단계! 학습한 내용을 바로바로 확인할 수 있도록 단답형 문제로 구성하였습니다.

내공 ③ 단계 | 내공 쌓는 족집게 문제

내신에 강해지는 길은 기출 문제를 많이 풀어 보는 것! 학교 기출 문제를 철저히 분석하여 출제 가능성이 높은 유형의 문제들로 구성하였습니다.

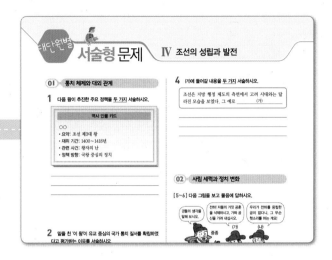

내공 점검 | 내공 **5** 단계

마지막 최종 점검 단계! 지금까지 쌓은 내공을
모아모아 실력을 최종 점검할 수 있도록 대단원
별로 실전 문제를 구성하였습니다. 단원 통합형
문제와 서술형 문제로 내신 만점을 확실하게 준
비할 수 있습니다.

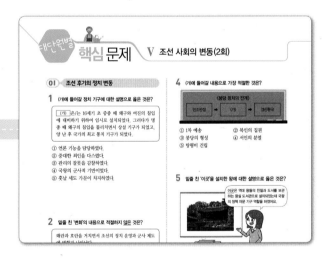

서술형 문제 | 내공 **4** 단계

교과서 핵심 주제와 자료를 선별하여 학교 시험
에 자주 출제되는 유형의 서술형 문제로 구성하
였습니다.

내공과 내 교과서 단원 비교

금성	동아	천재	지학사
100 ~ 109	108 ~ 113 116 ~ 117	110 ~ 121	108 ~ 121
110 ~ 115	118 ~ 123	122 ~ 127	124 ~ 131
116 ~ 121	126 ~ 131	128 ~ 135	132 ~ 137
128 ~ 133	138 ~ 142	140 ~ 147	142 ~ 147
134 ~ 137	143 ~ 145 148 ~ 149 152 ~ 153	148 ~ 153	150 ~ 155
138 ~ 149	150 ~ 151 156 ~ 161 163	154 ~ 165	156 ~ 167
156 ~ 161	168 ~ 171 178 ~ 179	170 ~ 177	174 ~ 178
162 ~ 165	172 ~ 177	178 ~ 183	179 ~ 183
166 ~ 171	190 ~ 197	186 ~ 191	184 ~ 191
172 ~ 179	182 ~ 189	192 ~ 197	183 192 ~ 199
180 ~ 183	177 198 ~ 201	182 198 ~ 201	183 202 ~ 211

Textbook

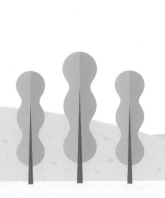

CONTENTS 차례

VI

근·현대 사회의 전개

내공 점검

CONTENTS

통치 체제와 대외 관계 ~ 사림 세력과 정치 변화

내공 1 조선의 건국과 국가 기틀의 확립

1 조선의 건국

(1) **건국 과정**: 이성계의 위화도 회군 → 이성계와 신진 사대부 정도전 등이 과전법 시행 → 고려 왕조를 유지하려고 한 신진 사대부인 정몽주 등 제거 → 조선 건국(1392) → 한양 천도(1394)
└ 고조선을 계승한다는 뜻에서 나라 이름을 조선으로 정하였어.

(2) **과전법 실시**: 전·현직 관리에게 경기 지역의 토지에 한해 수조권이 설정된 토지 지급 → 민생 안정, 국가 재정 확충, 새 왕조 개창에 참여한 관리의 경제적 기반 마련

(3) **한양 천도**: 한양은 나라의 중앙에 위치, 한강이 흘러 교통에 편리, 산으로 둘러싸여 방어에 유리

(4) **태조의 유교 국가 기틀 확립**

① **내용**: 성리학을 바탕으로 문물제도 정비(정도전이 주도, 재상 중심 정치 강조), 민본(백성이 근본) 사상과 왕도 정치 추구
└ 국왕이 인격과 덕으로 백성을 다스려야 한다는 정치 사상이야.

② **영향**: 신진 사대부가 지배 세력을 형성, 가문보다 유교적 지식·교양 중시, 불교 위축, 유교 윤리가 정치·경제·사회· 문화의 중심이 됨
└ 조선의 통치 기준과 운영 원칙을 제시한 『조선경국전』, 성리학의 입장에서 불교 교리를 비판한 『불씨잡변』을 저술하였고, 경복궁과 궁궐 건물 이름을 정하고, 고려 역사를 정리하였다.

2 국가 기틀의 확립
└ 두 차례에 걸친 왕자의 난으로 정도전 등을 제거하고 왕이 되었어.

(1) **태종의 정책**: 국왕 중심 정치 지향

① **사병 혁파**: 공신·왕자의 사병을 없애고, 왕이 군사권 장악

② **6조 직계제 실시**: 6조에서 나랏일을 국왕에게 직접 보고 → 의정부의 기능 약화(재상의 비중 약화)

③ **호구 조사와 호패법 실시**: 인구 파악, 세금 징수와 군역 부과의 기초 자료 마련
└ 16세 이상의 모든 남자가 지니고 다닌 신분증이야. 신분에 따라 기록된 내용이 달랐어.

(2) **세종의 정책**: 유교적 이상 정치 추구

① **집현전 설치**: 학자의 학문 연구와 정책 자문 지원

② **경연 활성화**: 신하와 정책 토론
└ 왕과 신하가 함께 유교 경전과 역사서를 읽고 공부하는 제도야.

③ **의정부의 권한 강화**: 재상에게 많은 권한을 주면서 왕권과 신권의 조화 추구
└ 인사와 군사에 관한 일은 국왕이 직접 처리하였다.

④ **기타**: 조세 제도 정비, 훈민정음 창제·반포, 국가 의례 정비

(3) **세조의 정책**
└ 단종을 몰아내고 즉위하였다.

① **국왕 중심 정치 체제 강화**: 집현전 폐지, 경연 폐지, 의정부의 권한 약화

② **군사 제도 개편**: 국방력 강화

③ **직전법 시행**: 현직 관리에게만 수조권 지급
└ 관리의 수가 늘고, 각종 명목으로 수조권이 세습되는 토지가 많아져 새로 지급할 과전이 부족하였기 때문이야.

(4) **성종의 정책**

① **국왕 중심 정치 체제 완화**: 집현전을 계승한 홍문관 설치, 경연 부활, 의정부의 권한 강화

② **『경국대전』 반포**: 조선의 기본 법전, 이·호·예·병·형·공전으로 구성 → 유교적 법치 국가로 나아감
└ 세조 때 편찬하기 시작하여 성종 때 완성, 반포되었어.

이로써 유교 중심의 국가 통치 질서를 확립하였다.

내공 2 조선의 통치 체제 정비

1 중앙 정치 제도

의정부와 6조	• 의정부: 영의정을 비롯한 3정승이 합의하여 국정 총괄 • 6조: 행정 실무 담당
승정원	왕명 출납 담당, 국왕의 비서 역할 → 왕권을 뒷받침함
의금부	반역 등 중대한 죄인 처벌 → 왕권을 뒷받침함
3사	• 사헌부: 정치 토론, 관리 감찰, 풍속 교정 등 • 사간원: 간쟁(임금에게 바른말), 정치 잘못 지적 • 홍문관: 국왕의 정책 자문, 경연 담당
한성부	수도 한성의 행정과 치안 담당
춘추관	역사서 편찬과 보관 담당
성균관	최고 국립 교육 기관으로 유학 교육 담당

└ 언론 기관으로, 권력 독점과 부정을 막았어.

▲ 조선의 중앙 정치 기구

▲ 조선 전기의 지방 행정 구역

2 지방 행정 제도와 군사·교통·통신 제도

(1) **지방 행정 제도**

① **조직**: 전국을 8도로 나눔, 도 아래에 부·목·군·현 설치, 고려의 향·부곡·소는 일반 군현에 통합

② **운영**

도	관찰사 파견, 관찰사는 수령을 지휘·감독
부·목·군·현	• 수령: 모든 군현에 파견, 행정·군사·재판 업무 담당 • 향리: 수령 보좌·행정 실무 처리

③ **유향소**: 지방 양반이 설치해 수령 보좌, 향리 감찰, 백성 교화
└ 6방(이·호·예·병·형·공방)으로 구성되었는데 고려의 향리보다 지위가 낮았어.

(2) **군사 제도**

① **군역 제도**: 16세에서 60세의 양인 남자는 직접 군인으로 복무하거나 군인의 비용 부담

② **군사 조직**

중앙군	5위(한성과 궁궐 수비)
지방군	각 도에 병마절도사와 수군절도사 파견(각각 육군과 수군 지휘)

(3) **교통·통신 제도**

① **봉수제**: 국경의 위급 상황을 빨리 알리기 위해 마련한 제도

② **역참과 원**: 물자 수송과 통신을 위해 전국에 설치, 운영

③ **조운제**: 세금으로 거둔 곡식을 물길을 통해 운송하는 제도

3 교육 제도와 관리 등용 제도

(1) 교육 제도

원칙적으로 소과 합격자가 입학할 수 있었어.

① 교육 목적: 유교적 교양과 능력을 갖춘 관리 양성
② 교육 과정: 서당(기초적 유학 지식 교육) → 한성의 4부 학당·지방의 향교(유교 경전 교육) → 성균관(최고 교육 기관)
③ 기술 교육: 의학, 법학, 외국어 등은 해당 관청에서 담당

(2) 관리 등용 제도

문과는 양반의 자제, 무과는 양반·향리·상민의 자제, 잡과는 기술관이나 향리의 자제가 주로 응시하였어.

① 과거: 문과·무과·잡과로 구분, 양인 이상이면 과거 응시 가능, 3년마다 실시(특별 시험은 수시로 실시)
② 기타: 음서(고려에 비해 비중 축소), 천거(관리의 추천을 받아 능력에 따라 선발하는 제도, 자주 실시되지는 않음)

대상이 2품 이상 관리 자제로 제한되고, 음서로는 고위 관리 승진이 어려웠어.

소과			
·생원과 ·진사과	→ 문과(대과) →	문관	
무과		→	무관
잡과 ·역과 ·율과 ·의과 ·음양과		→	기술관

◀ 조선의 과거 제도 | 문과의 소과에 합격하면 생원, 진사가 되었고, 대과까지 통과해야 문관은 높은 관직에 오를 수 있었다. 한편, 소과에 합격한 사람은 성균관에 입학해 높은 수준의 유학 교육을 받았다.

내공 3 사대교린의 외교

1 명과의 사대 관계

큰 나라를 섬긴다는 뜻이야.

(1) 성립 과정: 태조의 요동 정벌 추진으로 명과 대립 → 태종 이후 친선 도모, 사대 관계 확립
(2) 사대 외교: 조공과 책봉 → 왕권 안정, 조선의 국제적 지위 확보, 선진 문물 수용, 조공 무역 등 실리 획득

명에 조공품을 보내고, 명으로부터 답례품을 받았어.

2 주변국과의 교린 관계

이웃 나라와 가까이 지낸다는 뜻이야.

(1) 여진·일본과의 교린 관계: 회유책과 강경책 병행

여진	• 회유책: 무역소를 설치해 제한적 교류 허용, 귀화 장려 • 강경책: 세종 때 4군(최윤덕)과 6진(김종서) 설치
일본	• 강경책: 세종 때 왜구의 소굴인 대마도 토벌(이종무) • 회유책: 3포를 개항해 일본인의 거류와 제한된 무역 허용

부산포, 염포, 제포를 말해.

(2) 시암(태국)·자와(인도네시아)·류큐(오키나와)와의 교류: 각국 사신이 토산품을 가져오면 조선이 문방구, 불경, 유교 경전 등을 줌

4군 6진의 설치로 오늘날과 같은 국경선이 확정되었어.

▲ 조선 전기의 대외 관계

▲ 야연사준도 | 김종서가 6진을 설치한 것을 그렸다.

내공 4 사림의 성장과 붕당의 형성

1 사림의 성장

(1) 훈구의 권력 독점: 세조 즉위를 도운 공신들이 고위 관직 차지, 막대한 재산을 소유하며 실권 장악 → 왕권 제약
(2) 사림의 정계 진출

① 사림: 조선 건국에 참여하지 않고 지방에서 성리학을 연구하던 사대부의 제자들, 왕도 정치와 향촌 자치 추구
② 정계 진출: 성종이 훈구 견제를 위해 김종직 등 사림 등용, 주로 3사에 임명, 훈구의 부정과 권력 독점 비판

정몽주·길재의 학통을 계승하였어.

```
정몽주
  │
 길 재
  │
김숙자
  │
김종직
  │
정여창  김광필  김일손
  │
이언적  서경덕  조광조  김안국
  │
조 식  이 황    이 이  성 혼
영남학파        기호학파
```

▲ 사림의 계보도

2 훈구와 사림의 갈등

사림이 피해를 입은 사건을 말해.

무오사화	연산군과 훈구가 김종직의 「조의제문」을 문제 삼아 사림 제거
갑자사화	연산군이 친어머니 폐위와 관련된 훈구와 사림 제거
기묘사화	중종반정 이후 중종이 훈구 견제 위해 조광조 등 사림 등용 → 조광조가 개혁 추진(소격서 폐지, 현량과 시행, 위훈 삭제 주장) → 중종과 훈구가 조광조 등 사림 제거
을사사화	명종 때 외척 세력 간의 권력 다툼에서 사림이 피해를 입음

항우에게 죽임을 당한 초의 의제를 애도한 글이야. 훈구는 세조의 왕위 찬탈을 풍자한 것으로 보았어.

훈구가 연산군을 몰아내고 중종을 세운 사건이야.

중종이 왕위에 오를 때 부당하게 공신이 된 자의 자격 박탈을 주장하였어.

왕실의 도교 행사를 주관하였어.

3 서원의 설립과 향약의 보급

학문이 뛰어난 인재를 추천해 관리로 등용한 제도로 이를 통해 많은 사림이 정계에 진출하였어.

(1) 서원의 설립

① 기능: 유학자 제사, 성리학 연구, 지방 양반 자제 교육
② 확산: 주세붕이 백운동 서원(소수 서원) 설립 → 국가가 서원 설립 장려(사액 서원 지정)
③ 영향: 사림의 정치적 기반 강화, 향촌에 성리학 이념 보급, 학파 형성과 성리학 발달

(2) 향약의 보급

상부상조 풍속에 유교 윤리를 더해 만들었어. 덕업상권, 과실상규, 예속상교, 환난상휼이 4대 덕목이야.

① 기능: 향촌 자치 규약으로 풍속 교화, 질서 유지
② 확산: 사림이 중종 때 중국의 『여씨향약』을 번역해 보급 → 이황, 이이 등이 향약을 만들어 시행
③ 영향: 향촌에 사림의 영향력 확대, 성리학적 사회 질서 확산

4 사림의 집권과 붕당의 형성

하급 관리와 3사의 관리를 심사, 추천하고 자신의 후임자를 추천할 수 있는 중요한 관직이야.

(1) 사림의 집권: 사림이 향촌에서 서원·향약을 토대로 세력 확대 → 선조 때 정치의 주도권 잡음
(2) 붕당의 형성: 외척의 정치 참여 문제로 사림 내부에서 갈등 발생 → 이조 전랑 임명 문제로 갈등 심화 → 동인·서인 형성

학문·정치적 입장을 함께하는 양반의 정치 집단이야.

동인	이황과 조식의 학문 계승, 영남 지역 사림 중심
서인	이이와 성혼의 학문 계승, 경기·충청 지역 사림 중심

이후 이황의 학문을 따르는 남인, 조식의 학문을 따르는 북인으로 나뉘었어.

(3) 붕당 정치 전개: 상대 붕당의 입장을 존중, 학문적 차이를 인정하며 상호 비판과 견제로 정치 운영

개념 확인하기

정답과 해설 2쪽

1 다음 설명이 맞으면 ○표, 틀리면 ✕표를 하시오.
(1) 태조는 국호를 조선으로 정하고, 수도를 한양으로 옮겼다. ( )
(2) 태종은 공신과 왕자들의 사병을 없애고 군사권을 장악하였다. ( )
(3) 세조가 경국대전을 완성하여 반포함으로써 조선은 유교적 법치 국가로 나아갈 수 있었다. ( )

2 세종의 업적을 〈보기〉에서 골라 기호를 쓰시오.
• 보기 •
ㄱ. 직전법을 실시하였다.
ㄴ. 집현전을 설치하였다.
ㄷ. 훈민정음을 창제하였다.
ㄹ. 호패법을 처음 실시하였다.

3 다음 조선의 중앙 정치 기구와 그 역할을 옳게 연결하시오.
(1) 사헌부 • • ㉠ 관리 감찰
(2) 승정원 • • ㉡ 국정 총괄
(3) 의금부 • • ㉢ 왕명 출납
(4) 의정부 • • ㉣ 국왕 정책 자문
(5) 홍문관 • • ㉤ 반역 죄인 처벌

4 다음 괄호 안의 내용 중 알맞은 말에 ○표를 하시오.
(1) 성종은 (집현전, 홍문관)을 설치하여 경연을 다시 열었다.
(2) 조선은 명과 (교린, 사대) 관계를 맺고 실리를 추구하였다.
(3) 조선은 전국을 8도로 나누고 도에 (관찰사, 안찰사)를 파견하였다.
(4) 조선의 최고 교육 기관인 (서원, 성균관)에서는 높은 수준의 유학 교육을 실시하였다.

5 다음 빈칸에 들어갈 내용을 쓰시오.
(1) 사림은 향촌 자치 규약인 ( )을 만들어 보급하였다.
(2) 성종은 훈구 세력을 견제하기 위해 ( )을 등용하였다.
(3) ( )에는 이황과 조식의 학문을 따르는 영남 지역의 사림이 많았다.
(4) 조광조는 추천을 통해 학문이 뛰어난 인재를 관리로 선발하는 ( )를 시행하였다.

내공 쌓는 족집게 문제

내공 1 조선의 건국과 국가 기틀의 확립

1 (가)에 들어갈 내용으로 가장 적절한 것은?

〈조선의 건국 과정〉

위화도 회군 ➡ (가) ➡ 조선 건국

① 한양 천도
② 왕자의 난
③ 전시과 실시
④ 정몽주 제거
⑤ 요동 정벌 추진

2 밑줄 친 '이 왕'이 한 일로 옳은 것은?

두 차례에 걸친 왕자의 난으로 정도전과 세자 등을 제거하고 왕위에 오른 이 왕은 공신과 왕자들의 사병을 없애고 군사권을 장악하였다.

① 직전법을 실시하였다.
② 한양으로 천도하였다.
③ 호패법을 실시하였다.
④ 홍문관을 설치하였다.
⑤ 경국대전을 반포하였다.

3 밑줄 친 '이것'에 대한 설명으로 옳은 것은?

이것은 조선의 기본 법전으로, 각종 행정 법규를 수록하여 그 내용을 통해 조선 사람들의 생활 모습을 짐작할 수 있습니다.

땅이나 가옥을 사고판 후 100일 이내에 관아에 신고해서 증서를 받아야 한다. -「호전」

① 6전 체제로 구성되어 있다.
② 세종 때 완성하여 반포하였다.
③ 조선 건국을 주도한 정도전이 편찬하였다.
④ 세금 징수와 군역 부과의 기초 자료로 사용되었다.
⑤ 백성이 쉽게 읽을 수 있도록 훈민정음으로 서술되었다.

4 다음 상황에 대한 조선 정부의 대응으로 옳은 것은? ◯◯◯◎◎◎

> 관리의 수가 늘고, 각종 명목으로 수조권이 세습되는 토지가 많아져 새로 관리가 된 자들에게 지급할 과전이 부족해졌다.

① 녹읍을 폐지하였다.
② 직전법을 시행하였다.
③ 전시과 제도를 제정하였다.
④ 관리에게 관료전을 지급하였다.
⑤ 고위 관리에게 세습이 가능한 공음전을 주었다.

내공 2   조선의 통치 체제 정비

[5~6] 다음 도표는 조선의 중앙 정치 기구를 나타낸 것이다. 물음에 답하시오.

중요 5 (가)~(마)에 대한 설명으로 옳지 <u>않은</u> 것은? ◯◯◯◎◎◎

① (가) – 국왕의 비서 역할을 하였다.
② (나) – 반역 등의 큰 죄를 다스렸다.
③ (다) – 관리의 잘못을 감찰하였다.
④ (라) – 수도 한성의 행정과 치안을 담당하였다.
⑤ (마) – 국왕의 정책 자문과 경연을 담당하였다.

6 (가)~(마) 중 다음 설명에 해당하는 기구를 옳게 고른 것은? ◯◯◯◎◎◎

> 조선은 언론 기능을 담당하는 3사를 두어 권력 독점과 관리의 부정을 막았다.

① (가), (나), (다)   ② (가), (라), (마)   ③ (나), (다), (라)
④ (나), (라), (마)   ⑤ (다), (라), (마)

---

7 지도와 같이 행정 구역이 구분된 시기의 지방 행정 제도에 대한 설명으로 옳지 <u>않은</u> 것은? ◎◎◎◎◎◎

① 8도에 관찰사를 파견하였다.
② 모든 군현에 수령을 파견하였다.
③ 향리가 행정 실무를 처리하였다.
④ 국경 지역에는 양계를 설치하였다.
⑤ 도 아래에 부·목·군·현을 두었다.

8 학생들이 설명하고 있는 교육 기관으로 옳은 것은? ◯◯◯◎◎◎

① 서당   ② 서원   ③ 향교
④ 성균관   ⑤ 4부 학당

9 다음 관리 등용 제도에 대한 설명으로 옳지 <u>않은</u> 것은? ◯◯◯◯◎◎

① 양인이면 응시할 수 있었다.
② 대개 시험은 5년마다 시행되었다.
③ 무관을 뽑는 시험이 따로 있었다.
④ 문과에는 주로 양반 자제가 응시하였다.
⑤ 문관은 대과까지 합격해야 높은 지위에 올랐다.

내공 3 사대교린의 외교

10 (가)~(다)와 조선의 관계에 대한 설명으로 옳지 <u>않은</u> 것은?

① (가) – 태조 때부터 사대 관계를 맺었다.
② (가) – 조공 무역으로 경제적 이득을 얻었다.
③ (나) – 국경 지역에 무역소를 설치하여 교류하였다.
④ (다) – 3포를 개방하여 제한적으로 무역을 허용하였다.
⑤ (나), (다) – 강경책과 회유책을 함께 사용하였다.

11 (가)에 들어갈 인물로 옳은 것은?

이 「야연사준도」는 ___(가)___ 이/가 세종의 명으로 함경도 동북 지역의 여진을 몰아내고 6진을 설치한 사실을 그린 그림입니다.

① 서희   ② 윤관   ③ 김종서
④ 이종무   ⑤ 최윤덕

중요 12 밑줄 친 '강경책'에 해당하는 사실로 옳은 것은?

조선은 일본과 교린 관계를 맺어 일본에 강경책과 회유책을 함께 사용하였다.

① 대마도를 토벌하였다.
② 별무반을 편성하였다.
③ 4군 6진을 설치하였다.
④ 동북 지방에 9성을 쌓았다.
⑤ 3포를 개항하여 무역을 허용하였다.

내공 4 사림의 성장과 붕당의 형성

중요 13 다음 계보를 가지는 정치 세력에 대한 설명으로 옳지 <u>않은</u> 것은?

① 왕도 정치와 향촌 자치를 추구하였다.
② 훈구 세력의 권력 독점을 비판하였다.
③ 네 차례의 사화에서 큰 피해를 입었다.
④ 선조 때부터 정국을 주도하기 시작하였다.
⑤ 연산군을 몰아내고 중종을 왕으로 세웠다.

주관식

14 (가)에 들어갈 용어를 쓰시오.

성종은 훈구 세력을 견제하기 위해 사림을 등용하였다. 사림은 주로 ___(가)___ 에 배치되었고, 공론을 내세우며 훈구 세력의 권력 독점과 비리를 비판하였다.

15 다음 주장을 한 인물에 대한 설명으로 옳지 <u>않은</u> 것은?

전하, 지난 중종반정 때 공을 세우지 않고도 공신이 되어 조정에서 녹을 먹는 사람들의 공훈을 삭제해야 합니다.

① 중종이 등용하였다.
② 소격서를 폐지하였다.
③ 현량과를 시행하였다.
④ 이방원에게 제거되었다.
⑤ 왕도 정치를 추구하였다.

16 (가), (나)에 들어갈 내용을 옳게 짝지은 것은?

> **사림의 성장**
> • (가) 의 설립: 유학자 제사, 성리학 연구, 양반 자제 교육 담당 → 사림의 정치적 기반 강화
> • (나) 의 보급: 향촌 자치 규약으로 풍속 교화, 질서 유지 → 향촌에 사림의 영향력 확대

	(가)	(나)
①	서당	향약
②	서원	향약
③	서원	유향소
④	향교	향약
⑤	향교	유향소

17 그림에 나타난 갈등의 결과로 옳은 것은?

심의겸의 동생이 이조 전랑이 되는 것을 반대하다니.

심의겸도 김효원이 이조 전랑이 되는 것을 반대하였지.

① 훈구 세력이 중종을 왕으로 세웠다.
② 성종이 김종직 등 영남 사림을 등용하였다.
③ 조광조 등 많은 사림이 처형되거나 쫓겨났다.
④ 사림이 동인과 서인으로 나뉘어 붕당을 형성하였다.
⑤ 연산군이 생모의 폐위와 관련된 사람들을 제거하였다.

중요 18 (가)~(라)를 일어난 순서대로 옳게 나열한 것은?

> (가) 연산군이 쫓겨나고 중종이 왕위에 올랐다.
> (나) 조광조를 비롯한 사림 세력이 제거되었다.
> (다) 선조 때 동인과 서인의 붕당이 형성되었다.
> (라) 성종이 김종직 등 영남 사림을 등용하였다.

① (가) - (나) - (다) - (라) ② (나) - (다) - (라) - (가)
③ (나) - (라) - (다) - (가) ④ (라) - (가) - (나) - (다)
⑤ (라) - (다) - (가) - (나)

19 다음 법전의 편찬 의의를 법전의 명칭이 포함된 한 문장으로 서술하시오.

조선의 기본 법전으로, 이·호·예·형·병·공전의 6전으로 구성되어 있다.

_____

_____

_____

20 다음 조선의 중앙 정치 기구 중 왕권을 뒷받침하였던 기구 두 개를 골라 쓰고, 이들의 역할을 각각 서술하시오.

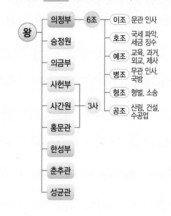

왕 — 의정부 — 6조 — 이조 문관 인사
     승정원   호조 국세 파악, 세금 징수
     의금부   예조 교육, 과거, 외교, 제사
     사헌부   병조 무관 인사, 국방
     사간원 — 3사 형조 형벌, 소송
     홍문관   공조 산림, 건설, 수공업
     한성부
     춘추관
     성균관

_____

_____

_____

21 다음을 읽고 물음에 답하시오.

> 훈구 세력이 연산군을 몰아내고 중종을 왕으로 세운 후 다시 권력을 장악하자, 중종은 이를 견제하기 위해 사림 세력을 등용하였다.

(1) 당시 밑줄 친 '사림 세력'을 대표하는 인물을 쓰시오.

_____

(2) (1)이 실시한 개혁의 내용을 서술하시오.

_____

_____

_____

03 문화의 발달과 사회 변화

내공 1 훈민정음 창제와 과학 기술의 발전

1 훈민정음의 창제와 활용

(1) 훈민정음 창제 ┌─ 백성을 가르치는 바른 소리라는 뜻이야.

① 배경: 일반 백성이 한자나 이두를 사용하기 어려웠음 →

└─ 통일 신라 때 만들어진 것으로 한자의 음과 뜻을 빌려 우리말을 표기하였어.

세종이 훈민정음을 창제해 반포(1446)

② 특징: 28자로 누구나 쉽게 우리말을 소리 나는 대로 표기 가능 → 글자의 원리가 과학적이고 독창적임

③ 의의: 우리 민족이 고유한 문자를 가지게 됨, 백성이 자신의 생각과 감정을 쉽게 글로 표현할 수 있게 됨, 국가 정책 홍보와 백성 교화에 효과적임, 국문학 발전의 계기가 됨, 민족 문화 발전에 기여함

(2) 훈민정음의 활용

① 도서 간행: 『용비어천가』(조선 건국의 정당성 강조, 왕실의 권위를 높임), 유교 윤리서·병서·농서 등 간행(유교 윤리나 기술 보급 확대)

② 기타: 백성에게 내리는 교서 작성, 하급 관리 선발에 훈민정음 시험

└─ 임금이 내리는 명령의 내용이 적힌 문서야.

> (우리)나라의 말씀이 중국과 달라 문자와 서로 통하지 않는다. 이런 이유로, 백성이 말하고자 하는 바가 있어도 마침내 제 뜻을 펴지 못하는 사람이 많다. 내 이를 가엾게 여겨 새로 스물여덟 글자를 만드니 모든 사람들이 쉽게 익혀 날마다 씀에 편안하게 할 따름이니라. ─ 『훈민정음』 해례본

▲ 세종이 훈민정음을 창제한 이유

◀ 훈민정음(해례본) | 훈민정음의 창제 이유와 원리가 기록되어 있다. 1997년에 유네스코 세계 기록 유산으로 등재되었다.

2 국가 주도의 서적 편찬

(1) 역사서: 조선 건국의 정당성 강조를 위해 편찬

고려사	고려의 역사 정리
고려사절요	고려의 역사 정리
동국통감	고조선부터 고려 말까지의 역사 정리
조선왕조실록	역대 왕의 재위 기간에 있었던 사실들을 정리

◀ 조선왕조실록 | 조선 태조부터 철종까지 25대 왕 472년간의 역사를 날짜별로 기록한 역사서로, 그 가치를 인정받아 1997년에 유네스코 세계 기록 유산으로 등재되었다.

(2) 윤리·의례서와 법전: 유교 질서 확립과 유교 윤리 보급을 위해 편찬

윤리·의례서	• 『국조오례의』: 유교 예법에 따라 국가 행사의 의례 정리 • 『삼강행실도』: 유교 윤리를 글과 그림으로 쉽게 설명
법전	『경국대전』: 조선 통치의 기본 규범

(3) 지도·지리서: 지방 통치와 국방 강화를 위해 편찬

혼일강리역대국도지도	세계 지도
팔도도	전국 지도
동국여지승람	지방의 연혁, 인물, 풍속 등을 정리한 지리서

◀ 혼일강리역대국도지도 | 태종 때 만들어진 현존하는 동양에서 가장 오래된 세계 지도이다. 아프리카, 아라비아반도, 유럽이 나타나 있다.

(4) 농서·의서

농사직설	우리나라의 풍토에 맞는 농사 방법 소개
향약집성방	우리나라에서 자라는 약재와 이를 이용한 치료법 소개
의방유취	의학 백과사전, 의학 집대성

3 과학 기술의 발전

(1) 천문학 발전: 국왕의 권위 및 농업과 관련되어 중시

천상열차분야지도	천문도, 태조 때 돌에 새김
혼천의, 간의	천체 관측 기구, 세종 때 제작
칠정산	역법서, 세종 때 중국과 이슬람의 역법을 참고하고, 실제 천문 관측 기록을 토대로 편찬
자격루	물시계, 시간 측정
앙부일구	해시계, 시간 측정
측우기	강우량을 측정해 풍흉에 대비

┌─ 자동으로 시간을 알려 주는 장치를 갖춘 시계로, 세종 때 장영실이 제작하였어.

▲ 간의 └─ 야외에서 천체의 위치를 측정하는 데 사용하였어.

▲ 자격루

▲ 앙부일구

▲ 칠정산

일출과 일몰, 일식과 월식의 정확한 때를 한성을 기준으로 계산할 수 있게 한 역법서야.

(2) 인쇄술 발전
① 배경: 조선 초 각종 서적 편찬 활발
② 내용: 계미자(태종), 갑인자(세종) 등 금속 활자 개량

◀ 오주갑인자 | 갑인자는 반듯한 모양으로 조립 시간을 줄였고, 내구성이 좋았다.

(3) 무기 개발
① 목적: 국방력 강화 ┌ 화약이 달린 화살이야.
② 내용: 화약 무기 신기전과 화차 개발 → 여진과 왜구의 침입을 물리치는 데 활용
└ 여러 발의 신기전을 연속해서 발사할 수 있었어.

◀ 신기전과 화차

내공 2 유교 윤리 보급과 양반 중심 문화 발전

1 유교 윤리의 보급
(1) 국가의 유교 윤리 보급
① 배경: 성리학이 통치 이념 → 유교적 사회 질서 확립에 노력
② 의례서 편찬: 『삼강행실도』(세종), 『국조오례의』(성종) 편찬
③ 포상: 충신, 효자, 열녀 등 유교 윤리를 잘 지킨 사례에 상을 줌(효자비, 열녀문 건립)
④ 유교 예법 적용: 국가와 왕실 행사를 유교 예법에 따라 실시
(종묘 제례 등) ┌ 왕실의 제사 의례로 유교의 기본 윤리인 효를 국가 차원에서 실천하는 의식이야. └ 삼강이야.

> 백성들이 임금과 신하, 어버이와 자식, 부부 사이의 큰 인륜을 모르고, 인색하다. …… 내(세종)가 특별히 뛰어난 것을 뽑아서 그림과 글을 만들어 중앙과 지방에 나누어 주니, 남녀 모두 쉽게 보고 느끼기를 바란다. 그렇게 하면 백성을 교화하여 풍속을 이루게 될 것이다.
> — 『세종실록』
> · 충신, 효자, 열녀 이야기야.

▲ 삼강행실도의 편찬 배경

◀ 삼강행실도 | 성종 때 백성이 쉽게 이해할 수 있도록 훈민정음으로 번역한 내용을 추가하였다.

(2) 양반의 유교 윤리 확산 노력 ┌ 남송의 주희가 관·혼·상·제례 네 가지 의례의 예법을 정리한 거야.
① 『소학』 보급: 아동에게 유교 윤리(유교적 생활 규범) 교육
② 『주자가례(가례)』 보급: 가정에서 지켜야 할 유교 예법 보급 (친영을 포함한 혼례, 부모가 죽으면 매장과 3년상, 집 안에 사당을 세워 제사 등)
└ 신랑이 처가에서 결혼식을 한 후 신부를 신랑 집으로 맞이해 오는 의식이야.

③ 향약 보급: 향촌 사회에 유교 윤리 확산
④ 족보 편찬: 부자 관계를 중시하는 유교 이념에 따라 제작
(3) 양반 중심 사회의 발달 ┌ 법제상 양인과 천인으로 구분되나, 점차 양인 중에서 양반과 상민의 구분이 엄격해졌다.

양반	과거를 통해 관직에 진출, 국역을 면제받음
중인	기술관, 서리, 지방의 향리 등이 속함
상민	대다수는 농민, 조세·공납·군역 및 요역의 의무를 지님
천민	대부분은 노비, 국가나 주인에 예속되어 재산처럼 상속·매매의 대상이 됨

2 양반 중심 문화의 발전
(1) 문학

동문선	서거정이 삼국 시대부터 조선 초기까지의 시와 산문을 모아서 편찬
금오신화	김시습이 지음, 최초의 한문 소설
관동별곡	정철이 지음, 가사 문학의 대표작

(2) 그림 ┌ 도화서 화원과 양반 계층의 문인들이 그렸어.
① 15세기: 「고사관수도」(강희안, 선비의 여유로운 모습 표현), 「몽유도원도」(안견, 현실 세계와 이상 세계를 조화롭게 표현)
② 16세기: 사군자화가 사대부 사이에서 유행
└ 선비의 기개와 절개를 상징하는 매화, 난초, 국화, 대나무 그림을 말해.

▲ 고사관수도   ▲ 몽유도원도 ┌ 꿈속에서 복숭아밭을 노니는 그림이라는 뜻으로 안평 대군이 무릉도원에 다녀온 꿈을 꾼 후 안견에게 그 내용을 그리게 한 작품이야.

(3) 음악
① 세종 때: 궁중 음악인 아악을 정리(이후 종묘 제례악 완성)
② 성종 때: 『악학궤범』을 편찬해 궁중 의식에서 연주하던 음악과 악기, 무용 등 정리
└ 종묘에서 제사를 지낼 때 쓰는 음악으로 유네스코 무형 문화유산으로 지정되었어.

(4) 공예
① 분청사기: 고려 말부터 제작, 청자에 백토 가루를 칠해 만듦, 소박하고 자연스러운 멋을 보여 줌
② 백자: 16세기 이후 유행, 깨끗하고 고상한 느낌을 줌, 검소함을 중시하던 선비들의 취향에 맞음

▲ 분청사기 상감 연꽃 넝쿨무늬 병   ▲ 백자 달 항아리

(5) 건축
① 건국 초기: 궁궐, 학교, 성문 등을 주로 건립
② 사림의 정계 진출 이후: 서원 건축 활발, 지방의 선비들이 정원과 정자 조성(담양의 소쇄원, 봉화의 청암정 등)

1 세종 때 있었던 사실을 〈보기〉에서 골라 기호를 쓰시오.

• 보기 •
ㄱ. 역법서인 칠정산을 편찬하였다.
ㄴ. 28자로 된 훈민정음을 창제하였다.
ㄷ. 천문 관측 기구인 간의를 제작하였다.
ㄹ. 세계 지도인 혼일강리역대국도지도를 만들었다.

2 다음 서적과 그 내용을 옳게 연결하시오.

(1) 농사직설 •　　　 • ㉠ 지방의 연혁, 인물 등을 정리

(2) 동국통감 •　　　 • ㉡ 우리 풍토에 맞는 농사법 소개

(3) 삼강행실도 •　　 • ㉢ 고조선에서 고려까지 역사 정리

(4) 동국여지승람 • 　 • ㉣ 유교 윤리를 글과 그림으로 설명

3 조선은 화약이 달린 화살인 (　　　　) 여러 발을 연속해서 발사할 수 있는 화차를 개발하여 국방력을 키웠다.

4 다음 괄호 안의 내용 중 알맞은 말에 ○표를 하시오.
(1) 조선은 (불교, 유교) 예법에 따라 종묘에서 왕실에 대한 제례를 지냈다.
(2) 조선 시대에는 (향도, 향약)이/가 보급되면서 향촌에 유교 윤리가 확산되었다.
(3) 양반은 가정에서 실천해야 할 유교 예법을 정리한 (소학, 주자가례)을/를 널리 보급하였다.
(4) 조선은 (삼강행실도, 국조오례의)를 간행하여 국가 행사의 의례를 유교 예법에 따라 정리하였다.

5 다음 설명이 맞으면 ○표, 틀리면 ×표를 하시오.
(1) 김시습은 최초의 한문 소설인 관동별곡을 지었다. (　　)
(2) 사림이 정계에 진출한 이후 서원 건축이 활발하였다. (　　)
(3) 깨끗하고 고상한 느낌을 주는 백자는 15세기 이전에 유행하였다. (　　)
(4) 강희안은 몽유도원도에서 현실 세계와 이상 세계를 조화롭게 표현하였다. (　　)

내공 쌓는 **족집게 문제**

내공 **1**　훈민정음 창제와 과학 기술의 발전

[1~2] 다음 사진을 보고 물음에 답하시오.

중요 **1** 위 책에서 설명하고 있는 문자에 대한 설명으로 옳은 것을 〈보기〉에서 고른 것은?

• 보기 •
ㄱ. 태종이 만들었다.
ㄴ. 백성들이 쉽게 표기할 수 있다.
ㄷ. 글자의 원리가 독창적이고 과학적이다.
ㄹ. 물체의 형상을 본떠서 만든 상형 문자이다.

① ㄱ, ㄴ　　② ㄱ, ㄷ　　③ ㄴ, ㄷ
④ ㄴ, ㄹ　　⑤ ㄷ, ㄹ

2 위 문자의 창제 의의로 옳지 않은 것은?
① 민족 문화 발전의 계기를 마련하였다.
② 우리 민족이 고유한 문자를 가지게 되었다.
③ 지식인들이 중국 중심 세계관에서 벗어나게 되었다.
④ 정부가 백성에게 국가 정책을 쉽게 전달하게 되었다.
⑤ 누구나 쉽게 자신의 생각과 감정을 글로 적게 되었다.

3 밑줄 친 '내'가 실시한 정책으로 옳지 않은 것은?

(우리)나라의 말씀이 중국과 달라 문자와 서로 통하지 않는다. 이런 이유로, 백성이 말하고자 하는 바가 있어도 마침내 제 뜻을 펴지 못하는 사람이 많다. 내 이를 가엾게 여겨 새로 스물여덟 글자를 만드니 모든 사람들이 쉽게 익혀 날마다 씀에 편안하게 할 따름이니라.

① 집현전을 설치하였다.
② 경국대전을 반포하였다.
③ 역법서인 칠정산을 편찬하였다.
④ 이종무를 보내 대마도를 토벌하였다.
⑤ 경연을 열어 신하들과 정책을 토론하였다.

4 (가)에 들어갈 역사서로 적절한 것을 〈보기〉에서 고른 것은?

> 조선은 건국 후 건국의 정당성을 밝히고 정통성을 확립하고자 역사서 편찬에 힘을 기울였다. 이때 (가) 등을 편찬하였다.

● 보기 ●
ㄱ. 고려사   ㄴ. 동국통감
ㄷ. 삼국사기   ㄹ. 삼국유사

① ㄱ, ㄴ   ② ㄱ, ㄹ   ③ ㄴ, ㄷ
④ ㄴ, ㄹ   ⑤ ㄷ, ㄹ

중요 **5** 밑줄 친 '역사책'에 해당하는 책으로 옳은 것은?

> 조선 태조부터 철종까지 25대 왕 472년간의 역사를 날짜에 따라 기록한 역사책이다. 그 가치를 인정받아 1997년에 유네스코 세계 기록 유산으로 등재되었다.

① 고려사   ② 동국통감   ③ 제왕운기
④ 고려사절요   ⑤ 조선왕조실록

6 다음 자료에 대한 설명으로 옳은 것을 〈보기〉에서 고른 것은?

● 보기 ●
ㄱ. 태종 때 만들어졌다.
ㄴ. 별자리의 위치와 모양을 표현하였다.
ㄷ. 인물, 풍속 등 지역의 정보를 담았다.
ㄹ. 현존하는 동양에서 가장 오래된 세계 지도이다.

① ㄱ, ㄴ   ② ㄱ, ㄹ   ③ ㄴ, ㄷ
④ ㄴ, ㄹ   ⑤ ㄷ, ㄹ

7 (가)에 들어갈 내용으로 가장 적절한 것은?

> 조선은 ____(가)____ 을/를 위해 지도와 지리서를 편찬하였다. 지도로는 「혼일강리역대국도지도」와 「팔도도」가, 지리서로는 『동국여지승람』 등이 만들어졌다.

① 국가 재정의 확보
② 선진 문물의 수용
③ 왕실의 권위 제고
④ 유교 윤리의 보급
⑤ 지방 통치와 국방 강화

8 교사의 질문에 대한 학생의 대답으로 가장 적절한 것은?

> 세종 때 충신, 효자, 열녀의 이야기를 모아 글과 그림으로 편찬한 이 책에 대해 말해 볼까요?

① 아동용 유교 윤리 기초 서적이에요.
② 가정에서 지켜야 할 유교 예법을 제시하였어요.
③ 궁중 의식에서 연주하던 음악, 악기를 기록하였어요.
④ 백성이 유교 윤리를 쉽게 알 수 있도록 편찬하였어요.
⑤ 국가 행사의 절차와 의례를 유교 예법에 따라 정리하였어요.

9 다음 기구의 용도에 대한 설명으로 옳은 것은?

① 서적을 인쇄하였다.
② 시간을 측정하였다.
③ 천체를 관측하였다.
④ 강우량을 측정하였다.
⑤ 신기전을 발사하였다.

족집게 문제

10 (가)에 들어갈 제목으로 가장 적절한 것은?

〈○○ 박물관 특별 전시 안내〉
_____
(가)
_____

• 전시 일자: 20○○년 ○월 ○일 ~△월 △일
• 전시 장소: ○○ 박물관

▲ 신기전과 화차   ▲ 간의   ▲ 칠정산

① 고려 귀족 문화의 발전
② 삼국 문화의 일본 전파
③ 양반 중심 문화의 발달
④ 조선의 과학 기술 발전
⑤ 신라 말 선종 불교의 유행

11 밑줄 친 부분의 사례로 가장 적절한 것은?

조선은 국가 기틀을 다지며 다양한 서적을 편찬하였다. 서적 편찬이 늘자 인쇄술도 발전하였다.

① 상정고금예문을 인쇄하였다.
② 무구정광대다라니경을 간행하였다.
③ 세계 최초로 금속 활자를 발명하였다.
④ 8만여 장에 이르는 대장경 목판을 만들었다.
⑤ 계미자, 갑인자 등의 금속 활자를 주조하였다.

주관식
12 (가)에 들어갈 천문도의 명칭을 쓰시오.

○○번 역사 문제
조선 전기의 천문학과 관련된 문제입니다.
하늘을 12개 구역으로 나누어 별자리의 위치와 모양을 표현한 천문도로, 태조 때 돌에 새겼습니다. 이 천문도는 무엇일까요?
정답은 (가) 입니다.

내공 **2** 유교 윤리 보급과 양반 중심 문화 발전

중요 **13** 다음 서적들의 편찬과 보급이 조선 사회에 끼친 영향으로 옳은 것은?

• 소학   • 주자가례
• 국조오례의   • 삼강행실도

① 국방력이 강화되었다.
② 과학 기술이 발전하였다.
③ 민족 문화가 크게 발전하였다.
④ 유교적 사회 질서가 확립되었다.
⑤ 훈구와 사림 간의 갈등이 심해졌다.

14 (가)에 들어갈 내용으로 적절한 것을 〈보기〉에서 고른 것은?

사림은 『소학』과 『주자가례』를 널리 보급하고 실천하였다. 그리하여 양반들은 _____ (가) _____

• 보기 •
ㄱ. 집 안에 사당을 세우고 제사를 지냈다.
ㄴ. 향도를 조직하여 공동체 의식을 다졌다.
ㄷ. 재산을 아들과 딸에게 균등하게 나눠 주었다.
ㄹ. 신부 집에서 혼례를 올린 후 신부를 신랑 집에 데려와 생활하였다.

① ㄱ, ㄴ   ② ㄱ, ㄹ   ③ ㄴ, ㄷ
④ ㄴ, ㄹ   ⑤ ㄷ, ㄹ

15 ㉠~㉤ 중 옳지 않은 것은?

조선 전기 양반 중심 문화의 발전 사례
• 문학: ㉠ 동문선, ㉡ 금오신화 등
• 그림: ㉢ 고사관수도, 몽유도원도, ㉣ 사군자화 등
• 공예: ㉤ 상감 청자, 백자 등

① ㉠   ② ㉡   ③ ㉢
④ ㉣   ⑤ ㉤

16 다음 그림에 대한 설명으로 옳은 것은?

① 지배층의 극락왕생을 기원하였다.
② 선비의 여유로운 모습을 나타냈다.
③ 안평 대군의 꿈을 토대로 안견이 그렸다.
④ 선비의 기개와 지조를 표현한 사군자화이다.
⑤ 고려 말에 원 화풍이 영향을 끼쳤음을 확인할 수 있다.

중요 **17** (가)에 들어갈 문화재로 가장 적절한 것은?

〈특별 전시〉
문화재로 보는 조선 전기 양반 문화의 발달
• 일자: 20○○년 ○월 ○일 ~△월 △일
• 장소: ○○ 박물관
• 전시 문화재

(가)

①  ②  ③

④  ⑤

18 다음을 읽고 물음에 답하시오.

세종은 ＿(가)＿(으)로 『용비어천가』를 짓게 하여 조선 왕조의 정당성을 강조하고 왕실의 권위를 높였다.

(1) (가)에 들어갈 문자의 명칭을 쓰시오.

_____

(2) (1)의 창제 의의를 세 가지 이상 서술하시오.

_____
_____
_____

19 (가)에 들어갈 내용을 세 가지 서술하시오.

조선 시대에는 『소학』과 『주자가례』의 보급으로 일 상생활에 유교 윤리가 확산되면서 관혼상제의 의례 와 가족 제도에 변화가 나타나 양반들은 ＿(가)＿

_____
_____
_____

20 밑줄 친 '노력'에 해당하는 사례를 세 가지 이상 서술 하시오.

조선에서는 국왕을 '하늘의 명을 받아 올바르게 정 치를 행하는 존재'라고 인식하였고, 천문 현상은 민 생의 바탕이 되는 농업에 큰 영향을 주었다. 그래서 국왕과 정부는 천문과 기상 변화를 체계적이고 과 학적으로 밝히기 위해 노력하였다.

_____
_____
_____

04 왜란·호란의 발발과 영향

내공 1 왜란의 발발과 영향

1 16세기 중반 이후 동아시아 정세
(1) **명**: 환관들의 횡포, 몽골과 왜구의 침입 → 사회 불안 심화
(2) **일본**: 도요토미 히데요시가 전국 시대 통일 → 불만 세력의 관심을 돌리고 대륙으로 진출하기 위해 조선 침략 준비
(3) **조선**: 양반 사회의 분열(사화 발생, 붕당 출현), 군역 제도의 문란 등 → 국방력 약화
    ┗ 15세기 말부터 100여 년간 막부의 지배력이 약화되고 무사 간에 권력 투쟁이 치열하였던 시기야.

2 임진왜란
(1) **임진왜란의 발발(1592)**
① **일본군의 침략**: '명을 정벌하러 가는 데 필요한 길을 빌려 달라.'라는 구실로 일본이 조선 침략 ┏ 조총으로 무장한 일본군을 조선 군이 막아 내지 못하였어.
② **일본군의 북상**: 부산진과 동래성 함락 → 충주 방어선 붕괴 → 한성 함락 → 평양, 함경도로 진격
③ **조선의 대응**: 선조는 광해군을 세자로 책봉, 의주로 피란, 명에 지원군 요청
(2) **임진왜란의 전개**
① **의병의 활약**: 유생(곽재우 등), 승려(휴정, 유정 등) 등이 조직 → 익숙한 지리를 활용한 전술로 일본군에게 큰 타격을 줌 ┏ 이순신이 왜란 중에서 쓴 일기인 '난중일기'가 전쟁 상황을 생생히 알려줘.
② **수군의 반격**: 이순신이 옥포, 사천, 당포, 한산도에서 연이어 승리 → 서남해의 제해권을 장악하여 곡창 지대인 충청도와 전라도 보호, 일본군의 해상 보급로 차단
③ **전세의 역전**
• **명의 참전**: 일본의 대륙 진출을 막기 위해 조선에 지원군 파견 → 조명 연합군이 평양성 탈환
• **관군의 반격**: 진주성(김시민), 행주산성(권율)에서 큰 승리
    ┗ 이 결과 임진왜란은 동아시아 국제전으로 확대되었어.

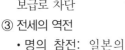

```
       명
1차 파병-조승훈          백두산
2차 파병-이여송    휴정(서산 대사)  정문부
                        갑주    경성
                   묘향산
평양 탈환
조명 연합군    조선  유정(사명 대사)
행주 대첩      평양  금강산    충주 전투
 권율                동해     신립
조헌·영규  황해  개성  한성  충주
            한성        상주 전투
고경명        금산  고령      이일
김천일        의령  부산      김면
명량 대첩            거창
 이순신  나주 담양  진주    곽재우
                         대마도
진주 대첩     울돌목      한산도 대첩
 김시민                   이순신
                    일본
```
▲ 왜란의 전개 과정

※ 범례
□ 관군   → 일본군의
□ 의병 대장   주요 침입로
→ 명의 파병   ✕ 격전지

3 휴전 협상과 정유재란
(1) **휴전 협상**: 일본이 명에 휴전 제의 → 3년에 걸쳐 협상 전개 (조선은 임진왜란 중에 훈련도감을 설치하는 등 군사 제도 개편, 무기와 성곽 보강) ┏ 조총을 다루는 포수, 창과 칼을 쓰는 살수, 활을 쓰는 사수의 삼수병으로 편성되었어.
(2) **정유재란**: 휴전 협상이 결렬되자 일본이 다시 조선 침략 (1597) → 이순신이 명량 해전에서 승리 → 도요토미 히데요시가 사망하자 일본군 철수 → 이순신이 노량 해전에서 일본군을 격파하면서 전쟁 종결

4 왜란의 영향
(1) **조선의 변화** ┏ 토지 대장과 호적 등도 사라졌기 때문이야.
① **백성의 생활과 국가 재정 곤란**: 전국의 토지가 황폐화됨
② **인구 감소**: 많은 사람이 죽거나 일본에 끌려감
③ **신분 질서 동요**: 노비 문서 소실, 전쟁에서 공을 세운 상민과 노비의 신분 상승 등
④ **문화재 손실**: 궁궐·불국사·사고 등 불탐, 일본이 도자기·서적 등 약탈
⑤ **작물과 기술 전래**: 고추·담배 등 새로운 작물 전래, 투항한 일본인들이 철포와 탄약 제조 기술 등 전파
(2) **일본과 명의 변화** ┏ 도쿠가와 이에야스가 정권을 장악하고 에도(도쿄)에 막부를 세웠어.
① **일본**: 에도 막부 수립, 조선에서 약탈한 문화재와 포로로 끌고 간 성리학자, 도자기·인쇄 기술자 등을 통해 문화 발전
② **명**: 국력의 쇠퇴 → 만주에서 여진이 성장해 후금 건국
(3) **조선과 일본의 국교 회복**: 에도 막부가 요청 → 조선이 유정을 보내 포로 교환, 국교 회복 → 이후 통신사 파견

◀ **아리타 자기** | 일본에 포로로 끌려간 조선인 도공 이삼평은 17세기에 일본 아리타 자기가 형성되는 데 크게 기여하였다.

내공 2 호란의 발발과 영향

1 광해군의 정치와 인조반정
(1) **광해군의 정치**
① **전후 복구** ┏ 허준 등이 왕명을 받아 편찬한 의학 서적으로 우리나라와 중국의 의서들을 집대성한 한의학 백과사전이야.
    • **국가 재정 수입 증가**: 토지 대장·호적 정비, 토지 개간 장려
    • **국방력 강화**: 성곽과 무기 수리, 군사 훈련 실시
    • **『동의보감』 편찬**: 질병으로 고통받는 백성을 돌봄
② **실리적 중립 외교 전개**: 후금의 명 공격 → 명의 지원 요청 → 강홍립 파견(상황에 맞는 대처 지시) → 조명 연합군의 패배 → 강홍립이 후금에 항복 → 후금과의 충돌을 피함

(임금이) 도원수 강홍립에게 타일러 명령을 내리기를, "애초 요동으로 건너간 군사 1만 명은 정예병이니 …… 명 장수의 말을 그대로 따르지만 말고 오직 패하지 않을 방도를 마련하는 데에 힘을 쓰라." ─「광해군일기」

▲ **양수투항도** | 조명 연합군이 후금에 크게 패하자, 강홍립은 광해군의 지시에 따라 후금에 투항하였다.

◀ 광해군의 중립 외교

(2) 인조반정(1623)

① 배경: 광해군의 중립 외교 → 명분·의리를 중시한 서인이 반발

② 계기: 광해군이 서인의 지지를 받던 영창 대군 살해, 인목 대비 폐위 → 서인이 유교 윤리에 어긋난다고 반발

③ 전개: 서인이 정변을 일으켜 광해군과 북인을 내쫓고 인조를 왕으로 추대

2 정묘호란과 병자호란

(1) 정묘호란(1627)

① 배경: 인조와 서인 정권의 친명배금 정책 ┌명을 가까이하고 후금을 배척하였어.

② 계기: 이괄의 난에 가담한 일부 무리가 후금으로 도망가 인조반정의 부당성 주장 └인조반정에 참여했던 이괄이 자신이 2등 공신에 그친 것에 불만을 품고 일으킨 반란이야.

③ 전개: 광해군을 위해 보복한다는 구실로 후금이 조선 침략 → 인조는 강화도로 피신, 관군과 의병이 후금에 맞섬 → 후금이 조선에 형제 관계 제의 → 조선이 수용하자 철수

(2) 병자호란(1636)

① 배경: 후금이 국호를 청으로 바꾸고 스스로 황제를 칭하며 조선에 군신 관계 요구 → 조선에서 주화론과 척화론(주전론) 대립 → 척화론 우세 ┌최명길은 화의를, 김상헌, 윤집 등은 척화를 주장하였어.

② 전개: 청 태종이 직접 조선 침략 → 인조는 남한산성으로 피신 → 청군이 남한산성 포위 → 척화와 주화 논란 전개 → 구원병이 패배, 청군이 강화도 함락 → 주화론 우세 → 인조가 굴욕적으로 화의하여 군신 관계 체결

③ 영향: 왕자와 신하, 많은 백성이 청에 끌려감, 청에 해마다 많은 공물을 바침 └인조는 삼전도에서 청 태종에게 황제에게 하는 예를 갖추며 항복하였어.

> 화친을 맺어 국가를 보존하는 것보다 차라리 의를 지켜 망하는 것이 옳다고 하였으나, 이것은 신하가 절개를 지키는 데 쓰는 말입니다. …… 자기의 힘을 헤아리지 않고 경망하게 큰 소리를 쳐서 오랑캐들의 노여움을 도발하여, 마침내 백성이 도탄에 빠지고 종묘와 사직에 제사를 지내지 못하게 된다면 그 허물이 이보다 클 수 있겠습니까? ─ 최명길, 『지천집』

▲ 최명길의 주화론

> 화의로 나라를 망치기가 …… 오늘날과 같이 심한 적이 없었습니다. 중국은 우리나라에 있어서 곧 부모요, 오랑캐는 우리나라에 있어 곧 부모의 원수입니다. 신하된 자로서 부모의 원수와 형제가 되어 부모를 저버리겠습니까? …… 차라리 나라가 없어질지라도 의리는 저버릴 수 없습니다. ─ 『인조실록』

▲ 윤집의 척화론 ┌임진왜란 때 조선을 도운 명에 대한 의리와 명분을 중시하여 청과 맞서 싸워야 한다고 주장하였어.

3 호란의 영향 ┌병자호란 때 소현 세자와 함께 청에 인질로 끌려 갔다가 돌아와 인조의 뒤를 이어 왕이 되었어.

(1) 북벌론 대두: 청을 정벌하여 치욕을 씻자는 주장 출현 → 효종이 서인을 등용해 북벌 준비 → 효종의 죽음으로 중단

(2) 북학론의 등장: 청과의 교류 증가 → 청의 발달된 문물을 받아들이자는 주장 대두 └청과 사대 관계를 맺은 조선은 매년 청에 사신(연행사)을 파견하였어.

---

1 다음 설명이 맞으면 ○표, 틀리면 ✕표를 하시오.

(1) 조선은 임진왜란이 전개되던 동안에 훈련도감을 설치하였다. ( )

(2) 전국 시대를 통일한 도요토미 히데요시가 조선을 침략하였다. ( )

(3) 명은 일본의 대륙 진출을 막기 위해 조선에 지원군을 보냈다. ( )

(4) 권율은 진주성에서, 김시민은 행주산성에서 큰 승리를 거두었다. ( )

(5) 이순신이 이끄는 의병이 곡창 지대를 지키고, 일본군의 해상 보급로를 차단하였다. ( )

2 다음 빈칸에 들어갈 내용을 쓰시오.

(1) 왜란 이후 일본에서는 ( ) 막부가 도쿠가와 이에야스에 의해 성립하였다.

(2) 일본과 국교를 회복한 후 조선은 일본의 요청에 따라 외교 사절단으로 ( )를 파견하였다.

3 광해군이 추진한 정책을 〈보기〉에서 골라 기호를 쓰시오.

• 보기 •
ㄱ. 서인을 등용하여 북벌을 준비하였다.
ㄴ. 명과 후금 사이에서 중립 외교를 펼쳤다.
ㄷ. 명에 대한 의리를 내세워 후금을 배척하였다.
ㄹ. 토지 대장과 호적을 정비하여 국가 재정을 늘렸다.

4 다음 전쟁과 관련 있는 사실을 옳게 연결하시오.

(1) 병자호란 • • ㉠ 인조의 남한산성 피신
(2) 임진왜란 • • ㉡ 명량 해전과 노량 해전
(3) 정묘호란 • • ㉢ 후금과 형제 관계 체결
(4) 정유재란 • • ㉣ 이순신이 한산도에서 승리

5 다음 괄호 안의 내용 중 알맞은 말에 ○표를 하시오.

(1) 후금이 청으로 국호를 바꾸고 조선에 (형제, 군신) 관계를 요구하였다.

(2) 병자호란 이후 소현 세자를 비롯하여 신하와 백성이 (청, 일본)으로 끌려갔다.

(3) 호란 이후 청을 정벌하여 청에 당한 치욕을 씻자는 (북벌론, 북학론)이 대두하였다.

족집게 문제

내공 1 왜란의 발발과 영향

1 (가)에 들어갈 내용으로 가장 적절한 것은?

> 16세기 중반 이후 명은 환관의 횡포, 몽골 및 왜구의 침입으로 사회가 불안하였다. 일본은 도요토미 히데요시가 전국 시대의 혼란을 수습하고 조선 침략을 준비하였다. 조선은 _____ (가)

① 훈구 세력이 권력을 독점하였다.
② 서인 정권이 친명배금 정책을 폈다.
③ 양반 사회의 분열로 정치가 혼란하였다.
④ 명과 후금 사이에서 중립 외교를 펼쳤다.
⑤ 치욕을 씻기 위해 청 정벌을 준비하였다.

[2~3] 지도는 어느 전쟁의 전개를 나타낸 것이다. 물음에 답하시오.

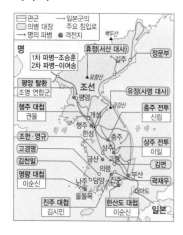

중요 2 위 지도의 전쟁에 대한 설명으로 옳지 <u>않은</u> 것은?

① 전쟁 중에 궁궐과 사고가 불탔다.
② 유생들이 농민을 모아 의병을 일으켰다.
③ 이순신이 해전에서 큰 승리를 거두었다.
④ 조정에서는 주화론과 척화론이 대립하였다.
⑤ 일본군은 서양식 신무기인 조총을 사용하였다.

3 위 전쟁이 동아시아에 끼친 영향으로 옳지 <u>않은</u> 것은?

① 일본에서는 에도 막부가 열렸다.
② 조선에서는 사림이 나뉘어 붕당이 출현하였다.
③ 명의 국력이 쇠퇴한 틈을 타 후금이 등장하였다.
④ 일본은 도자기 문화와 인쇄술이 크게 발전하였다.
⑤ 조선은 토지가 황폐해져 백성의 생활이 어려워졌다.

4 (가)에 들어갈 내용으로 가장 적절한 것은?

〈일본의 침략을 막아 내다〉

평양성 탈환 → (가) → 정유재란

① 명군의 참전
② 권율의 행주 대첩
③ 선조의 의주 피란
④ 이순신의 명량 해전
⑤ 도요토미 히데요시 사망

주관식

5 (가)에 들어갈 지명을 쓰시오.

> 도요토미 히데요시가 죽자 일본군은 조선에서 철수하였다. 이때 이순신이 이끄는 수군이 퇴각하는 일본군을 (가) 에서 무찌르면서 7년간의 전쟁은 끝이 났다.

내공 2 호란의 발발과 영향

6 밑줄 친 '항복'의 이유로 옳은 것은?

이 그림은 광해군이 파견한 강홍립을 비롯한 두 장수와 군사들이 후금에 <u>항복</u>하는 모습을 그린 것이다.

① 명의 군사 지원을 받기 위해
② 일본군 격퇴에 전념하기 위해
③ 후금과의 충돌을 피하기 위해
④ 명에 대한 의리를 지키기 위해
⑤ 후금과 형제 관계를 맺기 위해

중요 7 밑줄 친 '왕'에 대한 설명으로 옳은 것은?

왕은 명에 대한 의리를 저버리고 후금에 금방 항복하고 말았지요.

게다가 동생인 영창 대군을 죽이고 인목 대비를 폐위하다니, 이제는 참을 수 없습니다.

① 조광조를 비롯한 사림을 등용하였다.
② 삼전도에서 청과 굴욕적인 화의를 맺었다.
③ 어린 조카인 단종을 몰아내고 왕위에 올랐다.
④ 북인과 함께 왜란의 피해를 복구하는 데 힘썼다.
⑤ 무기를 정비하고 군대를 양성하여 북벌을 준비하였다.

8 밑줄 친 '침략'의 배경으로 가장 적절한 것은?

> 후금은 광해군의 원수를 갚는다는 구실로 조선을 침략하였다. 후금의 군대가 황해도까지 쳐들어오자 인조는 강화도로 피란하였다. 후금은 조선과 형제 관계를 맺고 철수하였다.

① 북벌론이 대두하였다.
② 세종이 대마도를 정벌하였다.
③ 최윤덕이 4군을 설치하였다.
④ 명과 일본의 휴전 협상이 결렬되었다.
⑤ 인조와 서인은 친명배금 정책을 펼쳤다.

9 다음 주장에 대한 설명으로 옳은 것은?

> 화의로 나라를 망치기가 …… 오늘날과 같이 심한 적이 없었습니다. 중국은 우리나라에 있어서 곧 부모요, 오랑캐는 우리나라에 있어 곧 부모의 원수입니다. 신하된 자로서 부모의 원수와 형제가 되어 부모를 저버리겠습니까? …… 차라리 나라가 없어질지라도 의리는 저버릴 수 없습니다.
> – 『인조실록』

① 임진왜란 때 제기되었다.
② 청에 맞서 싸울 것을 강조하였다.
③ 광해군의 중립 외교를 지지하였다.
④ 청에 당한 치욕을 씻어야 한다고 하였다.
⑤ 오랑캐와 화의하여 충돌을 피하려고 하였다.

10 (가)~(라)를 일어난 순서대로 옳게 나열한 것은?

> (가) 강홍립이 후금에 항복하였다.
> (나) 조선이 후금과 형제 관계를 맺었다.
> (다) 광해군이 쫓겨나고 인조가 왕위에 올랐다.
> (라) 인조가 삼전도에서 청과 굴욕적인 화의를 맺었다.

① (가) – (나) – (다) – (라) ② (가) – (다) – (나) – (라)
③ (나) – (다) – (가) – (라) ④ (나) – (라) – (가) – (다)
⑤ (라) – (다) – (나) – (가)

서술형 문제

11 (가) 전쟁이 조선에 끼친 영향을 세 가지 서술하시오.

▲ 아리타 자기

이삼평은 (가) 때 일본으로 끌려간 도공 중 한 사람으로 17세기에 일본 아리타 자기가 형성되는 데 크게 기여하였어요.

_____

_____

_____

12 다음과 같은 명령을 내리게 된 외교 정책의 내용과 그 결과를 서술하시오.

> (임금이) 도원수 강홍립에게 타일러 명령을 내리기를, "애초 요동으로 건너간 군사 1만 명은 정예병이니 …… 명 장수의 말을 그대로 따르지만 말고 오직 패하지 않을 방도를 마련하는 데에 힘을 쓰라."

_____

_____

_____

01 조선 후기의 정치 변동

내공 1 통치 제도의 개편과 붕당 정치의 전개

1 통치 체제의 개편

(1) 비변사의 기능 강화 ┌ 비변사는 중종 때 왜구와 여진의 침입에 대비하는 임시 기구로 설치되었다가 명종 때 왜구의 침입을 물리치면서 상설 기구가 되었어.

① 비변사: 국방 문제를 처리하기 위한 임시 회의 기구로 설치

② 기능 강화: 양 난(왜란과 호란)을 거치며 최고 통치 기구로 발전(3정승을 비롯한 고위 관원으로 구성원 확대, 인사·재정·외교 등 국정 전반을 총괄)

③ 영향: 의정부와 6조의 기능 축소, 왕권 약화

> 오늘에 와서 큰 일이건 작은 일이건 모두 비변사에서 처리합니다. 의정부는 한갓 이름뿐이고, 6조는 그 할 일을 모두 빼앗기고 말았습니다. 이름은 '변방의 방비를 담당하는 것'이라고 하면서 과거에 대한 판정이나 왕비와 세자빈을 간택하는 등의 일까지도 모두 여기에서 합니다. ─ 「효종실록」

▲ 기능이 커진 비변사

(2) 군사 제도의 변화 ┌ 총을 다루는 포수, 활을 쏘는 사수, 창과 칼을 쓰는 살수의 삼수병으로 편성되었고, 삼수병은 급료를 받는 직업 군인이었어.

① 중앙군: 임진왜란 중 훈련도감 설치 → 이후 어영청, 총융청, 수어청, 금위영을 설치해 5군영 체제 구비

② 지방군: 속오군 편성(양반부터 노비까지 포함, 평상시에는 생업에 종사하다가 유사시에는 전투에 참여)

(3) 조세 제도의 변화

① 배경: 전란으로 인구 감소, 논밭의 황폐화 → 농민 생활 곤란, 국가 재정 궁핍 → 조세 제도 개혁 필요

② 내용 ┌ 하급 관리나 상인들이 공납을 대신 납부하고 대가를 챙겼어.

대동법	• 배경: 공납으로 집집마다 토산물 부과 → 방납의 폐단 심각 • 내용: 토지 결수에 따라 쌀(1결당 12두), 옷감, 동전 등으로 징수 → 국가에 필요한 물품을 조달해 주는 공인이 등장 • 영향: 상품의 수요 증가 → 상품 화폐 경제 발전
영정법	전세를 풍흉에 따라 다르게 징수 → 풍흉에 관계없이 토지 1결당 4두 징수 └ 풍흉을 9등급으로 나누어 4~20두를 부과하였어.
균역법	군역으로 군대에 가는 대신 군포 2필씩 징수 → 군포를 1필로 줄임, 줄어든 군포 수입을 결작미, 선무군관포 등으로 보충 └ 지주에게 토지 1결당 쌀 2두씩 부담시켰어.

┌ 군역을 피하던 일부 부유한 상민에게 선무군관이라는 직책을 주고 매년 군포 1필을 거두었어.

┌ 평안도·함경도 등은 잉류 지역이라고 하여 대동세를 한성으로 보내지 않고, 그 지역에서 군사비, 사신 접대비 등으로 사용하였어.

■ 대동법 실시 지역 (연도: 실시 시기)
▨ 잉류 지역

1708년(숙종)
1623년(인조)
1608년(광해군)
1651년(효종)
1678년(숙종)
1658년(효종)

◀ 대동법의 확대 과정 | 대동법은 지주들의 반대로 인해 전국으로 확대되는 데 100년이나 걸렸다.

2 붕당 정치의 전개와 변질

(1) 붕당 정치의 전개 ┌ 붕당 정치로 사림의 정치 참여의 폭이 확대되고, 언론 기관인 3사의 기능이 강화되었어.

선조	사림이 동인과 서인으로 나뉘어 붕당 형성 → 동인이 남인과 북인으로 분화
광해군	북인이 정권 장악, 전후 복구 사업과 제도 개편 추진
인조	서인이 주도한 인조반정으로 북인 정권 몰락, 서인이 우세한 가운데 남인이 참여, 상대 붕당의 존재를 인정하고 서로 비판·견제하며 정국 운영, 공론(붕당 내 합의된 의견) 중시
현종	1차 예송(서인의 주장 채택, 서인 우세) → 2차 예송(남인의 주장 채택, 남인 우세), 상호 협조와 견제를 지키며 정국 운영 └ 의례에 관한 논쟁이라는 의미야.

> 효종 임금께서 둘째 아들로 왕위를 이으셨으니, 일반 사대부와 마찬가지로 대비께서는 1년 동안 상복을 입으시면 됩니다.

> 효종 임금께서 왕위를 계승하였으니 큰아들이나 다름없습니다. 일반 사대부와 예법을 같이 할 수 없지요. 대비께서는 3년간 상복을 입으셔야 합니다.

서인 / 남인

▲ 1차 예송 | 예송은 효종과 효종비가 죽은 후, 인조의 계비이자 효종의 계모인 자의 대비가 얼마 동안 상복을 입어야 하는가를 둘러싸고 두 차례 벌어졌다. 차남으로 왕위에 오른 효종의 정통성 문제와도 관련이 있었다. 효종이 사망하고 일어난 1차 예송에서는 서인의 주장이 받아들여졌다.

(2) 붕당 정치의 변질

① 환국: 숙종이 집권 붕당을 여러 차례 급격히 교체 → 서인과 남인이 번갈아 집권 ┌ 경신환국 때에는 서인이, 기사환국 때에는 남인이, 갑술환국 때 다시 서인이 집권하였다.

② 붕당의 대립 심화: 특정 붕당이 권력 독점, 상대 붕당을 몰아내고 보복함, 3사도 자기 붕당만 대변, 남인 몰락, 서인이 노론과 소론으로 나뉨 ┌ 서인은 남인 처벌 중에 강경파와 온건파의 갈등으로 노론과 소론으로 나뉘었어.

③ 탕평책 제기: 숙종이 붕당의 대립을 조정하기 위해 제기했으나 실현하지는 못함 ┌ 임금의 정치가 어느 한쪽에 치우치지 않고 공정한 상태로 이루어지는 것을 의미해.

내공 2 영조와 정조의 탕평 정치

1 영조의 탕평 정치

(1) 탕평책 시행

① 배경: 왕위 계승 문제를 쟁점으로 붕당 정치 폐해 극심

② 목적: 붕당의 대립 감소, 왕권 강화

③ 내용
• 탕평의 취지를 따르는 노론·소론의 온건파를 중심으로 인재 등용, 붕당의 균형을 꾀함 ┌ 한 관청에 여러 붕당의 인물이 함께 근무하게 하였어.
• 붕당의 근거지인 서원을 대폭 정리
• 붕당 간에 심한 갈등을 일으키던 이조 전랑의 권한 약화

④ 결과: 왕권 강화, 붕당 간 극단적 대립 완화, 정국 안정

> 두루 사랑하고 편당하지 않는 것은 군자의 공정한 마음이며, 편당하고 두루 사랑하지 않는 것은 소인의 사사로운 생각이다.

◀ 탕평비 | 영조가 탕평의 의지를 밝히고자 성균관 앞에 세운 비석이다.

> 붕당의 폐해가 요즈음보다 심한 적이 없었다. 처음에는 학문의 문제에서 분쟁이 일어나더니, 이제는 한쪽 사람을 모두 역적으로 몰아붙이고 있다. …… 근래에 들어 인재를 등용할 때 같은 붕당의 사람들만 등용하고자 한다. …… 피차가 서로를 공격하여 공평무사한 언론을 막고 역적으로 지목하면 옥석이 구분되지 않을 것이다. …… 이러면 나라가 장차 어떻게 되겠는가? …… 관리 임용을 담당하는 부서로 하여금 탕평으로 거두어 쓰게 하도록 하라. – 『영조실록』

▲ 붕당 정치의 폐단과 탕평책의 실시

(2) 개혁 정치
① 민생을 위한 개혁 실시
  • 형벌 제도 개선: 지나치게 가혹한 형벌 금지
  • 균역법 실시: 백성들의 군역 부담을 경감
  • 신문고 제도 부활: 백성의 억울함 해소
  • 청계천 정비: 도성의 홍수 예방 ┌태종 때 백성들의 억울함을 풀어 줄 목적으로 대궐 밖에 설치했던 북이야.
② 문물제도 정비: 『속대전』(법전), 『동국문헌비고』 등 편찬
  └우리나라의 문물제도를 분류·정리한 백과전서적인 책이야.

2 정조의 탕평 정치
(1) 탕평책 시행: 노론과 소론뿐만 아니라 남인도 등용해 적극적으로 시행
(2) 개혁 정치
① 개혁 정치 기구 설치
  • 규장각 설치: 정책 자문 기구로 삼고 개혁 정치를 뒷받침할 관리 양성(젊고 유능한 관리들을 선발하여 재교육을 하는 초계 문신제 실시)
  • 장용영 설치: 국왕 친위 부대, 왕권을 뒷받침하는 군사적 기반 └정조가 한성과 수원에 설치하였던 국왕 직속 군영이야.
② 민생 안정 개혁 추진 ┌허가받지 않은 상인인 난전에 대한 시전 상인의 단속권을 폐지하였어.
  • 상공업 진흥: 시전 상인의 특권 축소, 자유로운 상업 활동 보장 ┌양반 자손 중 양인 첩이 낳은 서자와 천민 첩이 낳은 얼자를 함께 이르는 말이야.
  • 서얼 차별 완화: 서얼 출신을 규장각 검서관에 등용(박제가, 유득공, 이덕무, 서이수 등)
  • 노비 처우 개선: 도망간 노비를 찾아내 가혹하게 처벌하는 것 금지
③ 문물제도 정비와 문화 발전 ┌외교 문서를 정리하였어. ┌무예와 병가를 정리하였어.
  • 문물제도 정비: 『대전통편』(법전)과 『동문휘고』, 『무예도보통지』, 『탁지지』 등 편찬
  • 중국과 서양의 과학 기술 수용: 실용적인 학문 발전에 힘씀
  └호조의 사례를 정리하였어.

④ 수원 화성 건설: 정조가 자신의 정치적 이상을 실현할 상징적 도시로 건설, 건축에 거중기 사용 ┌정약용이 만든 것으로, 공사 기간을 단축시켰어.

◀ 규장각 | 역대 국왕의 글과 책을 보관하는 왕실 도서관이었으나, 점차 학문을 연구하고 주요 정책을 개발하는 기구가 되었다. 규장각 학자들은 정조 시기의 문예 부흥을 이끌었다.

◀ 수원 화성 팔달문 | 정조는 아버지 사도 세자의 묘를 수원으로 옮기고, 이곳에 화성을 세웠다. 화성은 건축 양식의 독창성을 인정받아 1997년에 유네스코 세계 유산으로 등재되었다.

(3) 영조와 정조의 탕평 정치가 갖는 의의와 한계
① 의의: 붕당 간의 갈등 완화 → 정치적 안정, 왕권 강화
② 한계: 강력한 왕권으로 붕당 간의 대립을 한때 억누른 것에 불과, 붕당 정치의 폐단을 근본적으로 해결하지 못함 → 왕과 왕의 신임을 받는 소수 인물에게 권력이 집중됨 (세도 정치의 출현 배경이 됨)

내공 3 세도 정치의 등장

1 세도 정치의 전개
(1) 배경: 정조 사후 나이 어린 순조가 즉위 → 순조의 장인인 김조순을 중심으로 안동 김씨 세력이 권력 장악
(2) 전개: 순조, 헌종, 철종 3대 60여 년 동안 왕실과 혼인 관계를 맺은 안동 김씨, 풍양 조씨 등 일부 가문이 정권 장악(국정 최고 기구인 비변사와 주요 관직 차지, 여러 군영의 지휘권 장악)
(3) 결과: 왕권 약화

총 285명
안동 김씨 37명
대구 서씨 19명
풍양 조씨 17명
연안 이씨 17명
풍산 홍씨 12명
반남 박씨 12명
기타 성씨 171명
– 『조선 정치사(1800~1863)』, 1990.

▲ 순조~철종 연간 비변사 고위직 역임자 성씨 분포

2 세도 정치의 폐단
(1) 정치 기강 문란: 세도 가문의 부정과 비리로 과거제 문란, 관직을 사고파는 일이 성행 ┌조선 후기 국가 재정의 근본인 전정, 군정, 환곡을 함께 부르던 말이야.
(2) 삼정의 문란: 부패한 관리들의 백성 수탈 심화 → 정부는 암행어사를 파견했으나 큰 효과를 거두지는 못함
└국왕의 특명을 받고 지방에 비밀리에 파견된 관리로, 수령의 비리와 백성의 어려움을 탐문하여 왕에게 보고하였어.

개념 확인하기

정답과 해설 7쪽

1 다음 괄호 안의 내용 중 알맞은 말에 ○표를 하시오.

(1) 왜란과 호란을 거치면서 비변사의 기능이 (강화, 약화) 되었다.

(2) 붕당 정치는 숙종이 (예송, 환국)을 여러 차례 실시 하면서 크게 변질되었다.

(3) 영조는 붕당의 대립을 줄이기 위해 (3사, 이조 전랑) 의 인사 권한을 약화시켰다.

(4) 순조가 즉위한 후 일부 가문이 왕실의 외척이 되어 권력을 독점하는 (세도, 탕평) 정치가 시작되었다.

2 다음 군대와 그에 대한 설명을 옳게 연결하시오.

(1) 속오군 ·   · ㉠ 양반부터 노비까지 포함

(2) 장용영 ·   · ㉡ 정조가 설치한 국왕 친위 부대

(3) 훈련도감·   · ㉢ 포수, 사수, 살수의 삼수병으로 구성

3 다음 설명에 해당하는 제도를 〈보기〉에서 골라 기호를 쓰시오.

• 보기 •
ㄱ. 균역법   ㄴ. 대동법   ㄷ. 영정법

(1) 1년에 2필 내던 군포를 1필로 줄였다. ( )

(2) 전세를 풍흉에 관계없이 토지 1결당 쌀 4두를 걷었다. ( )

(3) 토산물 대신에 토지를 기준으로 쌀이나 옷감, 동전 등으로 내게 하였다. ( )

4 다음 사건들을 일어난 순서대로 나열하시오.

(가) 사림이 동인과 서인으로 나뉘었다.
(나) 서인이 노론과 소론으로 분열하였다.
(다) 서인과 남인 사이에 예송이 일어났다.
(라) 북인이 서인이 주도한 인조반정으로 몰락하였다.

5 정조가 추진한 정책을 〈보기〉에서 골라 기호를 쓰시오.

• 보기 •
ㄱ. 규장각 설치   ㄴ. 균역법 실시
ㄷ. 속대전 편찬   ㄹ. 장용영 설치

내공 쌓는 족집게 문제

내공 1 통치 제도의 개편과 붕당 정치의 전개

[1~2] 다음 글을 읽고, 물음에 답하시오.

> 오늘에 와서 큰 일이건 작은 일이건 모두 ┌(가)┐에서 처리합니다. 의정부는 한갓 이름뿐이고, 6조는 그 할 일을 모두 빼앗기고 말았습니다. 이름은 변방의 방비를 담당하는 것이라고 하면서 과거에 대한 판정이나 왕비와 세자빈을 간택하는 등의 일까지도 모두 여기에서 합니다.
> – 『효종실록』

주관식 ○○●●●

1 (가)에 들어갈 정치 기구를 쓰시오.

●●●●●

중요 2 (가)에 대한 설명으로 옳은 것을 〈보기〉에서 고른 것은?

• 보기 •
ㄱ. 왕권을 뒷받침하는 친위 부대였다.
ㄴ. 처음에는 국방 문제만 다루는 상설 기구였다.
ㄷ. 국정을 총괄하는 최고 통치 기구로 발전하였다.
ㄹ. 임진왜란과 병자호란을 겪으면서 기능이 강화되었다.

① ㄱ, ㄴ   ② ㄱ, ㄷ   ③ ㄴ, ㄷ
④ ㄴ, ㄹ   ⑤ ㄷ, ㄹ

○○●●●

3 다음 두 학생의 대화 주제에 해당하는 군대로 옳은 것은?

임진왜란 중에 편성되었는데, 포수, 살수, 사수의 삼수병으로 이루어졌어.

삼수병은 급료를 받아 직업 군인의 성격을 가졌어.

① 2군   ② 5위   ③ 주진군
④ 주현군   ⑤ 훈련도감

4 (가), (나)에 들어갈 내용을 옳게 짝지은 것은?

〈조선 후기 군사 제도의 변화〉

· 중앙군: 임진왜란 중 훈련도감 설치
  → 이후 [(가)] 체제 완성
· 지방군: [(나)] 편성(양반 ~ 노비까지 편성)

(가)	(나)
① 2군	주현군
② 5위	속오군
③ 5위	주진군
④ 5군영	속오군
⑤ 5군영	주진군

[5~6] 다음 지도를 보고 물음에 답하시오.

■ (가) 실시 지역
  (연도: 실시 시기)
■ 잉류 지역

백두산
함경도
평안도
1708년(숙종)
황해도
황해
경기도 강원도
1608년(광해군)   1623년(인조)
1651년(효종)
충청도
전라도   경상도
1658년(효종)   1678년(숙종)
제주도
동해

5 (가)에 들어갈 조세 제도에 대한 설명으로 옳은 것은?

① 직접 군대에 가서 복무하였다.
② 풍흉에 따라 전세를 다르게 거두었다.
③ 1년에 2필씩 걷던 군포를 1필로 줄였다.
④ 풍흉에 관계없이 토지 1결당 쌀 4두를 거두었다.
⑤ 토산물 대신에 쌀이나, 옷감, 동전 등으로 내게 하였다.

6 (가) 실시의 결과 나타난 현상으로 옳은 것은?

① 삼정이 문란해졌다.
② 붕당 정치가 변질되었다.
③ 방납의 폐단이 심각해졌다.
④ 시전 상인의 특권이 축소되었다.
⑤ 공인이 국가에 필요한 물품을 조달하였다.

7 (가)에 들어갈 내용으로 가장 적절한 것은?

조선은 양 난 이후 농민의 군역 부담을 줄여 주기 위
하여 1년에 2필씩 걷던 군포를 1필로 줄이는 균역법을
시행하였다. 그리고 줄어든 군포 수입을 보충하기 위
하여 _____(가)_____

① 결작미를 거두었다.
② 속오군을 편성하였다.
③ 공납을 토지세로 바꾸었다.
④ 집집마다 토산물을 부과하였다.
⑤ 전세는 풍흉에 관계없이 일정액을 거두었다.

8 밑줄 친 '개편'의 사례로 적절하지 않은 것은?

조선은 양 난을 겪으면서 흐트러진 사회 질서를 바로
잡기 위해 정치, 경제, 군사 등 여러 방면에서 제도를 개
편하였다.

① 중앙군은 5군영 체제를 갖추었다.
② 지방군으로 속오군을 편성하였다.
③ 공납을 고쳐 대동법을 시행하였다.
④ 비변사가 최고 통치 기구가 되었다.
⑤ 현량과를 실시하여 사림을 등용하였다.

9 다음 논쟁에 대한 설명으로 옳지 않은 것은?

효종 임금께서 둘째 아들로 왕위를 이으셨으니. 일반 사대부와 마찬가지로 대비께서는 1년 동안 상복을 입으시면 됩니다.

효종 임금께서 왕위를 계승하였으니 큰아들이나 다름없습니다. 일반 사대부와 예법을 같이 할 수 없지요. 대비께서는 3년간 상복을 입으셔야 합니다.

서인   남인

① 현종 때 일어났다.
② 서인의 주장이 채택되었다.
③ 서인이 노론과 소론으로 나뉘게 되었다.
④ 왕실의 상복 입는 기간을 두고 논쟁하였다.
⑤ 효종의 정통성 문제와 연관되어 전개되었다.

10 다음 정치 상황이 나타난 배경으로 가장 적절한 것은?

> • 서인과 남인이 번갈아 집권할 때마다 상대 붕당을 몰아내고 보복하였다.
> • 서인이 남인을 처리하는 문제를 두고 노론과 소론으로 나뉘었다.

① 성종이 사림을 많이 등용하였다.
② 현종 때 두 차례의 예송이 일어났다.
③ 숙종이 여러 차례의 환국을 실시하였다.
④ 정조가 남인과 소론을 적극 등용하였다.
⑤ 세도 정치가 3대 60여 년 동안 이어졌다.

11 (가)~(라)를 일어난 순서대로 옳게 나열한 것은?

> (가) 북인이 광해군과 함께 전후 복구에 힘썼다.
> (나) 서인은 인조반정을 주도하여 정권을 잡았다.
> (다) 경신환국으로 남인이 몰락하고 서인이 정권을 잡았다.
> (라) 2차 예송에서 남인의 주장이 받아들여져 남인이 정국을 주도하게 되었다.

① (가) − (나) − (다) − (라) ② (가) − (나) − (라) − (다)
③ (나) − (가) − (라) − (다) ④ (나) − (라) − (다) − (가)
⑤ (다) − (라) − (가) − (나)

내공 **2** **영조와 정조의 탕평 정치**

12 다음 문제를 해결하기 위해 영조가 실시한 정책으로 옳은 것은?

> 붕당의 폐해가 요즈음보다 심한 적이 없었다. 처음에는 학문의 문제에서 분쟁이 일어나더니, 이제는 한쪽 사람을 모두 역적으로 몰아붙이고 있다. …… 근래에 들어 인재를 등용할 때 같은 붕당의 사람들만 등용하고자 한다. …… 피차가 서로를 공격하여 공평무사한 언론을 막고 역적으로 지목하면 옥석이 구분되지 않을 것이다. …… 이러면 나라가 장차 어떻게 되겠는가?   − 『영조실록』

① 북벌을 추진하였다.
② 세도 정치를 펼쳤다.
③ 훈련도감을 설치하였다.
④ 이조 전랑의 권한을 약화시켰다.
⑤ 급격히 집권 붕당을 바꾸는 환국을 벌였다.

13 다음 역사 인물 카드에서 설명하는 왕으로 옳은 것은?

> **역사 인물 카드**
>
> ○○
> • 요약: 조선의 21대 왕
> • 재위 기간: 총 52년
> • 주요 업적
> − 탕평책 실시
> − 『속대전』 편찬

① 선조   ② 숙종   ③ 영조
④ 인조   ⑤ 정조

중요 **14** 다음 비석을 세운 왕의 업적으로 옳은 것은?

> 두루 사랑하고 편당하지 않는 것은 군자의 공정한 마음이며, 편당하고 두루 사랑하지 않는 것은 소인의 사사로운 생각이다.

① 균역법을 실시하였다.
② 장용영을 설치하였다.
③ 경국대전을 반포하였다.
④ 농사직설을 편찬하였다.
⑤ 훈민정음을 창제하였다.

15 (가)에 들어갈 기구로 옳은 것은?

> ▶ 지식 Q&A
>
> [가] 에 대해 알려 주세요.
>
> ▶ 답변하기
> └ 역대 국왕의 글과 책을 보관하는 왕실 도서관이었어요.
> └ 학문을 연구하고 주요 정책을 개발하는 기관으로 변하였어요.
> └ 정조가 박제가, 유득공 등의 서얼을 검서관에 임명하였어요.

① 규장각   ② 성균관   ③ 집현전
④ 춘추관   ⑤ 홍문관

중요 16 다음 문화유산을 건설한 왕에 대한 설명으로 옳은 것은?

◀ 수원 화성 팔달문

① 신문고 제도를 부활하였다.
② 환국을 여러 차례 실시하였다.
③ 시전 상인의 특권을 축소하였다.
④ 조광조를 비롯한 사림을 등용하였다.
⑤ 후금과 명 사이에서 중립 외교를 펼쳤다.

내공 3 세도 정치의 등장

17 밑줄 친 '이 시기'의 정치 상황에 대한 설명으로 옳지 않은 것은?

이 시기의 비변사 고위직의 성씨 비율이에요. 안동 김씨, 풍양 조씨 등 주요 가문이 비변사 고위직을 차지한 것을 알 수 있어요.

총 285명
안동 김씨 37명
대구 서씨 19명
풍양 조씨 17명
연안 이씨 17명
풍산 홍씨 12명
반남 박씨 12명
기타 성씨 171명

- 「조선 정치사(1800~1863)」, 1990.

① 삼정이 문란해졌다.
② 비변사로 권력이 집중되었다.
③ 예송으로 붕당이 격하게 대립하였다.
④ 관직을 사고파는 일이 빈번하게 일어났다.
⑤ 과거에서 부정으로 합격하는 경우가 많았다.

18 다음 설명에 해당하는 관리로 옳은 것은?

- 국왕의 특명을 받고 지방에 비밀리에 파견되었다.
- 수령의 비리와 백성의 어려움을 탐문하여 왕에게 보고하였다.
- 세도 정치기에 관리가 백성을 수탈하는 현상이 공공연히 일어나자 파견하였다.

① 관찰사   ② 병마사   ③ 안찰사
④ 암행어사   ⑤ 이조 전랑

19 다음 상황으로 인해 조선의 정치 운영에 나타난 변화를 서술하시오.

비변사는 원래 중종 때 여진과 왜구의 침입에 대비하기 위한 임시 기구로 설치되었다. 그러나 임진왜란을 거치면서 3정승을 비롯한 고위 관원으로 구성원이 확대되고 국정을 총괄하는 최고 정치 기구로 자리 잡았다.

_____

_____

_____

20 다음 글을 읽고 물음에 답하시오.

[(가)]은/는 탕평의 취지를 따르는 노론과 소론의 온건파를 중심으로 인재를 등용하였다. 붕당의 근거지인 서원을 대폭 정리하고, 붕당 간에 갈등을 심화시키는 이조 전랑의 권한을 약화시켰다.

(1) (가)에 들어갈 왕을 쓰시오.

(2) (가)가 전개한 민생 안정을 위한 개혁을 **세 가지** 서술하시오.

_____

_____

_____

21 (가) 정치의 폐단을 **세 가지** 서술하시오.

정조가 죽은 뒤에 순조가 어린 나이로 왕위에 오르자, 왕의 장인인 김조순이 권력을 장악하였다. 이로써 노론의 일부 가문이 왕실의 외척이 되어 권력을 독점하는 [(가)] 정치가 시작되었다.

_____

_____

_____

V. 조선 사회의 변동

사회 변화와 농민의 봉기

내공 1 경제와 사회의 변화

1 상품 화폐 경제의 발달

(1) 농업의 변화 ┌ 볍씨를 모판에 뿌려 기른 모를 논에 옮겨 심는 방법이야.

① 모내기법의 전국적 보급: 잡초 제거 일손 절감, 농업 생산량 증가, 쌀·보리의 이모작 가능 → 일부 농민은 경작지 확대

② 상품 작물의 재배: 인삼, 담배, 목화 등을 재배해 판매

③ 영향: 농민층 분화(일부는 부농으로 성장, 일부는 소작지마저 얻지 못해 머슴으로 전락, 도시나 광산 등으로 이주)

┌ 품삯을 받아 생계를 유지하였어.

이앙(모내기)하는 것은 세 가지 이유가 있다. 김매기의 노력을 더는 것이 첫째요, 두 땅의 힘으로 하나의 모를 서로 기르는 것이 둘째이며, 좋지 않은 것은 솎아내고 싱싱하고 튼튼한 것을 고를 수 있는 것이 셋째이다. - 서유구, 『임원경제지』

▲ 모내기 ▲ 모내기를 해야 하는 이유

(2) 상업의 발달

① 공인의 등장: 대동법 시행으로 등장, 왕실과 관청에서 쓸 물품을 대량으로 구입 ┌ 보통 5일마다 열렸는데, 일부 장시는 상설 시장으로 발전하였어.

② 장시의 전국적 확대: 보부상들이 장시를 돌며 물품 판매

③ 포구에서 상업 발달: 객주, 여각 등이 활발한 활동 전개

④ 사상의 자유로운 상업 활동 허용: 육의전을 제외한 시전 상인의 금난전권 폐지 ┌ 난전을 금할 수 있는 권리를 말해. 난전은 장부에 공식적으로 등록되지 않은 가게야.

⑤ 대외 무역의 발달: 청, 일본과 공무역·사무역 발달

⑥ 영향 ┌ 한강을 중심으로 배를 타고 서남해안을 오가며 곡식, 소금, 어물 등을 거래하였어.

• 사상의 성장: 경강상인, 송상, 만상, 내상 등 대상인 출현

• 화폐 유통 확대: 상평통보가 전국적으로 유통 ┌ 인삼 무역을 하며 대상인으로 성장하였어.

▲ 조선 후기 상업 활동과 대외 무역

▲ 상평통보 | 상품의 매매뿐만 아니라 세금 납부, 품삯 지불 등에도 동전을 사용하였다.

(3) 수공업과 광업의 발달 ┌ 장인들이 세금을 내는 대신 자유롭게 물품을 만들어 장시에 내다 팔았어.

① 수공업: 관영 수공업 쇠퇴, 민영 수공업 발달

② 광업: 수공업의 발달로 광물 수요 증가 → 민간인에게 광산 채굴 허용 ┌ 장인이 국가 기관에 소속되어 물품을 생산하였어.

2 신분제의 변동

(1) 배경: 정치·경제적 변화로 양반 중심 신분제 동요

(2) 내용 ┌ 향반은 향촌에서 겨우 위세를 유지하는 양반, 잔반은 농민과 다를 바 없는 처지로 몰락한 양반이야.

양반	양반층의 분화: 붕당 정치의 변질 → 소수 양반만 권력 장악, 상당수 양반은 몰락(향반과 잔반 등장)
중인	신분 상승 운동 활발: 서얼은 문과 응시와 중요 관직 진출의 제한을 없애 달라고 요구, 기술직 중인(역관·의관 등)은 전문적인 능력과 경제력을 바탕으로 신분 상승 운동 전개
상민	상민의 신분 상승: 공명첩·납속 등으로 양반 신분 획득, 호적 수정·족보 위조로 양반 행세
천민	• 노비 신분의 탈피: 납속·군공 등을 이용해 신분 상승, 도망 • 제도 변화: 영조 때 노비종모법 시행, 순조 때 일부 공노비 해방 → 양인 증가 └ 어머니 신분에 따라 노비 신분을 결정하는 제도야.

┌ 정부가 재정 보충을 위해 돈·곡식을 받고, 상·관직을 주는 정책이야.

(3) 결과: 상민과 천민 수 감소, 양반 수 증가, 양반 권위 저하

▲ 공명첩 | 정부가 재정을 보충하기 위해 돈이나 곡식 등을 받고 발행한 관직 임명장으로, 이름을 쓰는 부분이 비어 있다.

옷차림은 신분의 귀천을 나타내는 것이다. 그런데 어찌된 것인지, 요즘 이것이 문란해져 상민과 천민이 조정의 관리나 선비처럼 갓을 쓰고 도포를 입는다. …… 심지어 시전 상인과 군역을 지는 상민들까지도 서로 양반이라고 부르고 있다. - 『일성록』

▲ 양반의 권위 저하

내공 2 농민의 봉기

1 삼정의 문란

(1) 배경: 세도 정치로 정치 기강이 해이해져 부패한 관리가 규정 이상의 세금을 거둠

(2) 내용

전정	황무지에도 징수, 각종 명목의 부가세를 추가로 징수
군정	남아 있는 한 사람이 이웃, 친척 등 여러 사람의 군포 부담, 어린아이나 죽은 사람 몫까지도 부담
환곡	필요하지 않은 사람에게 억지로 곡식을 빌려주고 갚게 함 (환곡의 이자가 관청의 경비로 사용되면서 고리대처럼 운영)

└ 폐단이 가장 심각하였어.

(3) 결과: 백성의 고통 심화 → 유민, 화전민, 도적이 되기도 함

2 새로운 종교와 사상의 유행 ┌ 이씨 왕조인 조선이 망하고 정도령이 정씨 왕조를 세운다고 예언한 책이야.

(1) 예언 사상과 민간 신앙의 유행: 사회 불안 계속 → 『정감록』·미륵 신앙·무속 신앙 유행 ┌ 미륵이 지상에 내려와 중생을 구원할 것이라고 믿는 신앙이야.

(2) 천주교의 수용과 확산

① 수용: 17세기에 중국을 다녀온 사신들이 소개, 서양 학문(서학)의 하나로 연구 → 18세기 후반에 남인 계열의 학자들이 신앙으로 믿음

천주교도들이 조상의 제사를 거부하고, 신분 질서를 부정해서 탄압하였어.

② 확산: 중인·상민·부녀자들에게 확산, 정부의 탄압에도 평등사상과 내세 사상을 내세워서 교세 확대

(3) 동학의 창시와 확산

① 창시(1860): 경주의 몰락 양반 최제우가 서학(천주교)에 맞서 유교, 불교, 도교를 바탕으로 민간 신앙을 융합해 창시

② 교리: 인내천을 중심으로 평등사상을 강조 ┐사람이 곧 하늘이라는 사상이야.

③ 탄압: 신분 질서를 위협하고 사회 개혁을 주장하여 금지, 교주 최제우 처형 ┐정부는 세상을 어지럽히고 백성을 속인다는 죄목으로 최제우를 처형하였어.

④ 확산: 2대 교주 최시형이 『동경대전』, 『용담유사』 편찬, 교단 정리 → 교세 확대

3 농민 봉기

산에 올라가 큰 소리로 외쳐 억울한 일을 고발하거나 횃불을 들고 관청이나 지주 집에 가서 항의하기도 하였어.

(1) 농민의 저항: 삼정의 문란, 빈번한 자연재해와 전염병 발생으로 농민의 생활 곤란 → 농민의 불만 고조 → 세금 납부 거부, 관리의 비리 고발 벽서 부착 등 소극적 저항 → 점차 적극적인 농민 봉기로 변화

(2) 홍경래의 난(1811) ┐평안도 출신은 과거에 급제해도 좋은 관직에 진출할 수 없었어.

① 배경: 서북 지방민에 대한 차별 대우, 세도 정권의 수탈 극심 ┐평안도는 청과의 무역로에 있어 상공업이 발달하였기 때문이야.

② 전개: 몰락 양반 홍경래와 신흥 상공업자 등이 주도, 가난한 농민·광산 노동자 등이 참여해 봉기 → 청천강 이북의 대부분 지역 장악 → 정주성에서 진압됨

③ 의의: 19세기에 처음으로 일어난 대규모 농민 봉기, 이후 19세기 농민 봉기에 큰 영향을 줌

> 조정에서는 어찌 평안도를 더러운 흙과 같이 여기는가? 심지어 권세가의 노비도 우리를 보면 반드시 '평안도 놈'이라고 말하니 서쪽 땅에 사는 자로서 어찌 억울하고 원통하지 않겠는가? …… 지금 나이 어린 임금이 왕위에 있어 권력 있는 신하들의 간악한 짓이 갈수록 더 심해지고, 세도 가문의 무리들이 권력을 제멋대로 하니 …… 이곳 평안도에서 병사를 일으켜 백성들을 구하고자 한다.
> – 『패림』

▲ **홍경래의 난의 배경과 목적** | 서북 지방민에 대한 차별 대우, 세도 정권의 수탈에 불만을 품고 봉기하여 세도 정권을 무너뜨리려고 하였다.

(3) 임술 농민 봉기(1862)

① 배경: 세도 정권의 부정과 수탈로 삼정의 문란 지속

1862년(임술년) 한 해 동안 전국 70여 곳에서 발생하였다.

② 전개: 경상 우병사 백낙신의 수탈에 맞서 진주에서 몰락 양반 유계춘의 주도로 농민들이 봉기(진주 농민 봉기) → 농민 봉기가 전국적으로 확산

▲ **19세기 농민 봉기**

③ 정부의 대책: 삼정이정청 설치 → 큰 성과를 거두지 못함

④ 한계: 제도 개혁 등의 근본적인 문제 해결은 실패

⑤ 의의: 농민의 사회의식이 성장하는 계기 ┐삼정의 문란을 바로잡기 위해서 설치한 임시 기구야.

---

1 다음 설명이 맞으면 ○표, 틀리면 ✕표를 하시오.

(1) 모내기법이 보급되면서 쌀과 보리의 이모작이 가능해졌다. ( )

(2) 조선 후기에는 상업의 발달로 상평통보가 전국에 유통되었다. ( )

(3) 조선 후기에는 신분제가 변동하여 양반은 줄고 상민이 늘어났다. ( )

(4) 조선 후기에 서얼은 문과 응시와 중요 관직 진출 제한을 없애 달라고 요구하였다. ( )

2 다음 상인과 그의 활동을 옳게 연결하시오.

(1) 공인 •   •㉠ 장시를 돌아다니며 물품 판매

(2) 보부상 •   •㉡ 왕실과 관청에서 쓸 물품 대량 구입

(3) 경강상인•   •㉢ 한강을 중심으로 곡식, 소금 등 거래

3 다음 설명에 해당하는 용어를 〈보기〉에서 골라 기호를 쓰시오.

• 보기 •

ㄱ. 납속   ㄴ. 잔반   ㄷ. 공명첩

(1) 일반 농민과 다를 바 없는 처지로 몰락한 양반 ( )

(2) 정부가 돈이나 곡식을 받고 상이나 관직을 주는 정책 ( )

(3) 정부가 돈이나 곡식을 받고 발행한 이름이 비어 있는 관직 임명장 ( )

4 동학에 대한 옳은 설명을 〈보기〉에서 골라 기호를 쓰시오.

• 보기 •

ㄱ. 경주의 몰락 양반 최제우가 창시하였다.
ㄴ. 인내천을 중심으로 평등사상을 강조하였다.
ㄷ. 미륵이 출현하여 민중을 구제할 것이라고 믿었다.
ㄹ. 모든 인간이 하느님(천주) 앞에서 평등함을 내세웠다.

5 다음 괄호 안의 내용 중 알맞은 말에 ○표를 하시오.

(1) (붕당, 세도) 정치로 사회 불안이 계속되면서 정감록과 미륵 신앙이 유행하였다.

(2) (최제우, 홍경래)는 관리들의 수탈과 서북 지방민 차별에 반대하여 봉기를 일으켰다.

(3) (홍경래의 난, 임술 농민 봉기)은/는 1862년에 전국적으로 발생한 농민 봉기를 말한다.

족집게 문제

내공 1 경제와 사회의 변화

1 밑줄 친 '이 농법'의 확산이 가져온 결과로 옳은 것을 〈보기〉에서 고른 것은?

사진의 이 농법은 볍씨를 모판에 뿌려 기른 모를 논에 옮겨 심는 방법이에요.

• 보기 •
ㄱ. 수확량이 크게 늘어났다.
ㄴ. 쌀과 보리의 이모작이 가능해졌다.
ㄷ. 대다수의 농민이 부농으로 성장하였다.
ㄹ. 잡초를 제거하는 일손이 더 필요해졌다.

① ㄱ, ㄴ   ② ㄱ, ㄷ   ③ ㄴ, ㄷ
④ ㄴ, ㄹ   ⑤ ㄷ, ㄹ

중요 2 지도와 같이 상업 활동과 무역이 전개되던 시기의 경제 상황에 대한 설명으로 옳지 <u>않은</u> 것은?

① 모내기법이 전국에 보급되었다.
② 상평통보가 전국적으로 유통되었다.
③ 사상의 자유로운 상업 활동이 허용되었다.
④ 정부가 민간인에게 광산 채굴을 허용하였다.
⑤ 관청에 소속된 장인이 물품을 생산하는 관영 수공업이 발달하였다.

3 다음 문서의 발행이 조선 사회에 끼친 영향으로 옳은 것은?

이름을 쓰는 부분

① 양반의 수가 늘었다.
② 과거제가 문란해졌다.
③ 노비 제도가 폐지되었다.
④ 몰락한 양반이 생겨났다.
⑤ 상민의 수가 크게 늘어났다.

4 다음 현상이 나타난 시기의 사실로 옳지 <u>않은</u> 것은?

> 옷차림은 신분의 귀천을 나타내는 것이다. 그런데 어찌된 것인지, 요즘 이것이 문란해져 상민과 천민이 조정의 관리나 선비처럼 갓을 쓰고 도포를 입는다. …… 심지어 시전 상인과 군역을 지는 상민들까지도 서로 양반이라고 부르고 있다.
> – 『일성록』

① 경제적으로 몰락한 잔반이 늘어났다.
② 사림이 처음으로 정계에 진출하였다.
③ 일부 공노비가 해방되어 양인이 되었다.
④ 기술직 중인이 신분 상승을 추구하였다.
⑤ 상민이 족보를 위조하여 양반으로 행세하였다.

내공 2 농민의 봉기

5 ㉠~㉤에 대한 설명으로 옳지 <u>않은</u> 것은?

〈새로운 종교와 사상의 유행〉
1. ㉠ 정감록·㉡ 미륵 신앙·㉢ 무속 신앙 유행
2. ㉣ 천주교의 수용과 확산
3. ㉤ 동학의 창시와 확산

① ㉠ – 민간에 널리 퍼진 대표적인 예언서이다.
② ㉡ – 미륵이 출현하여 민중을 구제한다는 신앙이다.
③ ㉢ – 무당의 굿이나 풀이로 복을 빌었다.
④ ㉣ – 인내천을 중심으로 평등사상을 강조하였다.
⑤ ㉤ – 몰락 양반인 최제우가 창시하였다.

6 (가)에 대한 설명으로 옳은 것을 〈보기〉에서 고른 것은?

> (가) 은/는 17세기에 중국을 다녀온 사신들이 소개하였는데, 18세기 후반에 남인 계열의 학자들이 신앙으로 믿기 시작하면서 중인, 상민, 부녀자들에게 확산되었다.

• 보기 •
ㄱ. 서양 학문의 하나로 연구되었다.
ㄴ. 제사를 거부하여 정부가 금지하였다.
ㄷ. 사람이 곧 하늘이라는 사상을 내세웠다.
ㄹ. 최시형이 교단을 정리하면서 널리 퍼졌다.

① ㄱ, ㄴ   ② ㄱ, ㄷ   ③ ㄴ, ㄷ
④ ㄴ, ㄹ   ⑤ ㄷ, ㄹ

중요 7 다음 격문이 발표된 사건에 대한 설명으로 옳지 않은 것은?

> 조정에서는 어찌 평안도를 더러운 흙과 같이 여기는가? 심지어 권세가의 노비도 우리를 보면 반드시 '평안도 놈'이라고 말하니 서쪽 땅에 사는 자로서 어찌 억울하고 원통하지 않겠는가? …… 지금 나이 어린 임금이 왕위에 있어 …… 세도 가문의 무리들이 권력을 제멋대로 하니 …… 이곳 평안도에서 병사를 일으켜 백성들을 구하고자 한다.
> – 『패림』

① 몰락 양반인 유계춘이 주도하였다.
② 평안도 주민에 대한 차별이 배경이 되었다.
③ 세도 정권을 무너뜨리는 것을 목표로 하였다.
④ 한때 청천강 이북 대부분의 지역을 장악하였다.
⑤ 농민, 광산 노동자 등 다양한 사람들이 참여하였다.

8 (가)에 들어갈 내용으로 가장 적절한 것은?

> 1862년에 진주 등 전국적으로 농민 봉기가 일어났다. 이에 정부는 관리를 보내 농민 봉기를 수습하고 백성을 안정시키려 하였다. 또한 삼정의 문란을 바로잡기 위해 _____ (가)

① 공명첩을 발행하였다.
② 노비종모법을 시행하였다.
③ 삼정이정청을 설치하였다.
④ 2필씩 내던 군포를 1필로 줄였다.
⑤ 공납을 토산물 대신에 쌀, 옷감, 동전으로 걷었다.

9 (가)에 들어갈 농법의 이름을 쓰고, (가) 농법의 장점을 서술하시오.

> (가) 하는 것은 세 가지 이유가 있다. 김매기의 노력을 더는 것이 첫째요, 두 땅의 힘으로 하나의 모를 서로 기르는 것이 둘째이며, 좋지 않은 것은 솎아내고 싱싱하고 튼튼한 것을 고를 수 있는 것이 셋째이다.
> – 서유구, 『임원경제지』

_____

_____

10 다음 현상이 일어난 배경과 이에 대한 농민의 적극적인 저항 모습 중 대표적인 것을 서술하시오.

_____

_____

11 지도에 제시된 봉기의 한계와 의의를 서술하시오.

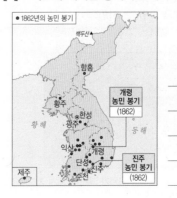

_____

_____

_____

_____

03~04 학문과 예술의 새로운 경향 ~ 생활과 문화의 새로운 양상

내공 1 청·일본과의 교류

1 청에 연행사 파견
└당시 청의 수도였던 연경을 다녀오는 사신이라는 뜻이야.
(1) **연행사의 파견**: 청과 공식 외교 업무 수행
(2) **연행사의 경제 교류**: 청에 조공품을 바치고 답례품을 받아옴, 이 과정에서 공무역과 사무역 활발
(3) **연행사의 문화 교류**: 청 관료·학자와 교제, 서양 선교사와 교류 → 청에 대한 인식 변화, 청의 선진 문물을 배우자는 주장(북학론) 제기

2 일본에 통신사 파견
(1) **통신사의 파견**: 국교 회복 이후 200여 년간 12회 파견, 막부 쇼군에게 국서 전달, 답서 수령
└주로 막부의 쇼군이 바뀔 때 일본의 요청으로 파견되었어.
(2) **통신사의 경제 교류**: 인삼, 비단을 일본에 선물로 주고, 은, 무기를 답례로 받음
└귀국하면서 일본의 서적과 고구마 등 외래 작물을 국내에 들여오기도 하였어.
(3) **통신사의 문화 교류**: 통신사 일행에 포함된 학자, 의원, 화원, 악대 등이 성리학·의학·그림 등 조선의 선진 문물 전파

▲ **연행사와 통신사의 행로**

내공 2 서학의 수용과 실학의 발달

1 서학의 수용과 과학 기술의 발달
(1) **서학의 수용**
└천주교와 서양 문물을 모두 포괄하는 개념이야.
① **수용**: 중국에 다녀온 사신들을 통해 천주교와 서양 문물(과학 기술 서적, 「곤여만국전도」, 화포, 천리경, 자명종 등) 수용, 소현 세자·벨테브레이(박연)·하멜도 서양 문물 소개
② **영향**: 조선의 과학 기술 발달, 조선인의 중국 중심 세계관 탈피에 큰 영향을 줌
└조선에 표류하여 들어온 외국인들이야.
└병자호란 때 청에 끌려갔다 돌아오면서 서양 문물을 가지고 귀국하였어.

▲ **곤여만국전도** | 예수회 선교사 마테오 리치가 제작한 세계 지도로 당시 조선인의 세계관 확대에 이바지하였다.

(2) **과학 기술의 발달**
└선교사 아담 샬이 만든 서양 역법으로 청에서 사용되었어.
① **역법**: 김육 등이 시헌력 도입
② **천문학**: 홍대용이 서양 과학을 참고해 지전설 설명
└지구가 자전한다는 주장이야. 홍대용은 이를 토대로 중국 중심 세계관을 비판하였어.
③ **의학**: 허준이 『동의보감』 편찬, 이제마가 사상 의학 확립
④ **농업**: 신속이 『농가집성』에서 모내기법 등 소개, 서유구가 『임원경제지』(백과사전적 농서) 편찬
└사람의 체질을 네 가지로 구분하여 체질에 맞춰 병을 치료하는 의학 이론이야.

2 실학의 발달
(1) **실학**: 실증적인 방법으로 학문을 연구한 후 그 결과를 실생활에 활용해 현실 문제를 해결하려는 실용적인 학문
(2) **등장 배경**: 양 난 이후 사회·경제적 변화에 따라 여러 사회 문제 발생
(3) **농업 중심의 개혁론**

유형원	신분에 따라 차등을 두어 토지를 지급하되, 농민에게 일정한 면적의 토지를 지급하자고 주장(균전론)
이익	농가마다 생계에 필요한 최소한의 토지를 영업전으로 정하여 매매를 금지하자고 주장(한전론)
정약용	마을에서 공동으로 토지를 소유·경작한 뒤 일한 날짜에 따라 생산물을 분배하자고 주장(여전론)

└다양한 분야를 연구하여 실학을 집대성하였다는 평가를 받아.

> 토지 제도가 바로 잡히면 모든 일이 제대로 될 것이다. 백성은 일정한 직업을 갖게 되고, 군사 행정에서는 도망간 사람을 찾는 폐단이 없어질 것이며, …… 민심이 안정되고 풍속이 도타워질 것이다.
> – 유형원, 『반계수록』

▲ **농업 중심의 개혁론** | 농민 생활과 농촌 문제에 관심을 둔 실학자들은 토지 제도를 개혁하여 농촌 사회를 안정시키려고 하였다.

(4) **상공업 중심의 개혁론**

유수원	직업의 평등 주장
홍대용	기술 혁신과 문벌제도 폐지 주장
박지원	수레와 선박, 화폐의 사용 강조
박제가	청과의 교역 확대, 소비를 통한 생산 확대 주장

> 재물은 비유하자면 샘과 같은 것이다. 우물물은 퍼내면 차고 버려두면 말라 버린다. 그러므로 비단 옷을 입지 않아서 나라에 비단 짜는 사람이 없게 되면 여공이 쇠퇴하며, …… 수공업자가 기술을 익히지 않으면 기예가 사라진다. – 박제가, 『북학의』

▲ **상공업 중심의 개혁론** | 상품 화폐 경제가 발전하는 현실에 주목하여 상공업의 진흥을 통해 개혁하려 하였다. 홍대용, 박지원, 박제가 등은 청의 선진 학문을 수용하고 주장하여 북학파라고 불렸어.

(5) **의의**: 조세 제도 개편, 상공업 진흥책 강구, 후대의 학문 활동·개화사상에 영향을 줌
└북학파의 주장이 개화사상에 영향을 끼쳤어.

3 국학의 발달
(1) **배경**: 실학자들이 우리 전통과 현실에 관심을 가지고 역사, 지리, 언어 등 연구

(2) 내용

역사	• 『동사강목』: 안정복이 고조선~고려 역사를 체계적으로 정리 • 『발해고』: 유득공이 저술, 발해사를 우리 역사의 일부로 인식
지리	• 『택리지』: 이중환이 지방의 자연환경, 인물, 풍속, 물산 등 소개 • 『동국지도』: 정상기가 최초로 백리척을 사용해 제작 • 『대동여지도』: 김정호가 제작, 산맥·하천·포구·도로망 등을 정밀하게 표시 _{1백 리를 1척으로 나타내는 축척 표기법이야.}
언어	• 『훈민정음운해』: 신경준이 편찬, 한글의 우수성을 밝힘 • 『언문지』: 유희가 편찬

└ 훈민정음의 원리를 그림으로 풀어 설명하였어.

◀ 대동여지도 | 10리마다 점을 찍어 거리를 나타냈고, 역참, 마을, 도로 등을 기호로 표시하였다. 각 첩을 접으면 책 한 권 크기로 줄어들어 휴대하고 다닐 수 있었다.

내공 3 예술의 새로운 경향

1 한문학의 새 경향 _{조선 후기에는 사회 부조리를 비판하는 경향이 나타났어.}

(1) 양반 중심 한문학: 박지원의 한문 소설 『양반전』·『허생전』 (양반의 위선·무능 풍자), 정약용의 한시(삼정의 문란 폭로)

(2) 중인들의 시사 조직: 문학 창작 활동 전개, 시집 간행

2 회화·글씨·공예의 새 경향

(1) 회화 _{청에 간 사신들이 서양화를 소개하면서 명암법, 원근법과 같은 서양 화법을 도입하였어.}

① 진경 산수화 등장: 중국 산수화의 모방에서 벗어나 우리 자연을 그대로 묘사(정선의 「금강전도」, 「인왕제색도」)

② 서양 화법 도입: 강세황이 서양 화법을 접목해 입체적 표현

③ 풍속화 유행: 김홍도는 농촌 서민의 일상생활을 익살스럽게 표현, 신윤복은 양반층의 풍류와 부녀자들의 생활 묘사

④ 민화 유행: 이름이 알려지지 않은 화가의 그림, 복·장수 등의 소망을 담음, 생활 공간 장식에 이용

└ 풍속화는 사람들의 생활 모습을 생동감 있게 표현한 그림이야.

▲ 금강전도(정선)

▲ 인왕제색도(정선)

▲ 벼타작(김홍도)

▲ 까치호랑이(작자 미상)

_{민화에는 동식물과 문자 등을 소재로 서민의 미적 감각을 표현한 작품이 많았어.}

---

(2) 글씨: 이광사가 동국진체 완성, 김정희가 독창적인 추사체 개발

(3) 공예: 청화 백자 유행

▲ 청화 백자 | 흰 바탕에 푸른 색깔로 꽃, 새, 산수 등의 무늬를 넣은 자기이다.

3 건축의 새 경향 _{양반 지주와 부유한 상인들의 지원으로 규모가 큰 불교 건축물이 지어졌어.}

(1) 불교 건축물: 김제 금산사 미륵전, 구례 화엄사 각황전, 보은 법주사 팔상전

(2) 성곽·궁궐: 수원 화성 축조(정약용이 만든 거중기 이용), 경복궁 중건

내공 4 조선 후기의 생활
_{남녀유별을 강조하는 유교 윤리가 확산되었기 때문이야.}

1 가족 제도와 여성의 생활 변화

(1) 배경: 조선 후기 향촌 사회에 성리학적 생활 규범 정착

(2) 부계 중심 가족 제도 강화: 친영 풍습 정착, 제사는 큰아들이 주관, 재산 상속에서 큰아들 우대, 아들이 없는 경우 동성 친족 중에서 양자를 들임, 족보를 부계 중심으로 작성

_{여성이 호주가 되는 비율이 확연히 낮아졌어. / 혼례 후 곧바로 여자가 남자 집에서 생활하였어. / 외손에 대한 기록은 삭제·축소되었어.}

(3) 여성의 생활 제약: 양반 여성은 외출할 때 장옷 등으로 얼굴을 가림, 안채에서 거주, 과부의 재혼 제한, 정절 강조

_{가옥에도 성리학의 원리가 반영되어 남성은 사랑채, 여성은 안채에 따로 거주하였어.}

2 향촌 사회의 변화

(1) 배경: 조선 후기 정치·경제적 변화에 따른 신분제의 동요

(2) 부농층의 성장: 기존 양반과 향촌의 지배권을 둘러싸고 다툼 발생 → 향리와 수령의 권한 강화, 양반의 지배력과 권위 하락

(3) 향촌 양반의 문중 결속 강화: 동족 마을 형성, 사우나 서원 건립, 족보 간행 활발

_{같은 성씨끼리 모여 사는 마을이야. / 가문의 훌륭한 인물의 영정이나 신주를 모시고 제사 지내는 곳이야.}

(4) 두레의 활성화: 모내기법의 확산 결과 → 농민의 유대감과 자율성 고조

_{양반 신분을 유지하고 내세우는 수단으로 활용되어 상민과 천민은 족보를 위조해 양반으로 행세하기도 하였어.}

내공 5 서민 문화의 발달

1 서민 문화의 발달 배경과 특징

(1) 발달 배경: 서민의 경제력과 사회적 지위 향상, 서당 교육의 확대로 서민 의식의 성장 → 서민의 문화 활동 확대

(2) 특징: 양반들의 위선 비판, 사회의 부정과 비리 고발, 서민의 생각과 감정을 솔직하게 표현

2 서민 문화의 내용

문학	• 한글 소설: 『홍길동전』(허균, 서얼 차별 철폐, 탐관오리에 대한 응징, 이상 사회의 건설 묘사), 『춘향전』(신분을 뛰어넘는 남녀 간의 사랑을 다룸), 『흥부전』(현실 사회 부조리 풍자) 등 • 사설시조: 형식에 구애받지 않는 시조 → 서민들의 솔직하고 소박한 감정을 자유롭게 표현
공연	• 판소리: 소리꾼이 북 장단에 맞추어 창(노래)과 사설(말)로 이야기를 풀어가는 음악 • 탈춤: 탈을 쓴 광대들이 해학과 풍자로 양반 사회 비판, 산대놀이, 황해도의 봉산 탈춤, 안동의 하회 탈춤 등 • 특징: 장시나 포구 등에서 공연 → 서민 의식 성장에 기여

개념 확인하기

1 다음 괄호 안의 내용 중 알맞은 말에 ○표를 하시오.
(1) 국교 회복 이후 조선은 일본에 (연행사, 통신사)를 파견하였다.
(2) 김육은 청에서 사용된 서양 역법인 (시헌력, 칠정산)을 도입하였다.
(3) (대동여지도, 곤여만국전도)는 조선인들이 중국 중심의 세계관에서 벗어나는 데 기여하였다.

2 다음 실학자와 그의 주장을 옳게 연결하시오.
(1) 박제가•   •㉠ 소비하여 생산을 자극하자.
(2) 박지원•   •㉡ 신분별로 토지를 차등 분배하자.
(3) 유형원•   •㉢ 수레와 선박, 화폐의 사용을 늘리자.
(4) 정약용•   •㉣ 토지를 마을에서 공동 소유, 경작하고 일한 만큼 나누자.

3 실학자들의 국학 연구 서적을 〈보기〉에서 골라 기호를 쓰시오.
• 보기 •
ㄱ. 발해고   ㄴ. 택리지
ㄷ. 동국통감   ㄹ. 동사강목
ㅁ. 동국여지승람   ㅂ. 훈민정음운해

4 다음 설명에 해당하는 화가를 〈보기〉에서 골라 기호를 쓰시오.
• 보기 •
ㄱ. 정선   ㄴ. 김홍도   ㄷ. 신윤복

(1) 농촌 서민의 일상생활을 익살스럽게 표현하였다. (   )
(2) 우리나라의 아름다운 자연을 사실적으로 그렸다. (   )
(3) 양반층의 풍류와 부녀자들의 생활 모습을 그렸다. (   )

5 조선 후기의 사회 모습에 대한 설명이 맞으면 ○표, 틀리면 ✕표를 하시오.
(1) 재산 상속에서 큰아들이 우대받았다. (   )
(2) 양반만 한글 소설과 사설시조를 짓고 즐겼다. (   )
(3) 장시와 포구에서 판소리와 탈춤이 공연되었다. (   )
(4) 향촌 양반들은 동족 마을을 형성하기도 하였다. (   )

내공 쌓는 족집게 문제

내공 1 청·일본과의 교류

1 다음 사신의 활동으로 옳은 것을 〈보기〉에서 고른 것은?

조선 후기에 청의 수도인 연경(베이징)에 파견한 사신들로, 대체로 청 황제의 생일, 동지, 정월 초하루에 파견하였다.

• 보기 •
ㄱ. 청에 당한 치욕을 갚자고 주장하였다.
ㄴ. 청의 학자, 서양 선교사와 교류하였다.
ㄷ. 청에 조공을 바치고 답례품을 받아 왔다.
ㄹ. 고구마 등의 외래 작물을 국내에 들여왔다.

① ㄱ, ㄴ   ② ㄱ, ㄷ   ③ ㄴ, ㄷ
④ ㄴ, ㄹ   ⑤ ㄷ, ㄹ

2 (가)에 들어갈 외교 사절단에 대한 설명으로 옳지 않은 것은?

① 일본 막부의 요청으로 파견되었다.
② 일본과 국교를 회복하면서 다시 파견되었다.
③ 일본에 국서와 함께 인삼, 비단 등을 가져갔다.
④ 서양 선교사와 만나 천주교를 조선에 들여왔다.
⑤ 조선의 성리학, 의학, 그림 등을 일본에 전해 주었다.

내공 2 서학의 수용과 실학의 발달

주관식
3 다음 지도를 제작한 사람의 이름을 쓰시오.

4 밑줄 친 부분의 사례로 적절한 것을 〈보기〉에서 고른 것은?

○○●●●

중국을 오가던 사신들을 통해 천주교뿐만 아니라 서양 과학 서적, 세계 지도 등 서양 문물이 조선에 소개되었다. 이것은 조선의 과학 기술 발달에 영향을 주었다.

• 보기 •
ㄱ. 홍대용이 지전설을 주장하였다.
ㄴ. 서양 역법인 시헌력이 도입되었다.
ㄷ. 앙부일구를 만들어 시간을 측정하였다.
ㄹ. 한성 기준의 역법서인 칠정산을 편찬하였다.

① ㄱ, ㄴ   ② ㄱ, ㄷ   ③ ㄴ, ㄷ
④ ㄴ, ㄹ   ⑤ ㄷ, ㄹ

5 (가)에 대한 설명으로 옳은 것은?

○○●●●

조선 후기에는 양 난 이후 발생한 여러 현실 문제를 해결하는 데 관심을 두는 새로운 학문인 (가) 이/가 등장하였다. 이를 정약용이 집대성하였다.

① 사람은 곧 하늘이라는 사상이 중심이었다.
② 인간 평등을 강조하고 제사를 거부하였다.
③ 중국을 다녀온 사신들을 통해 조선에 전해졌다.
④ 신분 질서를 위협하고 사회 개혁을 주장하여 정부가 탄압하였다.
⑤ 실증적인 방법으로 학문을 연구하고 결과를 실생활에 활용하려 하였다.

중요 **6** 다음 주장들의 공통점으로 옳은 것은?

●●●●●

신분에 따라 차등을 두어 토지를 지급하되, 특히 농민에게 토지를 지급해야 합니다.

생계에 필요한 최소한의 토지는 팔지 못하게 해야 합니다.

마을에서 공동으로 토지를 소유하고 경작한 뒤 일한 만큼 생산물을 나눠야 합니다.

① 상공업의 진흥을 추구하였다.
② 청의 문물을 수용하고자 하였다.
③ 토지 제도를 개혁하고자 하였다.
④ 서양 문물을 받아들이려고 하였다.
⑤ 삼정의 문란을 바로잡으려고 하였다.

중요 **7** 다음 주장을 펼친 실학자로 옳은 것은?

●●●●●

재물은 비유하자면 샘과 같은 것이다. 우물물은 퍼내면 차고 버려두면 말라 버린다. 그러므로 비단 옷을 입지 않아서 나라에 비단 짜는 사람이 없게 되면 여공이 쇠퇴하며, …… 수공업자가 기술을 익히지 않으면 기예가 사라진다.
– 『북학의』

① 박제가   ② 박지원   ③ 유수원
④ 유형원   ⑤ 홍대용

8 (가)에 들어갈 내용으로 가장 적절한 것은?

○○●●●

1. 국학의 발달
(1) 배경: _____ (가) _____
(2) 역사
 • 안정복의 『동사강목』: ……
 • 유득공의 『발해고』: ……
(3) 지리
 • 이중환의 『택리지』: ……

① 서민 문화의 발달
② 양반 중심 신분제의 동요
③ 조선 건국의 정당성 강조
④ 중국 중심 세계관의 확대
⑤ 민족의 전통과 현실에 대한 관심 고조

9 다음 지도에 대한 설명으로 옳은 것은?

○○●●●

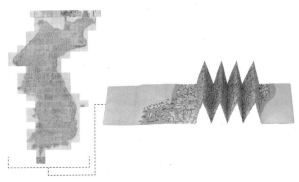

① 정상기가 제작하였다.
② 중국에 갔던 사신이 들여왔다.
③ 최초로 백리척을 사용하여 만들었다.
④ 현존하는 동양에서 가장 오래된 세계 지도이다.
⑤ 10리마다 점을 찍어 거리를 파악할 수 있게 하였다.

내공 3 예술의 새로운 경향

10 (가)에 들어갈 내용으로 가장 적절한 것은?

조선 후기에는 예술의 여러 분야에서 변화가 나타났다. 양반층이 중심인 한문학에서 사회의 부조리를 비판하는 경향이 나타났다. 박지원은 『양반전』, 『허생전』 등의 한문 소설에서 _____ (가)

① 삼정의 문란을 폭로하였다.
② 청에 다녀온 경험을 묘사하였다.
③ 서얼에 대한 차별 철폐를 주장하였다.
④ 양반 계층의 위선과 무능을 풍자하였다.
⑤ 신분을 초월한 남녀 간의 사랑 이야기를 다루었다.

11 (가)에 들어갈 내용으로 옳은 것은?

비가 내린 후의 인왕산의 모습을 그린 거래.

그래, 이 그림이 우리 자연을 직접 보고 그렸다는 (가) (이)로구나.

① 민화
② 불화
③ 풍속화
④ 사군자화
⑤ 진경 산수화

12 밑줄 친 '이 시기'에 볼 수 있는 모습으로 옳지 않은 것은?

▲ 보은 법주사 팔상전

이 시기에는 양반 지주와 부유한 상인의 지원으로 이와 같은 대규모 불교 건축물이 많이 지어졌어요.

① 청과 무역하는 사상
② 사림을 공격하는 훈구 세력
③ 서당에서 공부하는 서민 아이
④ 장시에서 탈춤을 공연하는 광대들
⑤ 담배를 재배해 장에 내다 파는 농민

중요 13 (가), (나) 그림에 대한 설명으로 옳지 않은 것은?

(가)   (나)

① (가) – 김홍도가 그린 것이다.
② (가) – 농촌 서민의 일상생활을 그렸다.
③ (나) – 복을 바라는 서민의 정서가 담겼다.
④ (나) – 이름이 알려지지 않은 화가가 그렸다.
⑤ (가), (나) – 진경 산수화의 대표적인 작품이다.

14 다음 문화유산에 대한 설명으로 옳은 것은?

문화유산 카드
• 국적: 한국
• 시대: ○○
• 분류: 식 – 저장 운반 – 항아리
• 재질: 도자기

① 고려 말부터 제작되었다.
② 청자에 흰 흙을 분처럼 칠하였다.
③ 흰 바탕에 푸른 색깔로 무늬를 넣었다.
④ 고려의 독창적인 방법인 상감 기법을 사용하였다.
⑤ 조선에서 포로로 끌고 간 도자기 기술자가 발전시켰다.

내공 4 조선 후기의 생활

15 밑줄 친 '변화'의 사례로 적절하지 않은 것은?

조선 후기에는 향촌 사회에 성리학적 생활 규범이 정착되었다. 이에 따라 혼인, 상속, 제사 등 생활 전반에서 변화가 나타났다.

① 양반 여성은 안채에서 따로 거주하였다.
② 재산 상속에서 큰아들이 우대를 받았다.
③ 혼인을 하면 신랑이 신부 집에서 생활하였다.
④ 제사는 큰아들이 지내야 한다는 인식이 확산되었다.
⑤ 아들이 없는 집에서는 동성 친족 중에서 양자를 들였다.

16 (가)에 들어갈 내용으로 적절하지 <u>않은</u> 것은?

> 조선 후기에는 향촌 질서에도 변화가 나타났다. 새로 성장한 부농층은 기존의 양반 계층과 향촌의 지배권을 둘러싸고 다툼을 벌였다. 이 과정에서 오히려 향리와 수령의 권한이 강해졌고, 양반의 지배력과 권위는 점차 약해졌다. 이에 양반들은 _____(가)_____

① 문중의 결속을 다졌다.
② 사우나 서원을 세웠다.
③ 동족 마을을 형성하였다.
④ 족보를 활발히 간행하였다.
⑤ 향약을 보급하기 시작하였다.

내공 **5** 서민 문화의 발달

17 (가), (나)에 들어갈 작품을 옳게 짝지은 것은?

> 조선 후기에는 한글 소설이 크게 유행하였다. [(가)]은/는 서얼에 대한 차별 철폐와 이상 사회의 건설 등을 담아 당시 사회를 비판하였다. [(나)]은/는 신분을 뛰어넘는 남녀 간의 사랑을 다루었다.

	(가)	(나)
①	양반전	허생전
②	춘향전	흥부전
③	춘향전	홍길동전
④	홍길동전	양반전
⑤	홍길동전	춘향전

중요 **18** (가)에 들어갈 내용으로 옳은 것은?

> ▶ 지식 Q&A
> [(가)]이/가 무엇입니까?
> ▶ 답변하기
> ┗ 소리꾼이 북 장단에 맞추어 노래와 말로 이야기를 전개하는 공연이에요.
> ┗ 청중도 추임새를 넣으며 참여할 수 있어요.
> ┗ 서민뿐만 아니라 양반도 즐겼다고 해요.

① 아악 ② 탈춤 ③ 판소리
④ 사설시조 ⑤ 종묘 제례악

19 다음 지도가 조선 사회에 끼친 영향을 지도의 이름이 포함된 한 문장으로 서술하시오.

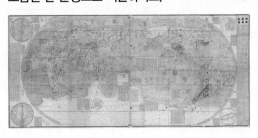

20 밑줄 친 부분과 같은 생각에서 개혁론을 펼친 실학자 세 명의 주장을 실학자의 이름을 포함하여 서술하시오.

> <u>토지 제도가 바로 잡히면 모든 일이 제대로 될 것이다.</u> 백성은 일정한 직업을 갖게 되고, 군사 행정에서는 도망간 사람을 찾는 폐단이 없어질 것이며, 모두 자기 직책을 갖게 될 것이므로 민심이 안정되고 풍속이 도타워질 것이다. − 『반계수록』

21 다음 그림들을 보고 물음에 답하시오.

(1) 위 그림들을 모두 그린 화가의 이름을 쓰시오

(2) 위 그림들의 공통적인 특징을 서술하시오.

국민 국가의 수립(1)

내공 1 문호 개방과 개화 정책의 추진

1 흥선 대원군의 통치

(1) 집권: 고종의 즉위로 흥선 대원군이 실권 장악(1863)

└ 비변사 폐지 등으로 세도 정치로 문란해진 통치 체제를 정비하였고, 삼정의 문란을 바로잡기 위해 수취 체제를 개편해 민생 안정을 꾀하였어.

(2) 대내 정책: 통치 체제 정비, 민생 안정에 노력

(3) 대외 정책: 통상 수교 거부 → 프랑스(병인양요, 1866)와 미국(신미양요, 1871)의 강화도 침입 → 저항 후 척화비 건립

└ 서양 세력과 화친을 맺지 않겠다는 내용을 새겨 전국 곳곳에 세웠어.

2 강화도 조약과 개화 정책의 추진

(1) 강화도 조약(1876): 일본의 강요로 체결 → 문호 개방

> 제4관 조선은 부산 이외에 두 곳의 항구를 개항한다.
> 제7관 일본국 항해자가 조선국 해안을 자유롭게 측량하도록 허가한다. ─ 해안 측량권
> 제10관 일본국 인민이 조선국 항구에서 저지른 범죄 행위는 일본국 관원이 심판한다. ─ 영사 재판권

▲ 강화도 조약(조일 수호 조규) | 조선이 외국과 체결한 최초의 근대적 조약이나 일본에 해안 측량권, 영사 재판권 등을 허용한 불평등 조약이었다.

(2) 개화 정책 추진

① 정부의 개화 정책: 통리기무아문(개화 정책 추진 기구) 설치, 별기군(신식 군대) 창설, 외국에 사절단 파견

② 개화파의 성장: 김옥균, 박영효, 김홍집 등 → 정부의 개화 정책 뒷받침

③ 개화 정책에 대한 반발

└ 바른 것(성리학적 사회 질서)을 지키고, 그릇된 것(서양의 문물과 사상)을 배격해야 한다는 주장이야.

- 위정척사 운동: 유생층이 개항과 개화 반대
- 임오군란: 개화 정책 추진 과정에서 소외된 구식 군대의 군인과 하층민이 반란(1882) → 청의 진압

└ 이후 청이 조선에 군대를 주둔시키고 조선의 내정에 간섭하였다.

내공 2 근대적 개혁의 추진

1 갑신정변(1884)

배경	임오군란 이후 청의 간섭 심화 → 개화 정책 후퇴
전개	김옥균, 박영효 등의 급진 개화파가 일본의 지원을 약속받고 정변을 일으킴, 14개조 개혁 정강 발표
결과	청군의 개입으로 3일 만에 개화파 정권 붕괴
의의	자주적 근대 국가 건설을 추진한 최초의 정치 개혁 운동

> - 문벌을 폐지하여 인민 평등의 권리를 제정하고, 능력에 따라 관리를 등용할 것
> - 대신과 참찬은 의정부에서 회의하고 정치적 명령을 의결하고 집행할 것 ─ 김옥균, 「갑신일록」

▲ 갑신정변 때 발표된 개혁 정강 | 인민 평등권 확립, 근대적 정치 제도 수립, 청에 대한 사대 관계 청산 등이 포함되었다.

2 동학 농민 운동(1894)

(1) 배경: 세금 부담 증가, 탐관오리의 수탈, 외국 상인의 경제 침탈로 백성의 생활 곤란, 인간 평등과 외세 배척을 주장하는 동학의 확산

(2) 전개

① 1차 봉기: 고부 농민 봉기를 수습하던 관리가 농민 탄압 → 백산 봉기 → 농민군의 전주성 점령 → 전주 화약 체결 → 집강소 설치, 폐정 개혁안 실천 ─ 자치적 개혁 기구였어.

② 2차 봉기: 일본이 경복궁 점령 → 농민군이 다시 봉기 → 공주 우금치 전투에서 패배, 전봉준 등 지도부 체포

(3) 성격: 사회 개혁을 추구한 반봉건 운동, 외세의 침입을 막아 내려 한 반외세 운동

└ 고부 농민 봉기뿐 아니라 동학 농민 운동을 주도하였어.

(4) 의의: 개혁 요구가 갑오개혁에 반영, 항일 의병 운동에 영향

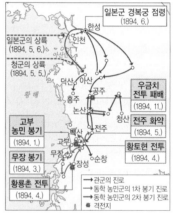

▲ 동학 농민 운동의 전개

> - 탐관오리의 못된 버릇을 징계하고 쫓아낼 것
> - 각종 항목의 결세액은 돈으로 걷되, 부담을 균등하게 나누고 마구 거두지 말 것

▲ 폐정 개혁안 | 탐관오리 처벌, 조세 제도 개혁뿐 아니라 신분제 폐지(노비 문서 소각), 외세 배격을 주장하였다.

3 갑오개혁과 을미개혁

(1) 갑오개혁(1894)

① 1차 갑오개혁: 일본이 개혁 강요, 김홍집 중심 새 정부 수립 → 새 정부가 군국기무처 설치(자주적으로 개혁 추진)

└ 개혁 안건을 심의해 통과시켰어.

② 2차 갑오개혁: 일본이 청일 전쟁에서 우세, 조선의 내정에 적극 간섭해 군국기무처 폐지 → 고종이 홍범 14조 반포

└ 개혁의 방침을 담았어.

(2) 을미개혁(1895)

① 을미사변: 조선이 러시아의 힘을 빌려 일본을 견제하려 함 → 일본이 친러파의 핵심인 명성 황후 시해 → 새 내각 구성

② 을미개혁: 새 내각에서 개혁 추진 → 아관 파천으로 중단

(3) 내용

└ 을미사변 이후 신변의 위협을 느낀 고종이 러시아 공사관으로 피신하였다(1896).

└ 궁내부를 설치했어.

갑오개혁	- 정치: 국정 업무와 왕실 사무 분리, 과거제 폐지 - 경제: 국가 재정과 왕실 재정 분리, 재정 관리 일원화 - 사회: 신분제 폐지, 과부의 재가 허용 ─ 탁지아문이 담당했어.
을미개혁	단발령 실시, 태양력 사용

(4) 한계와 의의: 일본의 내정 간섭 아래 추진, 갑신정변·동학 농민 운동의 개혁 요구를 일부 반영한 근대적 개혁

내공 3 국민 국가 수립과 국권 수호를 위한 노력

1 국민 국가 수립 노력

(1) 독립 협회

① 설립: 독립신문을 창간한 서재필이 개화파 관료와 함께 조직(1896) ┌ 청의 사신을 맞이하던 영은문이 있던 자리 부근에 독립문을 세워 독립과 자주의 의지를 드러냈어.

② 활동: 독립문 건립, 토론회·연설회 개최(민중의 정치 의식 향상), 만민 공동회(열강의 이권 침탈 반대, 자유 민권 의식 고취)·관민 공동회(관리 참여, 헌의 6조 결의) 개최, 의회 설립 추구

③ 해산: 황제권 강화를 추구한 정부의 탄압으로 해산

(2) 대한 제국 ┌ 대한 제국은 군주가 무한한 주권을 행사하는 전제 군주제를 지향하였어.

① 대한 제국 수립: 고종이 환궁 후 황제 즉위, '대한 제국' 선포(연호 '광무', 1897) → 자주독립 국가의 위상을 세움

② 대한국 국제 반포: 황제에게 권력 집중 ┌ 근대적 토지 소유 문서야.

③ 광무개혁 추진: 점진적 개혁 → 양전 사업 후 지계 발급, 상공업 진흥, 실업 학교 설립 ┌ '옛 것을 근본으로 삼고, 새 것을 참고한다.'라는 원칙을 내세웠어.

2 국권 수호를 위한 노력

(1) 일제의 국권 침탈

① 러일 전쟁(1904): 한반도를 둘러싼 러·일의 경쟁 → 일본 승리

② 을사늑약 강제 체결(1905): 일본이 대한 제국의 외교권 박탈, 통감부 설치 → 일본이 내정 전반 간섭

③ 고종 강제 퇴위(1907): 고종이 을사늑약의 부당성을 알리기 위해 헤이그 특사 파견 → 일본이 이를 구실로 고종 퇴위시킴

④ 국권 피탈(1910): 일본이 대한 제국의 군대 해산 → 사법권·경찰권 박탈 → 대한 제국 강제 병합

(2) 국권 수호 운동의 전개

① 항일 의병 운동: 을미사변과 단발령에 저항 → 을사늑약에 저항(평민 출신 의병장 등장) → 군대 해산 후 해산 군인의 참여로 전투력·조직력 강화, 서울 진공 작전 전개

② 애국 계몽 운동: 교육·산업 진흥을 통해 실력 양성 추구 (신민회는 비밀 결사로 조직, 국권 회복과 공화정 추구, 대성 학교·오산 학교 건립, 자기 회사·태극 서관 운영)

3 일제의 독도 불법 침탈

(1) 일제의 독도 강제 편입: 러일 전쟁 중 시마네현 고시 제40호를 통해 독도를 일본 영토로 강제 편입(1905)

(2) 독도가 우리 영토인 역사적 증거: 신라 지증왕 때 이사부가 우산국 복속, 울릉군이 독도를 관할(대한 제국 칙령 제41호, 1900) 등

> • 지증왕 13년(512) 여름 6월에 우산국이 항복하고 매년 토산물을 공물로 바쳤다. 우산국은 명주 정동쪽 바다에 있는 섬으로 울릉도라고도 한다. – 「삼국사기」
>
> • 울릉도를 울도로 개칭하고 …… 울도군은 울릉 전도와 죽도, 석도를 관할한다. – 대한 제국 칙령 제41호

▲ 독도가 우리 영토임을 증명하는 기록

---

1 다음 활동을 한 인물을 〈보기〉에서 골라 기호를 쓰시오.

┌─ • 보기
│ ㄱ. 고종   ㄴ. 김옥균
│ ㄷ. 전봉준   ㄹ. 흥선 대원군
└─

(1) 동학 농민 운동을 주도하고 정부와 전주 화약을 체결하였다. (   )

(2) 을사늑약의 부당성을 알리기 위해 헤이그에 특사를 파견하였다. (   )

(3) 고종의 즉위로 실권을 장악한 후 통치 체제 정비, 민생 안정을 위한 정책을 추진하였다. (   )

(4) 갑신정변 당시 인민 평등권 확립, 근대적 정치 제도 수립 등을 담은 개혁 정강을 발표하였다. (   )

2 동학 농민군은 전주 화약 체결 이후 전라도 각 지역에 자치적 개혁 기구인 (   )를 설치하였다.

3 갑오개혁에서 중추적인 역할을 한 기구로, 신분제와 과거제 폐지 등 개혁안을 통과시킨 관청을 쓰시오.

4 다음 설명이 맞으면 ○표, 틀리면 ✕표를 하시오.

(1) 김옥균, 박영효는 위정척사 운동을 주도하였다. (   )

(2) 고종은 을사늑약 체결을 주장하여 일본에 의해 강제 퇴위당하였다. (   )

(3) 대한 제국은 황제에게 모든 권력을 집중시킨 전제 군주제를 지향하였다. (   )

(4) 일본은 1905년 시마네현 고시 제40호를 통해 독도를 자국 영토로 불법 편입하였다. (   )

5 독립 협회는 영은문이 있던 자리 부근에 (   )을 건립하여 독립과 자주의 의지를 드러냈다.

6 다음 괄호 안의 내용 중 알맞은 말에 ○표를 하시오.

(1) 비밀 결사로 조직된 (신민회, 독립 협회)는 공화정을 추구하였다.

(2) (갑오개혁, 을미개혁)으로 단발령이 실시되고 태양력이 사용되었다.

(3) 조선은 일본의 강요로 (을사늑약, 강화도 조약)을 체결하여 문호를 개방하였다.

족집게 문제

 세 개의 새싹 아이콘

내공 1 **문호 개방과 개화 정책의 추진**

[1~2] 다음을 읽고 물음에 답하시오.

> 1866년에 프랑스가 통상을 요구하며 강화도를 침략한 병인양요가 일어났고, 1871년에 미국이 통상을 요구하며 강화도를 침략한 신미양요가 일어났다. 조선군의 끈질긴 저항으로 프랑스군과 미군은 결국 철수하였다.

1 위 사건들이 발생할 당시 조선의 상황으로 옳은 것은?

① 갑신정변이 발생하였다.
② 을사늑약이 체결되었다.
③ 대한 제국이 수립되었다.
④ 동학 농민군이 봉기하였다.
⑤ 흥선 대원군이 실권을 장악하였다.

2 위 사건들의 영향으로 옳은 것은?

① 을미사변이 일어났다.
② 척화비가 건립되었다.
③ 광무개혁이 추진되었다.
④ 청일 전쟁이 발발하였다.
⑤ 강화도 조약이 체결되었다.

3 다음 조약에 대한 설명으로 옳은 것은?

> 제4관 조선은 부산 이외에 두 곳의 항구를 개항한다.
> 제7관 일본국 항해자가 조선국 해안을 자유롭게 측량하도록 허가한다.
> 제10관 일본국 인민이 조선국 항구에서 저지른 범죄 행위는 일본국 관원이 심판한다.

① 조선이 외교권을 박탈당하였다.
② 미국의 강요에 의해 체결되었다.
③ 임술 농민 봉기의 원인이 되었다.
④ 위정척사파가 체결을 지지하였다.
⑤ 조선에 불리한 불평등 조약이었다.

내공 2 **근대적 개혁의 추진**

4 다음 정강을 발표한 정치 세력에 대한 설명으로 옳은 것을 〈보기〉에서 고른 것은?

> • 문벌을 폐지하여 인민 평등의 권리를 제정하고, 능력에 따라 관리를 등용할 것
> • 대신과 참찬은 의정부에서 회의하고 정치적 명령을 의결하고 집행할 것
> – 김옥균, 「갑신일록」

• 보기 •
ㄱ. 농민들이 중심이 되었다.
ㄴ. 자주적 근대 국가를 수립하려 하였다.
ㄷ. 집강소를 설치하고 개혁을 추진하였다.
ㄹ. 일본의 지원을 약속받고 정변을 일으켰다.

① ㄱ, ㄴ   ② ㄱ, ㄷ   ③ ㄴ, ㄷ
④ ㄴ, ㄹ   ⑤ ㄷ, ㄹ

중요 5 지도를 활용한 탐구 활동의 주제로 가장 적절한 것은?

일본군 경복궁 점령 (1894. 6.)
한성
인천
일본군의 상륙 (1894. 5, 6.)
청군의 상륙 (1894. 5, 5.)
덕산·아산
황해
공주
우금치 전투 패배 (1894. 11.)
논산
청산
전주 화약 (1894. 5.)
고부 농민 봉기 (1894. 1.)
전주
백산
고부
무장 봉기 (1894. 3.)
무장
장성
순창
황룡촌 전투 (1894. 4.)
황토현 전투 (1894. 4.)

→ 관군의 진로
→ 동학 농민군의 1차 봉기 진로
→ 동학 농민군의 2차 봉기 진로
⚔ 격전지

① 임술 농민 봉기의 전개
② 독도를 지키기 위한 노력
③ 을사늑약 체결에 저항한 의병 운동
④ 부패한 관리와 외세의 침입에 맞선 동학 농민 운동
⑤ 자주적 근대 국가 수립을 위한 급진 개화파의 정변

6 밑줄 친 '개혁'의 내용으로 옳은 것은?

> 김홍집을 중심으로 한 새 정부는 개혁 추진을 위한 기구로 군국기무처를 출범시켰다. 군국기무처는 약 3개월 동안 약 210건의 개혁 안건을 처리하였다.

① 경복궁 중건   ② 신분제 폐지
③ 장용영 창설   ④ 태양력 사용
⑤ 삼정이정청 설치

출제율 ◉◉◉◉◉ 시험에 꼭 나오는 출제 가능성이 높은 예상 문제로, 내신 100점을 받기 위한 필수 문항들

내공 3 국민 국가 수립과 국권 수호를 위한 노력

[7~8] 다음 그림을 보고 물음에 답하시오.

서재필은 우리나라 최초의 민간 발행 신문인 ㉠ 이 신문을 발간하였어.

㉢ 이 단체도 서재필이 개화파 관료들과 함께 조직하였어.

㉡ 이 단체는 영은문이 있던 자리 부근에 독립문을 세웠지.

열강의 이권 침탈에 반대하고 자유 민권 의식을 확산시켰어.

주관식

7 ㉠ '이 신문'에 해당하는 신문의 이름을 쓰시오.

주요 **8** ㉡ '이 단체'에 대한 설명으로 옳은 것은?

① 임오군란을 일으켰다.
② 비밀 결사로 조직되었다.
③ 만민 공동회를 개최하였다.
④ 14개조 개혁 정강을 발표하였다.
⑤ 정부와 전주 화약을 체결하였다.

9 (가)에 들어갈 내용으로 가장 적절한 것은?

백과사전 　(가)　 ▼ 검색

파일(F)　편집(E)　보기(V)　즐겨찾기(A)　도구(T)　도움말(H)

······ 상공업 진흥 정책을 추진하여 ······ 근대적 토지 소유 문서인 지계를 발급하고 ······ '옛 것을 근본으로 삼고, 새 것을 참고한다.'라는 원칙에 입각하여 ······

① 광무개혁　　　　② 임오군란
③ 헌의 6조　　　　④ 만민 공동회
⑤ 통리기무아문

10 다음 자료를 통해 알 수 있는 사실로 옳은 것은?

• 지증왕 13년(512) 여름 6월에 우산국이 항복하고 매년 토산물을 공물로 바쳤다. 우산국은 명동주 정동쪽 바다에 있는 섬으로 울릉도라고도 한다.　－ 「삼국사기」
• 울릉도를 울도로 개칭하고 도감을 군수로 개정한다. ······ 울도군은 울릉 전도와 죽도, 석도를 관할한다.
　　　　　　　　　－ 대한 제국 칙령 제41호

① 독도는 삼국 시대부터 우리의 영토였다.
② 러일 전쟁 이후 독도가 일본의 영토가 되었다.
③ 대한 제국 시기부터 독도가 우리 영토가 되었다.
④ 오늘날 일본이 독도에 대한 영토 주권을 행사하고 있다.
⑤ 주변국들은 줄곧 독도를 우리 영토로 인정하지 않았다.

서술형 문제

11 밑줄 친 '이 운동'의 명칭을 쓰고, 이 운동의 대내적·대외적 성격을 서술하시오.

개항 이후 개화 정책 추진에 따른 세금 부담 가중, 탐관오리의 수탈, 외국 상인의 경제 침탈 등으로 농촌 경제가 더욱 어려워지자 전봉준 등 동학교도와 농민들은 지배층의 수탈에 맞서 이 운동을 일으켰다.

12 (가)에 들어갈 내용을 두 가지 서술하시오.

러일 전쟁에서 승리한 일본은 대한 제국의 대신들을 위협하여 을사늑약을 강제로 체결하였다. 그 결과 일본은 　　　　　　(가)

01 국민 국가의 수립(2)

내공 1 3·1 운동과 대한민국 임시 정부의 수립

1 3·1 운동의 전개

(1) 1910년대 일제의 식민 통치: 조선 총독부 설치, 헌병 경찰
제를 통해 무단 통치 실시, 한국인의 언론·출판·집회·결
사의 자유 박탈 〔일본군 헌병이 경찰 업무까지 맡게 한 제도야. 한국인의 일상생활까지 철저히 억압하였지.〕

(2) 3·1 운동의 배경: 윌슨의 민족 자결주의, 도쿄 유학생들의
2·8 독립 선언 → 국내 종교계·학생들이 독립운동 준비 〔각 민족은 다른 민족의 간섭을 받지 않으며 스스로 정치적 운명을 결정할 권리가 있다는 주장이야.〕

(3) 3·1 운동의 전개: 민족 대표 33인이 독립 선언(1919), 전국
주요 도시에서 만세 시위 전개 → 국외까지 확대 → 일제
가 폭력 진압(예 경기도 화성의 제암리 사건)

> 오늘 우리는 조선이 독립국이며, 조선 사람이 자주적인 민족
> 임을 선언한다. 이로써 세계 만국에 알리어 인류 평등의 대의
> 를 분명히 하며, 자손만대에 깨우쳐 자주와 독립을 유지하는
> 올바른 민족의 권리를 영원히 누리도록 한다.

▲ **기미 독립 선언서(3·1 독립 선언서)** | 제1차 세계 대전이 끝나고 민족 자결
주의가 세계적으로 확산되는 가운데 민족 대표 33인이 선언한 글이다.

(4) 3·1 운동의 의의와 영향

① 의의: 우리 민족의 독립 의지를 전 세계에 알린 사건, 농
민, 학생, 노동자 등 다양한 계층의 참여로 민족 운동의
주체 확대의 계기 〔한국인의 부분적 자유를 허용하였어. 그러나 실제로는 우리 민족의 분열을 꾀하는 통치 정책이었다.〕

② 영향: 일제의 식민 통치 방식 변화(무단 통치 → 문화 통치),
대한민국 임시 정부 수립, 중국의 5·4 운동 등에 영향

2 대한민국 임시 정부의 수립과 활동

(1) 임시 정부의 수립과 통합: 3·1 운동을 계기로 국내외에 임
시 정부들 수립 → 대한민국 임시 정부로 통합(1919)

▲ **국내외에 수립된 임시 정부의 통합**

(2) 대한민국 임시 정부의 체제: 대통령 중심제, 우리 역사상
최초로 삼권 분립에 기초한 민주 공화제 정부 〔삼권 분립 원리에 따라 임시 의정원(입법), 국무원(행정), 법원(사법)을 구성하였어.〕

(3) 대한민국 임시 정부의 활동

① 연통제·교통국 운영: 국내와 연락, 독립운동 지도

② 독립신문 간행: 국내외 동포에게 독립운동 소식 전달

③ 독립 공채 발행: 독립운동 자금 마련

④ 외교 활동: 미국에 외교 기관(구미 위원부) 설치 〔대한민국 임시 정부가 국권을 되찾은 뒤 갚을 것을 약속하고 판매한 채권이야.〕

내공 2 3·1 운동 이후 항일 민족 운동의 전개

1 국내 민족 운동의 전개

(1) 실력 양성 운동: 민족주의 계열이 민족의 실력을 키워 독
립을 이루자며 전개, 물산 장려 운동, 민립 대학 설립 운
동 등 〔1920년대 초 평양에서 시작되었고 민족 자본 육성을 목표로 국산품 애용을 강조하였어.〕 〔대학 설립을 위한 모금 활동을 전개하였어.〕

(2) 사회 운동: 사회주의 계열이 학생·청년·노동자·농민을 중
심으로 전개 〔3·1 운동 이후 사회주의 사상이 본격적으로 국내로 유입되었어.〕

(3) 6·10 만세 운동: 순종의 장례일에 민족주의 계열과 사회
주의 계열이 함께 대규모 만세 시위 전개(1926)

(4) 신간회 〔민족 차별에 분노한 광주 학생들의 시위가 3·1 운동 이후 국내 최대의 민족 운동으로 발전하였어.〕

창립	일부 민족주의 세력이 일제의 식민 지배를 인정하고 민족의 역량을 키우자고 주장 → 이에 맞서 비타협적 민족주의 계열과 사회주의 계열이 힘을 합하여 신간회 창립(1927)
활동	• 전국 각지에 지회 조직, 강연회·연설회에서 민족의식 고취 • 광주 학생 항일 운동(1929) 지원
해소	일제의 탄압, 내부의 활동 방향을 둘러싼 갈등으로 해소(1931)

(5) 1930년대 이후의 민족 운동: 일제의 민족 말살 정책 → 민족
문화 수호 운동 전개(조선어 학회의 국어 연구 등) 〔일제는 신사 참배, 황국 신민 서사 암송, 한국어 사용 금지, 일본식 성명 사용 등을 강요하였어.〕

2 국외 무장 독립 투쟁의 전개

(1) 1920년대 만주의 무장 투쟁

① 봉오동 전투: 홍범도의 대한 독립군이 중심이 된 독립군
연합 부대가 봉오동에서 일본군에 승리(1920. 6.)

② 청산리 대첩: 김좌진의 북로 군정서, 대한 독립군 등 독립
군 연합 부대가 청산리 일대에서 일본군에 대승(1920. 10.)

③ 독립군의 시련과 통합: 일제의 간도 한인 학살(간도 참변)
→ 독립군의 자유시 참변 → 만주로 돌아와 3부(참의부,
정의부, 신민부) 수립 → 3부 통합 〔러시아 지역의 자유시로 이동한 많은 독립군이 희생된 사건이야.〕

(2) 1930년대 전반 만주의 한중 연합 작전

① 배경: 일제의 만주 침략 → 중국군과 독립군의 연합

② 내용: 지청천의 한국 독립군(북만주 일대), 양세봉의 조선
혁명군(남만주 일대)이 수차례 승리

▲ 1920년 만주의 무장 투쟁   ▲ 1930년대 전반 만주의 무장 투쟁

(3) 1930년대 후반 이후 중국 관내의 항일 투쟁

① 조선 의용대: 김원봉을 중심으로 우한에서 조직(1938),
중국군과 연합해 항일 투쟁 전개

② 한국 광복군: 대한민국 임시 정부가 충칭에서 창설(1940), 〔인도·미얀마 전선에서 영국군을 도와 포로 심문, 암호 해독 등을 하였어.〕 → 태평양 전쟁이 발발하자 일본에 선전 포고 후 연합군 의 일원으로 참전, 미국과 합동으로 국내 진공 작전 계획

◀ **대한민국 임시 정부의 이동과 중국 관내의 항일 투쟁** | 대한민국 임시 정부 는 여러 차례 근거지를 옮 겨 다니다가 충칭에 정착하 였다. 지청천을 사령관으로 하여 창설된 한국 광복군 은 조선 의용대 일부를 받 아들여 전력을 강화하였다.

(4) 의열 투쟁
① 의열단: 김원봉이 조직, 〔일제 주요 기관 폭파, 친일파 처단〕 〔윤봉길의 홍커우 공원 의거는 중국 정부가 대한 민국 임시 정부를 지원하는 계기가 되었어.〕
② 한인 애국단: 김구가 조직, 이봉창·윤봉길 의거
(5) 신국가 건설 준비 〔민주 공화국 수립, 보통 선거 실시, 토지와 주요 산업 국유화, 무상 교육 등의 내용이 담겨 있어.〕
① 대한민국 임시 정부: 대한민국 건국 강령 발표(1941)
② 기타: 조선 건국 동맹(국내), 조선 독립 동맹(중국 화북 지 방)도 민주 공화국 수립을 지향하는 건국 강령 발표

내공 3 대한민국 정부 수립

1 광복과 분단 〔우리 민족이 끊임없이 독립운동을 벌인 결과이기도 해.〕
(1) 8·15 광복(1945. 8. 15.): 일본이 연합국에 항복
(2) 정부 수립 노력: 조선 건국 준비 위원회의 활동(여운형이 조직, 건국 준비), 김구·이승만 등이 귀국·정치 활동 전개
(3) 분단: 미국과 소련이 북위 38도선을 경계로 분할, 군정 실시

2 정부 수립을 둘러싼 갈등 〔국제 연합의 위임을 받은 나라가 독립할 능력이 부족하다고 판단되는 나라를 일정 기간 동안 통치하는 것을 뜻해.〕
(1) 모스크바 3국 외상 회의(1945. 12.): 한반도에 임시 민주 정부 수립, 이를 준비하기 위한 미소 공동 위원회 설치, 최고 5 년간 신탁 통치 결정 → 우익(신탁 통치 반대)과 좌익(모 스크바 3국 외상 회의 결정 지지)의 대립 심화
(2) 미소 공동 위원회: 미국과 소련의 대립으로 성과 없이 결렬
(3) 좌우 합작 운동: 여운형, 김규식 등의 중도 세력이 통일 정 부 수립 노력 전개 → 실패
(4) 국제 연합의 결정: 미국이 한반도 문제를 국제 연합에 상정 → 인구 비례에 따른 총선거 결정 → 소련, 북한이 거부 → 유엔 소총회가 선거가 가능한 지역에서만 총선거 실시 결정
(5) 남북 협상: 김구와 김규식이 북측 지도자 김일성 등과 통일 정부 수립 협상 → 실패

3 대한민국 정부의 수립
(1) 정부 수립 과정: 우리 역사상 최초의 총선거 실시(1948. 5. 10.) → 제헌 국회 구성 → 국회에서 국호 '대한민국' 결 정, '제헌 헌법' 공포, 대통령 선출(초대 대통령은 이승만)
(2) 정부 수립 완료: 대한민국 정부 수립 선포(1948. 8. 15.) → 유엔 총회에서 한반도의 유일한 합법 정부로 승인

 확인하기

1 제1차 세계 대전이 끝날 무렵 미국의 대통령 윌슨이 제창한 ( )는 3·1 운동에 영향을 끼쳤다.

2 다음 설명이 맞으면 ○표, 틀리면 ✕표를 하시오.
(1) 3·1 운동은 중국 5·4 운동의 영향을 받았다. ( )
(2) 물산 장려 운동은 사회주의 계열이 주도하였다. ( )
(3) 한국 광복군은 대한민국 임시 정부가 충칭에서 조직 하였다. ( )
(4) 양세봉을 총사령관으로 하는 조선 혁명군은 남만주 일대에서 수차례 일본군에 승리를 거두었다. ( )

3 비타협적 민족주의 계열과 사회주의 계열의 연합으로 결 성된 일제 강점기 국내 최대 규모의 항일 민족 운동 단체 를 쓰시오.

4 다음 단체와 관련된 내용을 옳게 연결하시오.
(1) 신간회 •
(2) 조선 의용대 •
(3) 한인 애국단 •
(4) 대한민국 임시· 정부
• ㉠ 이봉창·윤봉길의 의거
• ㉡ 광주 학생 항일 운동 지원
• ㉢ 김원봉이 중국 우한에서 조직
• ㉣ 삼권 분립에 기초한 민주 공화제 정부

5 다음 사건들을 일어난 순서대로 나열하시오.

(가) 8·15 광복
(나) 5·10 총선거
(다) 대한민국 정부 수립
(라) 모스크바 3국 외상 회의

6 다음 괄호 안의 내용 중 알맞은 말에 ○표를 하시오.
(1) 광복 후 (김구, 여운형)은 조선 건국 준비 위원회를 결성하였다.
(2) 홍범도가 이끄는 (대한 독립군, 북로 군정서)은/는 봉오동 전투에서 일본군을 물리쳤다.
(3) 김원봉이 조직한 (의열단, 한인 애국단)은 일제 주요 기관 폭파, 친일파 암살 활동을 펼쳤다.
(4) 국내의 (우익, 좌익) 세력은 모스크바 3국 외상 회의 의 신탁 통치 결정에 대한 반대 운동을 전개하였다.

족집게 문제

내공 1 3·1 운동과 대한민국 임시 정부의 수립

1 다음은 3·1 운동에 대한 학생들의 토론 장면이다. 옳게 이야기한 학생들을 고른 것은?

민족 자결주의의 영향을 받아 일어났어. (민주)

일제가 무단 통치를 실시하는 배경이 되었어. (장호)

대한민국 임시 정부 수립의 계기가 되었지. (대연)

국내에서만 일어난 운동이었다는 점에서 한계가 있지. (현정)

① 민주, 대연　② 민주, 현정　③ 장호, 대연
④ 현정, 대연　⑤ 현정, 장호

중요 2 (가) 정부의 활동 내용으로 옳은 것을 〈보기〉에서 고른 것은?

블라디보스토크
대한 국민 의회 (1919. 3.)
경성
동해
황해
한성 정부 (1919. 4.)
상하이 임시 정부 (1919. 4.)
(가) (1919. 9.)
• 대통령: 이승만
• 국무총리: 이동휘
상하이

• 보기 •
ㄱ. 연통제를 운영하였다.
ㄴ. 독립 공채를 발행하였다.
ㄷ. 2·8 독립 선언을 발표하였다.
ㄹ. 물산 장려 운동을 전개하였다.

① ㄱ, ㄴ　② ㄱ, ㄷ　③ ㄴ, ㄷ
④ ㄴ, ㄹ　⑤ ㄷ, ㄹ

내공 2 3·1 운동 이후 항일 민족 운동의 전개

[3~4] 다음을 읽고 물음에 답하시오.

> 　(가)　은/는 비타협적 민족주의 계열과 사회주의 계열이 연대하여 국내에서 조직된 일제 강점기 최대 규모의 민족 운동 단체이다. 　(가)　은/는 정치적·경제적 각성 촉구, 단결 공고, 기회주의 일체 부인의 3대 강령을 발표하였다.

주관식

3 (가)에 들어갈 단체의 이름을 쓰시오.

4 (가) 단체에 대한 설명으로 옳은 것은?

① 양세봉이 총사령관이었다.
② 6·10 만세 운동을 주도하였다.
③ 민립 대학 설립 운동을 펼쳤다.
④ 일제의 식민 지배에 타협하려 하였다.
⑤ 광주 학생 항일 운동을 지원하려 하였다.

5 (가) 지역에서 독립군이 일본군을 크게 격파한 사건으로 옳은 것은?

북로 군정서(김좌진)
대한 독립군(홍범도)
(가)
어랑촌　허룽
청산리
류허　백두산
블라디보스토크
동해

① 간도 참변　② 봉오동 전투
③ 자유시 참변　④ 청산리 대첩
⑤ 6·10 만세 운동

6 (가) 부대에 대한 설명으로 옳은 것은?

① 윤봉길이 소속되어 있었다.
② 봉오동 전투에서 승리하였다.
③ 을사늑약의 체결에 저항하였다.
④ 국내로 진공하는 작전을 계획하였다.
⑤ 우금치 전투에서 일본군에 패배하였다.

7 다음 강령들에 공통적으로 포함된 내용으로 옳은 것은?

- 대한민국 건국 강령(1941)
- 조선 독립 동맹 강령(1942)
- 조선 건국 동맹 강령(1944)

① 신탁 통치 반대
② 민주 공화국 수립
③ 공산주의 국가 건설
④ 대한 제국 황실 복구
⑤ 미소 공동 위원회 개최

내공 3 **대한민국 정부 수립**

주요 **8** 광복 이후 다음과 같은 대립이 발생하게 된 계기로 옳은 것은?

독립을 이루자마자 다른 나라의 신탁 통치를 받으라니 절대 찬성할 수 없소!

우리나라에 임시 민주 정부를 수립하기 위한 과정일 뿐이오.

우익   좌익

① 3·1 운동
② 간도 참변
③ 5·10 총선거
④ 실력 양성 운동
⑤ 모스크바 3국 외상 회의

9 (가)~(라)를 일어난 순서대로 옳게 나열한 것은?

(가) 5·10 총선거를 실시하였다.
(나) 제헌 국회에서 제헌 헌법을 제정하였다.
(다) 대통령 이승만이 대한민국 정부 수립을 선포하였다.
(라) 유엔 총회에서 대한민국 정부를 한반도에서 유일한 합법 정부로 승인하였다.

① (가) – (나) – (다) – (라) ② (가) – (다) – (라) – (나)
③ (나) – (가) – (라) – (다) ④ (나) – (라) – (가) – (다)
⑤ (다) – (가) – (라) – (나)

서술형 문제

10 다음 선언서를 발표하면서 일어난 민족 운동의 명칭을 쓰고, 이 운동이 국내외에 끼친 영향을 세 가지 서술하시오.

오늘 우리는 조선이 독립국이며, 조선 사람이 자주적인 민족임을 선언한다. 이로써 세계 만국에 알리어 인류 평등의 대의를 분명히 하며, 자손만대에 깨우쳐 자주와 독립을 유지하는 올바른 민족의 권리를 영원히 누리도록 한다.

_____

_____

_____

11 (가)에 들어갈 단체의 이름을 쓰고, 밑줄 친 부분이 당시 독립운동에 끼친 영향을 서술하시오.

대한민국 임시 정부는 김구의 주도로 [(가)]을/를 조직하였다. 이봉창은 1932년 1월에 도쿄에서 일본 국왕을 향해 폭탄을 던져 암살을 시도하였다. 같은 해 4월에 윤봉길은 일본군의 상하이 사변 승전 기념식장에 폭탄을 던져 일본군 육군 대장을 비롯한 고위 관리를 처단하였다.

_____

_____

_____

자본주의와 사회 변화

내공 1 개항 이후의 경제 변화

1 개항과 외세의 경제 침탈

(1) 강화도 조약(조일 수호 조규) 체결 이후: 일본 상인 진출

> 제7관 일본국 국민은 본국에서 사용되는 화폐로 조선국 국민이 보유하고 있는 물자와 마음대로 교환할 수 있다.
>   – 조일 수호 조규 부록
> 제6칙 조선국 항구에 머무르는 일본인은 쌀과 잡곡을 수출·수입할 수 있다.
> 제7칙 일본국 정부에 소속된 모든 선박은 항세(항구세)를 납부하지 않는다.   – 조일 무역 규칙

▲ **강화도 조약의 부속 조약** | 개항장에서 일본 화폐의 유통이 허용되었고, 일본 상품에는 일종의 관세도 부과되지 않았다. 이 결과 일본 상인들이 면제품을 수출하고 곡물을 대량으로 수입해 가면서 국내의 쌀값이 폭등하였다.

(2) 임오군란 이후: 청 상인이 조선에 대거 들어와 일본 상인과 경쟁 → 청일 전쟁 이후 일본 상인에 밀려남

(3) 아관 파천(1896) 이후: 제국주의 열강의 이권 침탈 가속화

└ 러시아에 주었던 이권이 최혜국 대우 규정을 앞세운 다른 나라에도 넘어갔어.

지도 범례:
- 개항장
- 철도 부설권
- 통신 시설권
- 삼림 채벌권
- 광산 채굴권

압록강·두만강 삼림 채벌권 (러) 1896
경원선 부설권 (일) 1904
전등·전화·전차 부설권 (미) 1896
경의선 부설권 (프) 1896 → (일) 1904
경인선 부설권 (미) 1896 → (일) 1898
울릉도 삼림 채벌권 (러) 1896
경부선 부설권 (일) 1898

◀ **열강의 이권 침탈** | 아관 파천 이후 러시아, 미국, 일본, 프랑스 등의 열강이 철도 부설권, 광산 채굴권, 삼림 채벌권 등 각종 이권을 빼앗아 갔다.

2 경제적 구국 운동의 전개

┌ 식량이 부족할 때, 지방관이 곡식의 유출을 일시적으로 금지하여 내리는 명령이야.

(1) 방곡령 선포: 일본으로의 곡물 유출을 막기 위해 선포

(2) 독립 협회의 이권 수호 운동: 러시아의 절영도 조차 요구 저지

(3) 보안회의 활동: 일본의 황무지 개간권 요구 저지

(4) 국채 보상 운동(1907)

┌ 정부 사이에 돈을 빌리는 것을 뜻해. 다른 나라 영토의 일부를 일정 기간 빌려서 차지하는 거야.

배경	일본의 차관 강요로 대한 제국이 막대한 빚을 안게 됨
목표	국민들이 성금을 모아 나라의 빚(국채)을 갚으려 함
전개	대구에서 시작되어 전국으로 확대(언론 기관의 지원)
결과	통감부의 방해와 탄압으로 실패

└ 러일 전쟁 이후 화폐 발행권을 차지하고 대한 제국 정부의 재정을 예속화하였어.

> 국채 1,300만 원은 우리 대한의 존망에 직결된 것이라. ……
> 2천만 민중이 3개월 동안 담배를 끊고 그 대금으로 1인당 매달 20전씩 징수하면 1,300만 원이 될 수 있다. – 「대한매일신보」

▲ **국채 보상 운동의 제기**

내공 2 일제 강점기의 경제와 사회

1 일제의 경제 수탈

┌ 토지 조사 사업으로 조선 총독부가 차지한 토지를, 일제가 식민지 농업 경영과 일본인의 조선 이민 사업을 위해 1908년에 설립한 동양 척식 주식회사가 받아 최대 지주가 되었어.

(1) 1910년대의 경제 수탈: 토지 조사 사업(1910~1918)

① 내용: 토지 소유자가 직접 신고한 토지만 소유지로 인정

② 결과: 총독부의 지세 수입 증가, 많은 농민들이 토지를 잃고 소작농으로 전락, 지주의 권한 강화, 일본인 대지주 증가

└ 조선 총독부는 소작농이 조상 대대로 인정받던 관습적인 경작권을 부정하였어.

> 토지 소유자는 조선 총독이 정하는 기간 내에 주소, 씨명, 명칭 및 소유지의 소재, 지목 등을 임시 토지 조사 국장에게 신고해야 한다.

▲ **토지 조사령(1912)**

(2) 1920년대의 경제 수탈: 산미 증식 계획(1920~1934)

① 목적: 한국에서 쌀 생산량을 늘려 일본의 식량 부족 문제 해결

└ 일본은 공업화가 이루어지면서 농촌 인구가 감소해 쌀 생산이 줄어들었어.

② 결과: 늘어난 생산량보다 더 많은 양의 쌀이 일본으로 이출 → 한국의 식량 사정 악화, 쌀 증산 비용 부담으로 농민의 생활 악화

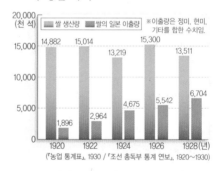

◀ **쌀 생산량과 일본으로의 이출량**

(3) 1930년대~1940년대의 경제 수탈

① 병참 기지화 정책: 중화학 공장 건설, 지하자원 생산 증가 → 한국을 대륙 침략에 필요한 물자를 생산·보급하는 기지로 만듦

② 인적·물적 자원 수탈
- 국가 총동원법 제정(1938): 중일 전쟁(1937) 발발 후 제정
- 지원병제, 징병제: 많은 한국인 청년들을 전쟁터로 동원
- 국민 징용령: 탄광, 철도 건설, 군수 공장에 노동력 수탈
- 일본군 '위안부' 강제 동원: 한국 여성들이 큰 고통을 겪음
- 공출제 시행: 군량미 마련을 위해 쌀 수탈·식량 배급제 실시, 무기 제조를 위해 농기구·쇠붙이 등을 빼앗음

> 제1조 국가 총동원이란 전시에 국방 목적을 달성하기 위해 국가의 전력을 가장 유효하게 발휘하도록 인적·물적 자원을 운용하는 것을 가리킨다.

▲ **국가 총동원법(1938)**

2 일제 강점기의 경제·사회적 변화

(1) 농민과 노동자의 저항

농민	일제의 농업 정책으로 다수의 농민이 소작농으로 전락, 지주에 대한 저항 의식 심화 → 소작료 인하 등을 요구하며 소작 쟁의를 일으킴(암태도 소작 쟁의가 대표적)
노동자	장시간 노동과 저임금, 일본인과의 차별 → 임금 인상 등을 요구하며 노동 쟁의를 일으킴

1921년 전라남도 신안군 암태도에서 소작농들이 지주와 일제 경찰에 맞서 쟁의를 일으켜 소작료를 인하하는 성과를 거두었어.

◀ 원산 총파업(1929) | 원산 인근 석유 회사에서 일본인 공장 관리자가 한국인 노동자를 구타한 사건에 항의하면서 4개월 동안 대규모의 파업 투쟁이 벌어졌다. 일제 강점기 최대 규모의 노동 운동이었다.

(2) 사회의식의 성장: 백정들의 평등한 대우 요구, 여성들의 지위 향상 노력 등 등장

내공 3 대한민국의 경제 성장과 사회·문화 발전

1 광복 직후의 경제

미국에게 원조를 받은 흰색 원료인 밀(제분), 설탕(제당), 면화(면방직)를 가공해서 판매하는 산업이야.

(1) 농지 개혁 실시: 자영농 증가, 지주제 소멸

(2) 소비재 산업 발달: 산업 기반 취약, 6·25 전쟁으로 산업 시설 파괴 → 미국의 경제 원조에 의존, 삼백 산업 발달

2 경제 개발 계획의 추진과 고도성장

(1) 1960년대의 경제 개발(제1·2차 경제 개발 5개년 계획)

① 경공업 육성: 풍부한 노동력을 바탕으로 의류·신발 산업 등 육성

② 수출 증대 노력: 수출 주도형 정책 추진

③ 사회 간접 자본 확충: 경부 고속 국도 개통, 산업 단지 조성

(2) 1970년대의 경제 개발(제3·4차 경제 개발 5개년 계획)

① 중화학 공업 집중 육성: 철강·화학·조선 공업 등 육성

② 수출 주도형 정책 지속: 수출액 100억 달러 돌파, '한강의 기적'이라 불릴 만큼 경제 성장

③ 경제 위기 발생: 1970년대 말 석유 파동으로 위기에 처함

1973년과 1979년에 석유 수출국 기구(OPEC)에 의해 석유 가격이 급격히 인상되어 세계 경제가 어려워졌어.

◀ 수출 100억 달러 기념 조형물 (1977)

(3) 1980년대의 경제 발전

① 3저 호황: 1980년대 중반에 저유가, 저금리, 저달러 현상 출현 → 물가 안정, 수출 증가로 경제 발전

② 기술 집약 산업 발달: 전자·자동차·반도체 산업 등 발달

---

3 외환 위기의 극복과 한국 경제의 현재

(1) 세계화와 신자유주의

① 세계화 추세: 1990년대 시장 개방 압력 강화, 세계 무역 기구(WTO) 출범(1995)

정부의 역할을 줄이려는 새 움직임으로, 복지 예산 감축, 공기업의 민영화, 무역·기업 규제 완화를 추구하였어.

② 한국 정부의 대응: 공기업의 민영화, 경제 협력 개발 기구(OECD) 가입 등 신자유주의 정책 추진

(2) 외환 위기의 발생과 극복

① 발생: 외국인 투자자의 자금 회수 → 외환 부족, 무리하게 사업을 확대한 일부 대기업 도산 → 국제 통화 기금(IMF)으로부터 구제 금융 지원 받음(1997)

② 극복: 정부의 부실 기업·금융 기관 구조 조정, 민간의 금 모으기 운동 등 → 국제 통화 기금의 지원금 모두 상환(2001)

③ 부작용: 많은 실업자 발생, 비정규직 증가 등

국가 부채를 갚기 위해 국민이 소유한 금을 내놓은 운동이야.

(3) 오늘날의 한국 경제

① 자유 무역 협정(FTA) 체결: 칠레, 미국 등 여러 나라와 체결 → 무역 규모 1조 달러 돌파(2011), 세계 10위권의 무역 대국으로 성장

② 첨단 산업 발달: 정보 기술·전자 산업 등 발달

4 경제 성장이 가져온 사회 변화

(1) 사회 변화

① 산업화와 도시화: 농업 비중 감소, 제조업·서비스업(2차·3차 산업) 비중 증가 → 도시 인구 증가

② 기타: 교통 발달, 통신 기술 발전, 교육 수준 향상, 과학 기술 발달, 생활 수준 향상, 평균 수명 증가

(2) 문제점

농촌의 생활 환경 개선과 소득 증대를 목표로 하였어. 하지만 당시 정부의 체제 유지에 이용되었다는 비판을 받기도 해.

① 도시 문제: 주택 부족, 공해, 도시 빈민 문제(실업·빈곤 등)

② 농촌 문제: 노동력 부족, 인구 고령화, 도시와의 소득 격차 확대 → 정부에서 새마을 운동 전개

③ 노동 문제: 노동자들의 희생(장시간 노동, 저임금 등) → 전태일 분신 사건(1970)으로 노동 문제에 대한 관심 증대, 노동 운동 활성화 → 최근 비정규직 노동자, 청년 실업, 외국인 노동자 등 문제 대두

> 1일 14시간의 작업 시간을 1일 10~12시간으로 단축해 주십시오. 1개월 휴일 2일을 늘려서 일요일마다 휴일로 쉬기를 원합니다. …… 인간으로서의 최소한의 요구입니다.

▲ 전태일의 대통령에게 드리는 글(1969) | 서울 평화시장의 노동자였던 전태일은 근로 기준법 준수를 요구하며 분신하였다.

5 대중문화의 발전

청바지, 통기타로 대표되었어.

(1) 배경: 경제 발전으로 생활 수준의 향상, 여가 시간 증가

(2) 대중 매체 보급: 텔레비전 방송 시작(1960년대) → 청년 문화 확산(1970년대), 가요 시장 성장(1980년대), 음반·영화 산업 발전(1990년대), '한류' 세계 전파(2000년대 이후)

(3) 스포츠 문화 발달: 프로 스포츠 출범(1980년대), 국제 스포츠 대회 개최(1986 아시안 게임, 1988 서울 올림픽 대회, 2002 한일 월드컵 대회, 2018 평창 동계 올림픽 대회)

1 (　　　　) 체결 후 일본 상인은 조선에 진출하였고, 임오군란 이후 청상인도 조선에서 활동하였다.

2 다음 설명에 해당하는 경제적 구국 운동을 〈보기〉에서 골라 기호를 쓰시오.

> • 보기 •
> ㄱ. 방곡령 선포
> ㄴ. 보안회의 활동
> ㄷ. 국채 보상 운동
> ㄹ. 독립 협회의 이권 수호 운동

(1) 러시아의 절영도 조차 요구를 저지하였다. (　　　)
(2) 일본의 황무지 개간권 요구를 철회시켰다. (　　　)
(3) 일본에 진 빚을 갚아 국권을 지키려 하였다. (　　　)
(4) 일부 지방관이 곡물의 유출을 막는 조치를 내렸다.
(　　　)

3 다음 설명이 맞으면 ○표, 틀리면 ✕표를 하시오.
(1) 토지 조사 사업의 결과 동양 척식 주식회사가 설립되었다. (　　　)
(2) 일제는 1910년대에 국가 총동원법을 제정하여 인적·물적 수탈을 강화하였다. (　　　)
(3) 개항 후 일본 상인들이 많은 양의 쌀을 수입해 가면서 국내의 쌀값이 폭등하였다. (　　　)
(4) 6·25 전쟁 직후인 1950년대 한국 경제는 미국의 원조에 의존하였고, 삼백 산업이 발달하였다. (　　　)

4 다음 괄호 안의 내용 중 알맞은 말에 ○표를 하시오.
(1) (원산 총파업, 암태도 소작 쟁의)은/는 일제 강점기 최대 규모의 노동 운동이었다.
(2) 외환 위기가 일어나자 국가 부채를 갚기 위한 국민 운동으로 (새마을 운동, 금 모으기 운동)이 전개되었다.
(3) 일본은 자국의 식량 부족 문제를 해결하기 위해 한국에서 (산미 증식 계획, 토지 조사 사업)을 시행하였다.

5 평화시장의 노동자인 (　　　　)이 근로 기준법 준수를 외치며 분신한 후 노동 운동에 대한 관심이 높아졌다.

6 시대와 그 시기의 대한민국의 경제 상황을 옳게 연결하시오.
(1) 1960년대•　　　•㉠ 3저 호황
(2) 1970년대•　　　•㉡ 중화학 공업 집중 육성
(3) 1980년대•　　　•㉢ 경공업 제품을 주로 수출
(4) 1990년대•　　　•㉣ 국제 통화 기금(IMF)의 구제 금융 지원

내공 쌓는 **족집게 문제**

내공 **1**　개항 이후의 경제 변화

1 다음 조약의 체결이 조선의 경제에 끼친 영향으로 옳지 **않은** 것은?

> 제7관 일본국 국민은 본국에서 사용되는 화폐로 조선국 국민이 보유하고 있는 물자와 마음대로 교환할 수 있다.　– 조일 수호 조규 부록
> 제6칙 조선국 항구에 머무르는 일본인은 쌀과 잡곡을 수출·수입할 수 있다.
> 제7칙 일본국 정부에 소속된 모든 선박은 항세(항구세)를 납부하지 않는다.　–조일 무역 규칙

① 식량 배급제가 실시되었다.
② 국내의 쌀값이 폭등하였다.
③ 개항장에서 일본 화폐가 사용되었다.
④ 일본 상품에 관세가 부과되지 않았다.
⑤ 일본 상인들이 많은 양의 쌀을 수입해 갔다.

[2~3] 다음 자료를 읽고 물음에 답하시오.

> 국채 1,300만 원은 우리 대한의 존망에 직결된 것이라. …… 2천만 민중이 3개월 동안 담배를 끊고 그 대금으로 1인당 매달 20전씩 징수하면 1,300만 원이 될 수 있다.　– 「대한매일신보」

중요 2 위와 같은 주장을 내세우며 전개된 민족 운동의 명칭으로 옳은 것은?
① 원산 총파업
② 국채 보상 운동
③ 금 모으기 운동
④ 물산 장려 운동
⑤ 암태도 소작 쟁의

3 위 민족 운동에 대한 설명으로 옳은 것은?
① 조선 총독부의 탄압으로 실패하였다.
② 산미 증식 계획에 반발하여 시작되었다.
③ 대구에서 시작되어 전국으로 확산되었다.
④ 불합리한 노동 환경의 개선을 요구하였다.
⑤ 소작농들의 생존권을 수호하려는 운동이었다.

4 지도를 활용한 탐구 활동의 주제로 가장 적절한 것은?

① 을미사변과 단발령에 대한 반발
② 철도의 부설이 근대화에 미친 영향
③ 한반도를 둘러싼 청과 일본의 경쟁
④ 아관 파천 이후 열강의 이권 침탈 심화
⑤ 강화도 조약으로 인한 무역 구조의 변화

5 (가)에 들어갈 내용으로 가장 적절한 것은?

> **개항기 경제적 구국 운동**
> • 곡물의 유출을 막기 위한 방곡령
> – 함경도, 황해도 관찰사가 선포
> • 열강의 이권 침탈을 저지한 단체들
> – 러시아 절영도 조차 요구를 저지한 독립 협회
> – _____(가)_____

① 타협적 민족주의 세력에 맞선 신간회
② 자기 회사와 태극 서관을 운영한 신민회
③ 일본의 황무지 개간권 요구를 철회시킨 보안회
④ 독립 국가 건설을 준비한 조선 건국 준비 위원회
⑤ 일제의 주요 식민지 지배 기관을 폭파하였던 의열단

내공 2 일제 강점기의 경제와 사회

주관식

6 밑줄 친 '이 회사'의 명칭을 쓰시오.

> 1908년에 일본인의 농업 이민을 장려하기 위해 세워진 이 회사는 토지 조사 사업 이후 조선 총독부의 토지를 넘겨받아 조선 최대의 지주가 되었다.

7 그래프와 같은 결과를 가져온 일제의 경제 수탈 정책에 대한 설명으로 옳은 것을 〈보기〉에서 고른 것은?

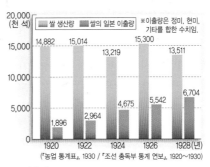

◀ 쌀 생산량과 일본으로의 이출량

> • 보기 •
> ㄱ. 국가 총동원법을 근거로 하여 추진되었다.
> ㄴ. 미신고 토지를 조선 총독부의 소유로 하였다.
> ㄷ. 일본의 식량 부족 문제 해결을 위해 추진되었다.
> ㄹ. 쌀 증산 비용 부담으로 인해 농민 생활이 악화되었다.

① ㄱ, ㄴ ② ㄱ, ㄷ ③ ㄴ, ㄷ
④ ㄴ, ㄹ ⑤ ㄷ, ㄹ

8 (가)에 들어갈 일제의 정책으로 옳은 것은?

> 1930년대 초에 중국을 침략한 일제는 전쟁을 확대해 나갔고, 조선을 공업화하여 대륙 침략을 뒷받침하는 기지로 만들려고 하였다. 이를 위해 한반도 북부에 금속·화학 공장을 건설하고, 지하자원의 생산을 늘렸다.

① 공출제 ② 징병제 ③ 문화 통치
④ 헌병 경찰제 ⑤ 병참 기지화 정책

9 다음과 같은 수탈이 이루어질 무렵의 상황으로 옳지 <u>않은</u> 것은?

> 일제는 병력과 노동력을 확보하기 위해 한국인을 동원하였으며, 군량미를 마련하기 위해 공출제를 실시하고 무기를 만들기 위해 농기구와 제사 도구까지 빼앗았다.

① 국민 징용령이 시행되었다.
② 식량 배급제가 실시되었다.
③ 토지 조사 사업이 시행되었다.
④ 지원병제·징병제가 실시되었다.
⑤ 여성들이 일본군 '위안부'로 끌려갔다.

10 (가), (나) 법령 발표 사이 시기에 있었던 일로 옳은 것은?

> (가) 토지 소유자는 조선 총독이 정하는 기간 내에 주소, 씨명, 명칭 및 소유지의 소재, 지목 등을 임시 토지 조사 국장에게 신고해야 한다.
> (나) 국가 총동원이란 전시에 국방 목적을 달성하기 위해 국가의 전력을 가장 유효하게 발휘하도록 인적·물적 자원을 운용하는 것을 가리킨다.

① 통감부가 설치되었다.
② 새마을 운동이 전개되었다.
③ 강화도 조약이 체결되었다.
④ 국채 보상 운동이 일어났다.
⑤ 산미 증식 계획이 실시되었다.

11 밑줄 친 '이 사건'에 대한 설명으로 옳은 것은?

> 원산은 일제 강점기에 상업의 중심지로 운수·부두 노동자가 많았으며, 노동 운동이 활발하였다. 이 사건의 발단은 원산 인근 석유 회사에서 일본인 공장 관리자가 한국인 노동자를 구타한 것이다.

① 물산 장려 운동이다.
② 소작료 인하를 요구하였다.
③ 백정에 대한 차별 철폐를 주장하였다.
④ 여성의 지위 향상을 위해 노력하였다.
⑤ 일제 강점기 최대 규모의 노동 운동이었다.

내공 **3**   대한민국의 경제 성장과 사회·문화 발전

12 밑줄 친 '이 산업'에 대한 설명으로 옳은 것은?

> 6·25 전쟁으로 많은 산업 시설이 파괴되자, 정부는 식량난을 해소하고 경제를 재건하기 위해 힘썼다. 이 과정에서 이 산업과 같은 소비재 산업이 발달하였다.

① 3저 호황을 배경으로 발달하였다.
② 제분, 제당, 면방직 산업이 해당하였다.
③ 일본의 원조 물자를 이용한 산업이었다.
④ 중화학 공업 집중 육성 정책에 힘입어 발전하였다.
⑤ 수출 100억 달러 달성 이후 본격적으로 육성되었다.

13 (가) 시기의 경제 상황으로 옳지 않은 것은?

> (가) 시기에는 풍부한 노동력을 바탕으로 경공업을 육성하여 수출을 늘리는 데 힘썼어요.

① 경부 고속 국도가 개통되었다.
② 의류·신발 등을 주로 수출하였다.
③ 석유 파동으로 인해 경제 위기를 맞았다.
④ 울산 등에 대규모 산업 단지가 조성되었다.
⑤ 제1·2차 경제 개발 5개년 계획을 추진하였다.

중요 **14** 다음 조형물을 건설한 시기의 경제 상황에 대한 설명으로 옳은 것은?

▲ 수출 100억 달러 기념 조형물

① 3저 호황을 계기로 경제를 회복하였다.
② 미국과 자유 무역 협정(FTA)을 체결하였다.
③ 삼백 산업과 같은 소비재 산업이 발달하였다.
④ 철강, 화학, 조선과 같은 중화학 공업을 육성하였다.
⑤ 국제 통화 기금(IMF)로부터 구제 금융을 지원받았다.

주관식

15 다음 주장을 한 인물을 쓰시오.

> 1일 14시간의 작업 시간을 1일 10~12시간으로 단축해 주십시오. 1개월 휴일 2일을 늘려서 일요일마다 휴일로 쉬기를 원합니다. …… 인간으로서의 최소한의 요구입니다.
>   – 대통령에게 드리는 글, 1969

중요 **16** 그래프의 현상이 나타난 배경으로 가장 적절한 것은?

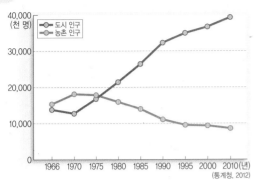

▲ 도시 인구와 농촌 인구의 변화

① 한류의 세계적 전파
② 도시 빈민 문제의 발생
③ 언론과 대중문화의 발달
④ 산업화에 따른 산업 구조의 변화
⑤ 6·25 전쟁으로 인한 산업 시설의 파괴

17 (가)에 들어갈 제목으로 가장 적절한 것은?

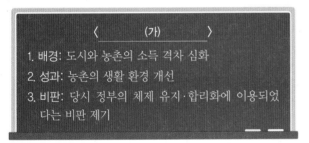

〈　　(가)　　〉
1. 배경: 도시와 농촌의 소득 격차 심화
2. 성과: 농촌의 생활 환경 개선
3. 비판: 당시 정부의 체제 유지·합리화에 이용되었
　　다는 비판 제기

① 석유 파동
② 외환 위기
③ 새마을 운동
④ 산미 증식 계획
⑤ 암태도 소작 쟁의

18 시기별 대중문화에 대한 설명으로 옳지 <u>않은</u> 것은?

① 1960년대: 텔레비전 방송이 시작되었다.
② 1970년대: 청바지·통기타로 대표되는 청년 문화가 발전하였다.
③ 1980년대: 프로 야구·프로 축구 등 프로 스포츠가 출범하였다.
④ 1990년대: 한일 월드컵 대회와 평창 동계 올림픽 대회를 성공적으로 개최하였다.
⑤ 2000년대 이후: 우리의 대중문화가 한류라고 불리며 세계로 뻗어 나가고 있다.

19 다음 법령과 관련된 일제의 식민지 수탈 정책을 쓰고, 이 정책이 한국인 농민들에게 끼친 영향을 서술하시오.

> 토지 소유자는 조선 총독이 정하는 기간 내에 주소, 씨명, 명칭 및 소유지의 소재, 지목 등을 임시 토지 조사 국장에게 신고해야 한다.

20 (가)에 들어갈 경제 용어를 쓰고, (가)의 의미를 서술하시오.

> 한국 경제는 1970년대에 두 차례의 석유 파동으로 위기를 맞이하기도 했으나, 1980년대 중반에 　(가)　을/를 맞아 이를 극복하고 고도성장을 지속할 수 있었다.

21 다음 제시어들을 모두 활용하여 1990년대 말 대한민국의 경제 상황에 대해 서술하시오.

> • 외환 위기　　　• 구조 조정
> • 금 모으기 운동　• 국제 통화 기금(IMF)

03 민주주의의 발전

내공 1 헌법의 제정

1 대한민국 임시 정부의 헌법 제정

(1) 대한민국 임시 헌장(1919. 4.): 대한민국의 정치 체제가 민주 공화제임을 밝힘, 국민의 자유와 평등, 국민의 권리를 선언

(2) 대한민국 임시 헌법(1919. 9.): 임시 헌장에서 선언된 민주 공화제의 이념을 더욱 구체화(주권 재민, 삼권 분립 포함)

> 제2조 대한민국의 주권은 대한 인민 전체에 있다.
> 제4조 대한민국의 인민은 일체 평등하다.
> 제5조 대한민국의 입법권은 의정원이, 행정권은 국무원이, 사법권은 법원이 행사한다.

▲ 대한민국 임시 헌법(1919. 9.)

2 제헌 국회의 활동 ─ 대한민국 최초의 국회로서, 헌법을 제정하여 제헌 국회라고 불러.

(1) 제헌 국회의 구성: 1948년 5·10 총선거를 통해 구성

(2) 제헌 국회의 활동

① 제헌 헌법 제정: 대한민국이 민주 공화정임을 밝힘

② 대통령 선출: 제헌 헌법에 따라 국회 의원의 선거로 이승만 선출 ─ 임기는 4년이고, 선거를 통해 한 차례 중임이 가능하였어.

③ 반민족 행위 처벌법 제정: 반민족 행위 특별 조사 위원회(반민 특위) 구성 → 친일파 청산 시도

④ 농지 개혁법 제정: 농지 개혁 실시 → 자영농 증가

> 유구한 역사와 전통에 빛나는 우리들 대한 국민은 기미 3·1 운동으로 대한민국을 건립하여 세계에 선포한 위대한 독립 정신을 계승하여 ……
> 제1조 대한민국은 민주 공화국이다.
> 제2조 대한민국의 주권은 국민에게 있고, 모든 권력은 국민으로부터 나온다.
>   ……
> 제8조 모든 국민은 법률 앞에 평등하며 ……

▲ 제헌 헌법(1948) | 제헌 헌법은 대한민국이 3·1 운동의 독립 정신을 계승함을 밝히고, 대한민국 임시 헌법의 주권 재민, 국민 평등을 계승하였다.

내공 2 민주주의의 시련

1 이승만 정부의 헌법 개정과 장기 집권
─ 국민 전체가 투표해 대통령을 선출하는 제도야. 제2대 국회 의원 선거에서 이승만 반대 세력이 다수 의석을 차지하였기 때문에 개헌하였어.

(1) 발췌 개헌(1952): 경찰·군대를 동원하여 대통령 직선제로 개헌, 재집권 성공

(2) 사사오입 개헌(1954): 초대 대통령에 한해 연임 횟수 제한을 없애는 개헌안 제출 → 사사오입의 논리로 통과시킴

(3) 독재 강화: 정부에 비판적인 인물·언론 탄압 → 권위주의 통치 강화
─ 개헌을 위해서는 국회 의원 2/3 이상의 찬성이 필요한데 135명의 의원이 찬성하여 개헌안이 부결되었다. 그러자 자유당은 203명의 2/3인 135.33…은 사사오입(반올림)하면 135명이 된다며 개헌안을 통과시켰다.

─ 1950년대 후반에 미국의 무상 원조가 줄어들어 경제가 어려워지고 이승만 정부의 부정부패가 심해지자 국민의 불만이 커졌어.

2 4·19 혁명(1960)

(1) 4·19 혁명의 계기: 이승만 정부와 자유당이 1960년 3·15 정부통령 선거에서 부정 선거 자행(3·15 부정 선거) ─ 4할 사전 투표, 3인조·5인조 공개 투표, 야당 참관인 축출 등을 자행하였어.

(2) 4·19 혁명의 발발: 마산 등지에서 부정 선거 규탄 시위 전개 → 시위 도중 실종된 김주열 학생의 시신이 마산 앞바다에서 발견 → 전국으로 시위 확대

(3) 4·19 혁명의 확산: 서울에서 대규모 시위(1960. 4. 19.) → 경찰의 총격으로 사상자 발생 → 대학 교수들의 시국 선언

(4) 4·19 혁명의 결과

① 이승만 하야: 이승만이 대통령직에서 물러남

② 내각 책임제 개헌: 장면을 국무총리로 하는 장면 내각 출범

(5) 4·19 혁명의 의의: 학생과 시민의 힘으로 독재 정권을 무너뜨린 사건 → 이후 대한민국 민주주의 발전의 토대가 됨

3 5·16 군사 정변과 박정희 정부의 수립

(1) 5·16 군사 정변(1961)

① 정변 발발: 장면 내각의 무능과 사회 혼란을 구실로, 박정희를 중심으로 한 일부 군인 세력이 정권 장악

② 군정 실시: 국가 재건 최고 회의 조직, 약 2년간 실시 ─ 군정 기간 동안 입법·사법·행정의 3권을 행사하는 국가 최고 통치 기관이었어.

③ 대통령 중심제 개헌: 박정희가 대통령에 당선(1963)

(2) 박정희 정부

① 박정희 정부의 정책: 경제 발전과 국가 안보를 내세움 → 경제 개발 5개년 계획 추진 등

② 한일 국교 정상화(1965): 경제 개발 자금 마련에 도움, 식민 지배에 대한 사죄·배상 미흡 → 한일 협정 반대 시위 발발

③ 베트남 전쟁 파병(1964~1973): 미국의 요청으로 파병, 국내 기업의 베트남 진출로 경제적 이익 획득, 장병들의 희생

④ 3선 개헌(1969): 대통령직을 3회까지 할 수 있도록 헌법 개정

4 유신 체제 ─ 박정희의 장기 독재 체제(유신 체제)를 구축하였어.

(1) 유신 헌법 제정(1972): 임기 6년 대통령의 영구 집권 가능, 통일 주체 국민 회의에서 대통령 선출, 대통령에게 국회 해산권·국회 의원 1/3 임명권·긴급 조치권 등 부여

> • 대한민국 헌법을 부정, 반대, 왜곡, 비방하는 행위를 금한다.
> • 이 조치에 위반한 자와 비방한 자는 법관의 영장 없이 체포·구속·압수·수색하며 15년 이하의 징역에 처한다.

▲ 대통령 긴급 조치 1호(1974) ─ 국민의 자유나 권리, 입법부와 사법부의 활동을 제한할 수 있는 조치였어.

(2) 유신 체제에 대한 저항: 재야인사·종교인·학생의 민주 헌정 회복과 개헌 요구, 3·1 민주 구국 선언 발표 ─ 유신 체제를 비판하는 선언이야.

(3) 유신 체제의 종말: 부산·마산에서 유신 철폐를 요구하는 시위 발생(부마 민주 항쟁, 1979) → 이 사건 처리를 둘러싼 정부 내부의 갈등으로 박정희 피살(10·26 사태)

내공 3 민주주의의 성장

1 신군부의 등장과 5·18 민주화 운동

(1) 신군부의 등장: 전두환을 중심으로 한 신군부 세력이 불법적으로 군대를 동원하여 권력 장악(12·12 사태, 1979)

(2) 서울의 봄(1980. 5.): 학생·시민들이 신군부 퇴진과 민주화 요구 → 신군부가 비상계엄 전국 확대

(3) 5·18 민주화 운동(1980)

① 전개: 광주에서 계엄 철회, 민주주의 회복을 요구하는 시위 발생 → 신군부가 계엄군 투입, 무력 진압 → 시민들의 시민군 조직 → 계엄군이 전라남도 도청에서 시민군 진압

② 의의: 1980년대 민주화 운동의 중요한 원동력이 됨

우리는 왜 총을 들 수밖에 없었는가? 그 대답은 너무 간단합니다. 무자비한 만행을 더 이상 보고 있을 수만 없어서 너도 나도 총을 들고 나섰던 것입니다. …… 계엄 당국은 18일 오후부터 공수 부대를 대량 투입하여 시내 곳곳에서 학생, 젊은이들에게 무차별 살상을 자행하였으니!

▲ 무장한 시민군

▲ 광주 시민의 궐기문(1980. 5. 25.)

2 6월 민주 항쟁

(1) 전두환 정부 ┌ 통일 주체 국민 회의에서 대통령에 선출된 전두환은 이듬해 7년 단임의 대통령 간선제로 헌법을 고친 후 다시 대통령에 당선되었어.

① 강압 정책: 언론·민주화 운동 탄압, 삼청 교육대 설치 등

② 유화 정책: 야간 통행금지 해제, 교복 자율화 등
└ 언론사를 통폐합하였어.

(2) 6월 민주 항쟁(1987)

① 전개: 박종철 고문치사 사건 → 진상 규명과 개헌 요구 시위 → 정부의 개헌 거부(4·13 호헌 조치) → 대통령 직선제 개헌·전두환 정부 퇴진 요구 시위가 전국 각지에서 전개

② 결과: 6·29 민주화 선언 발표(대통령 직선제 개헌 요구 수용) → 5년 단임의 대통령 직선제 개헌

③ 의의: 학생과 시민이 평화적 시위를 통해 군사 독재를 끝낸 민주화 운동

3 직선제 개헌 이후의 정부

┌ 소련, 중국 등 사회주의 국가와의 관계 개선을 통해 한반도의 평화와 안정을 추구하였어.
│ 본인의 실명으로 금융 거래를 하게 한 제도야.┐

노태우 정부 (1988~1993)	북방 외교 추진, 1988 서울 올림픽 대회 개최, 지방 자치제 부분적 실시
김영삼 정부 (1993~1998)	지방 자치제 전면 실시, 금융 실명제 시행, '역사 바로 세우기', 집권 말기에 외환 위기 발생
김대중 정부 (1998~2003)	최초의 여야 간 평화적 정권 교체, 외환 위기 극복, 분단 이후 처음으로 남북 정상 회담 개최
노무현 정부 (2003~2008)	권위주의 청산, 과거사 정리 사업 추진, 제2차 남북 정상 회담 개최
이명박 정부 (2008~2013)	세계적 경제 위기 극복 노력, 선진 20개국(G20) 정상 회의 개최
박근혜 정부 (2013~2017)	최초의 여성 대통령 탄생, 비선 실세의 국정 농단 사태로 임기 중 파면
문재인 정부 (2017~현재)	복지, 지역 발전. 남북 평화 등 표방

└ 전두환, 노태우를 반란 및 내란죄로 법정에 세웠어.

---

1 1948년 5·10 총선거를 통해 구성된 대한민국 최초의 국회로, 헌법을 만든 국회를 쓰시오.

2 다음 사건들을 일어난 순서대로 나열하시오.

> (가) 4·19 혁명　　(나) 장면 내각 출범
> (다) 3·15 부정 선거　　(라) 5·16 군사 정변

3 유신 체제에 대한 다음 설명이 맞으면 ○표, 틀리면 ✕표를 하시오.

(1) 대통령 직선제를 규정하였다. 　　　　(　　)

(2) 대통령에게 긴급 조치권을 부여하였다. 　(　　)

(3) 대통령의 중임 제한을 없애 영구 집권이 가능해졌다.
　　　　　　　　　　　　　　　　　　(　　)

4 유신 체제 붕괴 이후 민주화에 대한 국민들의 기대가 높아졌으나, 전두환을 중심으로 한 (　　　　) 세력이 불법적으로 군대를 동원하여 권력을 장악하였다.

5 다음 괄호 안의 내용 중 알맞은 말에 ○표를 하시오.

(1) 이승만 정부는 초대 대통령에 한해 연임 횟수 제한을 없애는 (발췌 개헌, 사사오입 개헌)안을 통과시켰다.

(2) 1980년 광주에서 계엄 철회, 민주주의 회복을 요구하며 (12·12 사태, 5·18 민주화 운동)이/가 일어났다.

(3) 제헌 국회는 일제 강점기의 친일 활동을 조사·처벌하기 위해 (농지 개혁법, 반민족 행위 처벌법)을 제정하였다.

6 6월 민주 항쟁과 관련된 사건을 〈보기〉에서 골라 기호를 쓰시오.

> • 보기
> ㄱ. 베트남 전쟁 파병　　ㄴ. 한일 국교 정상화
> ㄷ. 6·29 민주화 선언　　ㄹ. 박종철 고문치사 사건

7 다음 대통령과 관련된 정책을 옳게 연결하시오.

(1) 김대중 •　　　　　　• ㉠ 북방 외교 추진

(2) 김영삼 •　　　　　　• ㉡ 금융 실명제 시행

(3) 노태우 •　　　　　　• ㉢ 야간 통행금지 해제

(4) 전두환 •　　　　　　• ㉣ 남북 정상 회담 개최

족집게 문제

내공 **1** 헌법의 제정

1 다음 헌법에 대한 설명으로 옳지 <u>않은</u> 것은?

> 제2조 대한민국의 주권은 대한 인민 전체에 있다.
> 제4조 대한민국의 인민은 일체 평등하다.
> 제5조 대한민국의 입법권은 의정원이, 행정권은 국무원이, 사법권은 법원이 행사한다.

① 국민의 평등권이 규정되어 있다.
② 삼권 분립의 원칙이 나타나 있다.
③ 민주 공화제의 이념에 입각하였다.
④ 대한민국 임시 정부에서 제정하였다.
⑤ 대한 제국 시기에 제정된 대한국 국제이다.

2 (가)에 들어갈 정치 체제로 옳은 것은?

> 제헌 국회는 3·1 운동의 독립 정신과 대한민국 임시 정부의 정통성을 계승한 제헌 헌법을 제정하였다. 제헌 헌법에서는 대한민국이 __(가)__이며 나라의 주권은 국민에게 있다는 주권 재민을 규정하였다.

① 내각 책임제   ② 민주 공화정
③ 입헌 군주정   ④ 전제 군주정
⑤ 사회주의 국가

3 다음 헌법을 제정한 국회의 활동으로 옳은 것을 〈보기〉에서 고른 것은?

> 유구한 역사와 전통에 빛나는 우리들 대한 국민은 기미 3·1 운동으로 대한민국을 건립하여 세계에 선포한 위대한 독립 정신을 계승하여 ……
> 제2조 대한민국의 주권은 국민에게 있고, 모든 권력은 국민으로부터 나온다.

> • 보기 •
> ㄱ. 5·10 총선거를 실시하였다.
> ㄴ. 연통제와 교통국을 운영하였다.
> ㄷ. 반민족 행위 처벌법을 제정하였다.
> ㄹ. 초대 대통령에 이승만을 선출하였다.

① ㄱ, ㄴ   ② ㄱ, ㄷ   ③ ㄴ, ㄷ
④ ㄴ, ㄹ   ⑤ ㄷ, ㄹ

내공 **2** 민주주의의 시련

4 다음 신문에 나타난 역사적 사건으로 옳은 것은?

> **역사 신문**   1954년 ○월 ○일
>
> **[속보] 개헌안이 통과하다!**
>
> 초대 대통령의 연임 횟수 제한을 없애는 개헌안이 국회에서 부결되었다. 그런데 국회 의원 정족수 203명의 2/3를 계산하면, 136명이 아닌 135명이라는 의견이 등장하면서, 갑작스럽게 오늘 개헌안이 통과되었다.

① 3선 개헌   ② 발췌 개헌
③ 사사오입 개헌   ④ 내각 책임제 개헌
⑤ 대통령 직선제 개헌

중요 5 (가)에 들어갈 내용으로 가장 적절한 것은?

> 이승만 정부의 부정부패가 심해지자 국민의 불만이 커졌어. 그러던 중 이승만 정부와 자유당은 1960년 3월 15일에 치러진 정부통령 선거에서 대대적인 부정을 저질렀어.

> 아하! 그래서 __(가)__

① 제헌 헌법이 제정됐구나.
② 4·19 혁명이 일어났구나.
③ 신군부가 권력을 잡았구나.
④ 사사오입 개헌이 이루어졌구나.
⑤ 국가 재건 최고 회의가 열렸구나.

주관식

6 밑줄 친 '정변'에 해당하는 사건의 명칭을 쓰시오.

> 박정희를 중심으로 한 일부 군인 세력은 장면 내각의 무능과 사회 혼란을 이유로 <u>정변</u>을 일으켜 정권을 잡았다.

7 다음 조치가 내려진 시기의 사실로 옳은 것은?

> • 대한민국 헌법을 부정, 반대, 왜곡, 비방하는 행위를 금한다.
> • 이 조치에 위반한 자와 비방한 자는 법관의 영장 없이 체포·구속·압수·수색하며 15년 이하의 징역에 처한다.

① 지방 자치제가 전면 시행되었다.
② 대한민국 건국 강령이 발표되었다.
③ 많은 여성이 일본군 '위안부'로 동원되었다.
④ 신탁 통치를 둘러싼 좌우 대립이 심하였다.
⑤ 유신 체제에 저항하여 개헌 요구가 등장하였다.

내공 3 민주주의의 성장

중요 8 다음 자료와 관련된 민주화 운동에 대한 설명으로 옳은 것은?

> 우리는 왜 총을 들 수밖에 없었는가? …… 계엄 당국은 18일 오후부터 공수 부대를 대량 투입하여 시내 곳곳에서 학생, 젊은이들에게 무차별 살상을 자행하였으니!
> – 광주 시민의 궐기문

① 3·15 부정 선거를 규탄하였다.
② 전국적인 만세 운동이 전개되었다.
③ 이승만 대통령의 하야를 요구하였다.
④ 신군부에 의해 무력으로 진압당하였다.
⑤ 부산과 마산에서 유신 철폐를 요구하는 시위가 일어났다.

9 다음은 6월 민주 항쟁과 관련된 주요 사건들이다. (가)~(라)를 일어난 순서대로 옳게 나열한 것은?

> (가) 6·29 민주화 선언 발표
> (나) 박종철 고문치사 사건 발생
> (다) 전두환 정부의 개헌 거부 발표
> (라) 5년 단임의 대통령 직선제 개헌 통과

① (가) – (나) – (다) – (라) ② (가) – (다) – (라) – (나)
③ (나) – (다) – (가) – (라) ④ (나) – (라) – (가) – (다)
⑤ (다) – (가) – (라) – (나)

---

10 다음 설명에 해당하는 정부로 옳은 것은?

> • 최초로 여야 간 평화적 정권 교체가 이루어졌다.
> • 외환 위기를 극복하였다.
> • 분단 이후 처음으로 남북 정상 회담을 개최하였다.

① 김대중 정부   ② 김영삼 정부
③ 노무현 정부   ④ 노태우 정부
⑤ 이명박 정부

서술형 문제

11 밑줄 친 '정부'의 명칭을 쓰고, 이 정부가 경제 개발에 필요한 자금을 마련하기 위해 추진한 대표적인 대외 정책을 두 가지 서술하시오.

> 5·16 군사 정변의 주요 세력은 대통령 중심제로 헌법을 개정하였고, 1963년에 박정희가 대통령에 출마하여 대통령에 당선되었다. 이렇게 출범한 정부는 1972년에 유신 헌법이 발표될 때까지 이어졌다.

----

12 (가)에 들어갈 인물을 쓰고, (가) 정부 시기에 추진되었던 주요 정책을 두 가지 이상 서술하시오.

> 노태우 정부의 뒤를 이어 1993년에 출범한 [(가)] 정부는 집권 말기에 외환 위기를 맞아 국제 통화 기금(IMF)의 지원을 받았다.

04 평화 통일을 위한 노력

내공 1 남북의 분단과 6·25 전쟁

1 광복 후 통일 정부 수립 노력

> 1945년 12월에 열린 모스크바 3국 외상 회의에서 한반도에 최대 5년간 신탁 통치를 실시하기로 결정하였어.

(1) **좌우 합작 운동(1946~1947):** 여운형·김규식 주도, 신탁 통치를 둘러싼 좌우 대립 속에서 통일 정부 수립 노력 → 실패

(2) **남북 협상(1948. 4.):** 유엔 소총회에서 남한만의 총선거 실시 확정 → 김구와 김규식이 분단을 막기 위해 북측 지도자 김일성과 만남 → 실패

(3) **남한만의 총선거 반대 움직임:** 제주 4·3 사건, 여수·순천 10·19 사건 → 민간인 희생 발생

> 1948년 4월 3일에 남한 단독 선거를 반대한 좌익 세력이 군인, 경찰과 충돌한 것을 계기로 제주 주민들의 10%가 희생당한 사건이야.

2 남북의 분단

(1) **배경:** 광복 이후 미국과 소련이 북위 38도선을 경계로 분할

(2) **내용**

남한	총선거 실시(1948. 5. 10.) → 제헌 국회 구성 → 제헌 헌법 공포 → 이승만 대통령 선출 → 대한민국 정부 수립(1948. 8. 15.)
북한	소련의 지원을 받은 공산주의자가 실권 장악 → 김일성을 수상으로 하는 조선 민주주의 인민 공화국 수립(1948. 9.)

3 6·25 전쟁과 분단의 고착화

> 남북에 각각 정부와 정권이 수립된 후 미군과 소련군이 한반도에서 철수하였다.

(1) **전쟁 전의 정세:** 38도선 부근에서 남북 간의 크고 작은 충돌 지속, 미국의 애치슨 선언 발표, 북한이 소련과 중국의 지원으로 군사력 강화

> 미국이 태평양 방위선을 일본과 필리핀으로 한정한다고 발표하였어. 이 결과 한반도와 타이완이 제외되었지.

(2) **전쟁의 전개**

① **북한군의 남침(1950. 6. 25.):** 북한군이 3일 만에 서울 점령 → 국군이 낙동강 유역까지 후퇴, 유엔이 유엔군 파병 결정

② **국군과 유엔군의 반격:** 국군과 유엔군이 인천 상륙 작전 성공 → 서울 탈환(1950. 9. 28.) → 압록강 유역까지 진격

③ **중국군의 개입:** 중국군이 참전 → 국군과 유엔군이 후퇴 → 서울을 다시 빼앗김(1·4 후퇴, 1951. 1. 4.)

④ **전선의 교착과 정전:** 국군과 유엔군이 전열 재정비, 서울 재탈환 → 38도선 부근에서 공방전 전개, 1951년 7월부터 정전 협상 시작 → 1953년 7월 정전 협정 체결, 전쟁 중단

▲ 6·25 전쟁의 전개 과정

(3) **전쟁의 결과:** 남북한에 막대한 인적·물적 피해 남김, 적대감과 불신으로 남북 분단의 고착화, 남과 북에서 각각 독재 체제 강화

> 당시 남북한 인구의 1/6에 해당하는 약 500만 명이 죽거나 다쳤고, 약 10만 명의 전쟁고아와 1,000만 명의 이산가족이 발생하였어. 또한 산업 시설 대부분이 파괴되었지.

내공 2 통일을 위한 노력

1 남북 대화의 시작과 교류의 진전

(1) **1970년대 남북 대화의 시작**

> 냉전 체제가 완화되면서 남북한 사이에 대화가 시작되었어.

① **남북 적십자 회담 개최(1971):** 이산가족 문제 협의

② **7·4 남북 공동 성명(1972):** 자주·평화·민족 대단결의 통일 3대 원칙에 합의

> 첫째, 통일은 외세의 간섭 없이 자주적으로 해결한다.
> 둘째, 통일은 상대방을 반대하는 무력 행사에 의하지 않고 평화적 방법으로 실현한다.
> 셋째, 사상과 이념, 제도의 차이를 넘어 하나의 민족으로서 민족적 대단결을 도모한다.

▲ 7·4 남북 공동 성명(1972) | 분단 이후 남북한 최초의 통일을 위한 합의이다.

(2) **1980·90년대 교류의 진전**

> 1980년대 말 냉전 체제가 종식되면서 남북 관계가 크게 진전되었어.

① **1980년대:** 이산가족 상봉과 예술 공연단 교환 방문(1985)

② **1990년대:** 남북한 유엔(UN) 동시 가입, 남북 사이의 화해와 불가침 및 교류·협력에 관한 합의서(남북 기본 합의서) 채택, 한반도 비핵화 공동 선언 합의(1991)

> 제1조 남과 북은 서로 상대방의 체제를 인정하고 존중한다.
> 제3조 남과 북은 상대방에 대한 비방·중상을 하지 아니한다.
> 제9조 남과 북은 상대방에 대하여 무력을 사용하지 않으며 상대방을 무력으로 침략하지 아니한다.

▲ 남북 기본 합의서(1991)

2 통일을 위한 남북 정상 회담

> '햇볕 정책'이라고도 불려.

(1) **6·15 남북 공동 선언(2000):** 김대중 정부의 대북 화해 협력 정책 추진 → 금강산 관광 시작 → 분단 이후 최초로 평양에서 남북 정상 회담 개최 → 6·15 남북 공동 선언 발표 → 개성 공단 건설, 경의선 복구, 이산가족 상봉 등 이룩

> 남한의 자본·기술과 북한의 노동력을 결합한 거야.

> 1. 남과 북은 나라의 통일 문제를 그 주인인 우리 민족끼리 서로 힘을 합쳐 자주적으로 해결해 나가기로 하였다.
> 2. 남과 북은 남측의 연합제안과 북측의 낮은 단계의 연방제안이 공통성이 있다고 인정하고 이 방향에서 통일을 지향해 나가기로 하였다.

▲ 6·15 남북 공동 선언(2000)

(2) **10·4 남북 공동 선언(2007):** 평양에서 남북 정상 회담 개최 → 남북 관계 발전과 평화 번영을 위한 선언 발표

(3) **한반도의 평화와 번영, 통일을 위한 판문점 선언(2018):** 판문점에서 남북 정상 회담 개최 → 남북한이 채택한 합의와 선언 이행·항구적인 평화 체제 구축을 위한 상호 협력 선언

> 이후 북한의 핵 실험 감행, 연평도 포격 사건 등으로 남북 관계가 위기를 맞기도 하였어.

개념 확인하기

정답과 해설 17쪽

1 다음 괄호 안의 내용 중 알맞은 말에 ○표를 하시오.

(1) 남한만의 총선거 실시가 확정되자, 김구와 김규식은 분단을 막기 위해 (남북 협상, 좌우 합작 운동)을 추진하였다.

(2) 6·25 전쟁 중 국군은 서울을 탈환하고 압록강 유역까지 진출하였으나 (유엔군, 중국군)의 참전으로 후퇴하여 다시 서울을 빼앗겼다.

2 다음 사건들을 일어난 순서대로 나열하시오.

> (가) 중국군 참전   (나) 정전 협정 체결
> (다) 애치슨 선언 발표   (라) 북한군의 서울 점령

3 6·25 전쟁 초에 국군은 북한군에 밀려 낙동강 유역까지 후퇴하였으나, ( )의 성공으로 전세를 역전시키고 서울을 되찾았다.

4 다음 설명이 맞으면 ○표, 틀리면 ✕표를 하시오.

(1) 6·25 전쟁은 북한군의 남침으로 시작되었다.

( )

(2) 좌우 합작 운동은 김구와 이승만이 주도하였다.

( )

(3) 분단 이후 남북한 정부의 최초의 통일을 위한 합의는 남북 기본 합의서이다. ( )

5 6·15 남북 공동 선언에 따라 이루어진 남북 사이의 교류·협력으로 옳은 것을 〈보기〉에서 골라 기호를 쓰시오.

> • 보기 •
> ㄱ. 경의선 복구
> ㄴ. 개성 공단 건설
> ㄷ. 남북한 유엔 동시 가입
> ㄹ. 한반도 비핵화 공동 선언

6 남북이 합의한 문서와 관련된 내용을 옳게 연결하시오.

(1) 남북 기본 합의서 •   • ㉠ 상대방의 체제 인정

(2) 7·4 남북 공동 성명 • • ㉡ 최초의 남북 정상 회담

(3) 6·15 남북 공동 선언• • ㉢ 자주, 평화, 민족 대단결

족집게 문제

내공 1   남북의 분단과 6·25 전쟁

1 좌우 합작 운동에 대한 설명으로 옳은 것은?

① 유신 체제에 저항하였다.
② 6·25 전쟁 중에 전개되었다.
③ 여운형과 김규식이 주도하였다.
④ 민족 자결주의의 영향을 받았다.
⑤ 평양에서 북측 지도자와 협상을 벌였다.

주관식

2 밑줄 친 '이것'에 해당하는 사건을 쓰시오.

▲ 38도선을 넘는 김구 일행

유엔의 선거가 가능한 지역에서의 총선거 실시 결정에 대항하여 김구는 통일 정부 수립을 위해 북측 지도자와 만나는 <u>이것</u>을 추진하였다.

주요 3 지도는 6·25 전쟁의 전개 과정을 나타낸 것이다. (가)와 (나) 사이 시기에 있었던 사실로 옳은 것은?

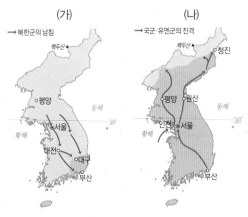

① 서울을 다시 빼앗겼다.
② 정전 협상이 시작되었다.
③ 애치슨 선언이 발표되었다.
④ 인천 상륙 작전이 펼쳐졌다.
⑤ 대한민국 정부가 수립되었다.

중요 **4** (가)에 들어갈 내용으로 가장 적절한 것은?

> **(가)**
> • 전체 인구의 1/6인 약 500만 명의 사상자 발생
> • 약 10만 명의 전쟁고아, 1,000만 명의 이산가족 발생
> • 남한의 42%, 북한의 60%의 공업 시설 파괴

① 6·25 전쟁의 과정 ② 6·25 전쟁의 원인
③ 6·25 전쟁의 피해 ④ 제주 4·3 사건의 배경
⑤ 남북의 독재 체제 구축

내공 **2** **통일을 위한 노력**

5 (가)에 들어갈 내용으로 옳은 것은?

> 첫째, 통일은 외세의 간섭 없이 자주적으로 해결한다.
> 둘째, 통일은 상대방을 반대하는 무력 행사에 의하지 않고 평화적 방법으로 실현한다.
> 셋째, 하나의 민족으로서 민족적 대단결을 도모한다.

이 (가) 은/는 남북한 최초의 통일을 위한 합의입니다.

① 정전 협정 ② 판문점 선언
③ 남북 기본 합의서 ④ 7·4 남북 공동 성명
⑤ 6·15 남북 공동 선언

6 평양에서 북한의 정상과 회담을 한 후 다음 문서를 채택한 정부로 옳은 것은?

> 1. 남과 북은 나라의 통일 문제를 그 주인인 우리 민족끼리 서로 힘을 합쳐 자주적으로 해결해 나가기로 하였다.
> 2. 남과 북은 남측의 연합제안과 북측의 낮은 단계의 연방제안이 공통성이 있다고 인정하고 이 방향에서 통일을 지향해 나가기로 하였다.

① 김대중 정부 ② 김영삼 정부
③ 노무현 정부 ④ 노태우 정부
⑤ 박정희 정부

7 밑줄 친 부분에 대한 설명으로 옳은 것은?

> 2018년에 남북한 정상은 판문점에서 남북 정상 회담을 개최하여 한반도의 평화와 번영, 통일을 위한 판문점 선언을 발표하였다.

① 금강산 관광을 시작하기로 하였다.
② 최초로 이산가족 상봉이 이루어지게 되었다.
③ 남북한이 동시에 국제 연합에 가입하기로 하였다.
④ 항구적인 평화 체제 구축을 위해 협력하기로 하였다.
⑤ 자주·평화·민족 대단결의 통일 3대 원칙에 합의하였다.

서술형 문제

8 다음 합의서를 채택한 남한의 정부를 쓰고, 이 시기에 나타난 남북 관계의 진전 사례를 **두 가지** 서술하시오 (단, 제시된 협의서의 채택은 제외할 것).

> 제1조 남과 북은 서로 상대방의 체제를 인정하고 존중한다.
> 제3조 남과 북은 상대방에 대한 비방·중상을 하지 아니한다.
> 제9조 남과 북은 상대방에 대하여 무력을 사용하지 않으며 상대방을 무력으로 침략하지 아니한다.

_____

_____

_____

9 (가) 시기에 추진된 남북 사이의 교류·협력 사업을 **세 가지** 서술하시오.

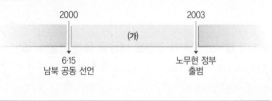

| 2000 | (가) | 2003 |

6·15 남북 공동 선언 ──── 노무현 정부 출범

_____

_____

_____

01 통치 체제와 대외 관계

1 밑줄 친 '이 법'을 처음 시행한 왕에 대한 설명으로 옳은 것은?

조선 시대에는 이 법에 따라 16세 이상의 남성은 누구나 이와 같은 호패를 차고 다녀야 했어요.

① 북벌을 추진하였다.
② 한양으로 천도하였다.
③ 훈민정음을 창제하였다.
④ 사림을 처음으로 등용하였다.
⑤ 공신과 왕자들의 사병을 없앴다.

2 다음 역사 인물 카드에서 설명하는 왕으로 옳은 것은?

> **역사 인물 카드**
>
> • 조선의 9대왕(재위 기간 1469~1494년)
> • 주요 업적
>   - 홍문관을 설치해 경연에 힘씀
>   - 『경국대전』을 완성하여 반포해 조선이 유교적 법치 국가로 나아갈 수 있게 됨

① 단종　　② 성종　　③ 세조
④ 세종　　⑤ 중종

3 (가)에 들어갈 중앙 정치 기구로 옳은 것은?

> (가) 은/는 임금에게 바른말을 하고, 정치의 잘못을 따져 지적하는 일을 맡는다.
> － 「경국대전」

① 사간원　　② 승정원　　③ 의금부
④ 의정부　　⑤ 한성부

4 교사의 질문에 대한 학생의 대답으로 적절하지 않은 것은?

〈조선의 관리 등용 제도〉
1. (가)
2. 음서
3. 천거

(가) 에 대해 설명해 볼까요?

① 문과, 승과, 잡과가 있었어요.
② 천민이 아니면 응시할 수 있었어요.
③ 대체로 이것은 3년마다 실시되었어요.
④ 문과는 주로 양반의 자제들이 응시하였어요.
⑤ 조선은 주로 이것을 통해 관리를 선발하였어요.

5 지도에 표시된 지역에 대한 설명으로 옳은 것은?

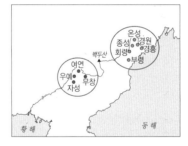

① 이종무가 왜구를 토벌한 지역이다.
② 윤관이 별무반을 이끌고 개척한 곳이다.
③ 일본인의 거류와 제한적 교역이 허용된 곳이다.
④ 서희가 거란과 외교 담판을 벌여 확보한 지역이다.
⑤ 최윤덕과 김종서가 여진을 몰아내고 개척한 지역이다.

6 (가), (나)에 들어갈 국가나 민족을 옳게 짝지은 것은?

> • 북방의 (가) 에는 국경 지역에 무역소를 설치하여 제한된 교류를 허용하였다.
> • (나) 이/가 평화적인 무역을 요구하자 제포, 부산포, 염포의 포구를 열어 제한된 무역을 허용하였다.

	(가)	(나)		(가)	(나)
①	명	일본	②	거란	일본
③	거란	자와	④	여진	일본
⑤	여진	자와			

02 사림 세력과 정치 변화

[7~8] 다음 대화를 보고 물음에 답하시오.

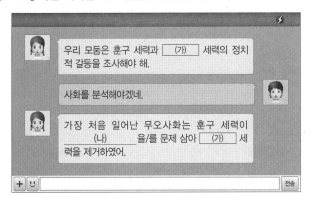

우리 모둠은 훈구 세력과 (가) 세력의 정치적 갈등을 조사해야 해.

사화를 분석해야겠네.

가장 처음 일어난 무오사화는 훈구 세력이 (나) 을/를 문제 삼아 (가) 세력을 제거하였어.

7 (가) 세력에 대한 설명으로 옳지 <u>않은</u> 것은?

① 성종이 최초로 등용하였다.
② 3사 언관직에 주로 임명되었다.
③ 세조가 왕이 되는 데 공을 세웠다.
④ 왕도 정치와 향촌 자치를 추구하였다.
⑤ 조선 건국에 참여하지 않은 신진 사대부들의 제자였다.

8 (나)에 들어갈 내용으로 가장 적절한 것은?

① 김종직의 조의제문   ② 연산군 생모의 폐위
③ 외척 간의 권력 다툼   ④ 이조 전랑의 임명 문제
⑤ 조광조의 급진적인 개혁

9 (가)에 들어갈 인물을 쓰시오.

역사 신문   ○○○○년 ○월 ○일

[기획 기사] (가) 의 개혁, 무엇이 달라지나?
하나, 공신 목록 변화
중종반정 공신 중 부당하게 공신이 된 사람들의 자격이
박탈된다. ……
둘, 도교 행사 중지
국가와 왕실의 도교 행사를 주관하던 소격서가 폐지된
다. ……
셋, 새로운 인재 등용
현량과를 통해 추천으로 관리를 등용할 예정이다. ……

---

10 (가)에 들어갈 교사의 설명으로 적절하지 <u>않은</u> 것은?

이곳은 중종 때 주세붕이 세운 백운동 서원이에요. 서원은 (가)

① 사림이 지방 곳곳에 세웠어요.
② 최고의 국립 교육 기관이었어요.
③ 지방 양반의 자제를 교육하였어요.
④ 사림이 세력을 키우는 기반이었어요.
⑤ 덕망이 높은 유학자를 제사 지냈어요.

03 문화의 발달과 사회 변화

11 (가)에 들어갈 문자를 활용한 사례로 옳은 것만을 〈보기〉에서 있는 대로 고른 것은?

(가) 의 창제로 백성은 자신의 생각과 감정을 쉽게
글로 표현할 수 있었고, 정부는 백성에게 국가 통치 이
념을 쉽게 전달할 수 있었다.

● 보기 ●
ㄱ. 경국대전 편찬   ㄴ. 삼강행실도 번역
ㄷ. 용비어천가 간행   ㄹ. 하급 관리 선발 시험

① ㄱ, ㄴ   ② ㄴ, ㄷ   ③ ㄱ, ㄴ, ㄷ
④ ㄴ, ㄷ, ㄹ   ⑤ ㄱ, ㄴ, ㄷ, ㄹ

12 다음 과정으로 편찬된 역사서에 대한 설명으로 옳은 것은?

국왕이 죽으면 춘추관에 편찬 기구를 설치한다.
→ 사초와 각종 행정 기록, 개인의 저술 등을 모은다.
→ 내용을 정리하고 다듬어 역사서를 만든다.
→ 완성 후 편찬에 사용된 사초와 자료들을 없앤다.
→ 춘추관과 전국의 사고에 나누어 보관한다.

---

① 단군 이야기를 최초로 수록한 역사서이다.
② 고조선부터 고려 말까지의 역사를 정리하였다.
③ 우리나라에 현존하는 가장 오래된 역사서이다.
④ 조선 태조부터 철종까지의 통치를 기록하였다.
⑤ 조선 건국의 정당성을 밝히기 위하여 고려의 역사를
   정리하였다.

13 (가)에 들어갈 내용으로 가장 적절한 것은?

> **문화유산 카드**
>
> • _____(가)_____ 이다.
> • 세종의 명령으로 장영실 등이 처음으로 제작하였다.
> • 중종 때 다시 만든 것이 오늘날 남아 있다.

① 세계 최초의 강우량 측정 기구
② 해 그림자를 이용하여 시간을 표시하는 시계
③ 자동으로 시간을 알려 주는 장치를 갖춘 물시계
④ 여러 발의 신기전을 연속해서 발사할 수 있는 무기
⑤ 행성의 위치, 시간을 측정할 수 있는 천체 관측 기구

14 다음 서적들의 편찬 및 보급 목적으로 옳은 것은?

> • 소학
> • 주자가례
> • 국조오례의
> • 삼강행실도

① 농사에 도움을 주기 위해서이다.
② 훈민정음을 보급하기 위해서이다.
③ 유교 윤리를 확산시키기 위해서이다.
④ 지방 통치와 국방 강화를 위해서이다.
⑤ 조선 건국의 정당성을 알리기 위해서이다.

15 (가)에 들어갈 그림으로 옳은 것은?

> **# ○○번 역사 문제**
> 어떤 그림에 관해 묻는 문제입니다.
> 꿈속에서 복숭아밭을 노니는 그림이라는 뜻의 이 그림은 안평 대군이 꿈을 꾼 후 안견에게 그 내용을 그리게 한 작품입니다.
> 이 그림은 무엇일까요?
> 정답은 (가) 입니다.

① 고사관수도
② 몽유도원도
③ 천산대렵도
④ 천상열차분야지도
⑤ 혼일강리역대국도지도

04 왜란·호란의 발발과 영향

16 지도에 표시된 인물들이 지휘한 군대에 대한 설명으로 옳은 것을 〈보기〉에서 고른 것은?

> **보기**
> ㄱ. 전직 관리, 유학자, 승려 등이 이끌었다.
> ㄴ. 포수, 살수, 사수의 삼수병으로 편성되었다.
> ㄷ. 서남해의 제해권을 장악하여 곡창 지대를 지켰다.
> ㄹ. 익숙한 지리를 활용한 전술로 일본군을 물리쳤다.

① ㄱ, ㄴ
② ㄱ, ㄹ
③ ㄴ, ㄷ
④ ㄴ, ㄹ
⑤ ㄷ, ㄹ

17 (가)에 들어갈 내용으로 적절하지 않은 것은?

> 주제: ○○의 영향
> 7년간의 전쟁은 동아시아에 큰 영향을 주었어.
> 조선은 (가) .
> 명의 국력이 약해지면서 여진이 성장하였어.

① 문화재를 약탈당하였어.
② 국가 재정이 어려워졌어.
③ 북벌 운동이 추진되었어.
④ 궁궐과 사고 등이 불탔어.
⑤ 전국의 토지가 황폐해졌어.

IV 조선의 성립과 발전(2회)

01 통치 체제와 대외 관계

1 지도에 표시된 지역을 개척한 시기에 재위한 왕의 업적으로 옳은 것은?

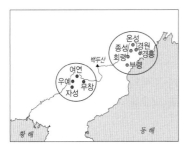

① 조광조를 등용하였다. ② 직전법을 마련하였다.
③ 홍문관을 설치하였다. ④ 경국대전을 완성하였다.
⑤ 훈민정음을 창제하였다.

2 (가)~(다)에 대한 공통적인 설명으로 옳은 것은?

- (가) : 정치를 논하고, 모든 관원을 살피며, 풍속을 바로잡고, 원통하고 억울한 일을 밝히는 일을 맡는다.
- (나) : 임금에게 바른말을 하고, 정치의 잘못을 따져 지적하는 일을 맡는다.
- (다) : 궁궐 안의 책을 관리하며, 왕의 물음에 대비하여 경연을 담당한다.

① 국정을 총괄하였다.
② 언론 기능을 담당하였다.
③ 국왕의 비서 역할을 하였다.
④ 반역 등의 큰 죄를 다스렸다.
⑤ 수도의 행정과 치안을 담당하였다.

3 ㉠~㉤에 대한 설명으로 옳지 않은 것은?

〈조선의 지방 제도〉

- 조직: 전국을 ㉠ 8도로 나눔 → 도 아래에 ㉡ 부·목·군·현 설치
- 운영: ㉢ 수령 파견, ㉣ 향리가 수령 보좌, ㉤ 유향소 설치

① ㉠ – 각 도에는 관찰사를 파견하였다.
② ㉡ – 모든 군현에 수령을 파견하였다.
③ ㉢ – 행정·재판·군사 업무를 담당하였다.
④ ㉣ – 고려 시대보다 지위가 높았다.
⑤ ㉤ – 수령을 돕고 향리의 비리를 감시하였다.

4 (가)~(라)에 들어갈 내용으로 적절하지 않은 것은?

조선의 교육 기관
• 성균관: (가)
• 4부 학당: (나)
• 향교: (다)
• 서당: (라)

① (가) – 최고 교육 기관
② (나) – 한성에 설치
③ (다) – 기술 교육 담당
④ (라) – 기초적인 유학 지식 교육
⑤ (가), (나) – 유교 경전 교육

5 ㉠, ㉡에 대한 설명으로 옳지 않은 것은?

조선은 큰 나라를 섬기는 ㉠ 사대와 이웃 나라와 가깝게 지내는 ㉡ 교린에 원칙을 두고 외교 정책을 펼쳤다.

① ㉠ – 해마다 명에 사신을 파견하였다.
② ㉠ – 조공과 책봉의 형식으로 이루어졌다.
③ ㉡ – 대등한 의례를 나누는 것을 뜻한다.
④ ㉡ – 중국을 제외한 주변국과의 교류 원칙이었다.
⑤ ㉠, ㉡ – 군사를 동원해 토벌하는 강경책도 사용하였다.

6 밑줄 친 '강경책'에 해당하는 사실로 옳은 것을 〈보기〉에서 고른 것은?

여진과는 국경 부근에 무역소를 두어 제한적인 교류를 허용하였다. 그러나 여진이 국경을 침입할 때에는 군대를 동원해 정벌하는 강경책을 폈다.

보기
ㄱ. 김종서를 파견하여 6진을 개척하였다.
ㄴ. 최윤덕을 파견하여 4군을 설치하였다.
ㄷ. 별무반을 파견하여 동북 9성을 세웠다.
ㄹ. 이종무를 보내어 대마도를 정벌하였다.

① ㄱ, ㄴ   ② ㄱ, ㄹ   ③ ㄴ, ㄷ
④ ㄴ, ㄹ   ⑤ ㄷ, ㄹ

02 사림 세력과 정치 변화

7 (가), (나)에 들어갈 정치 세력을 옳게 짝지은 것은?

• 한명회는 (가) 세력의 대표적인 인물이다. 그는 세조가 왕위에 오르는 데 크게 기여하였다.
• 김종직은 (나) 세력의 중심인물이다. 성종 때 그와 함께 그의 제자들이 관직에 많이 등용되었다.

	(가)	(나)
①	동인	서인
②	훈구	사림
③	훈구	서인
④	권문세족	사림
⑤	신진 사대부	권문세족

8 다음 제도를 건의한 인물에 대한 설명으로 옳은 것을 〈보기〉에서 고른 것은?

학문이 뛰어난 인재를 추천하여 과거를 치르지 않고 등용하는 제도이다. 이 제도를 통해 많은 사림이 정계에 진출하였다.

• 보기 •
ㄱ. 소격서를 폐지하였다.
ㄴ. 조의제문을 작성하였다.
ㄷ. 위훈 삭제를 주장하였다.
ㄹ. 세조 즉위에 공을 세웠다.

① ㄱ, ㄴ   ② ㄱ, ㄷ   ③ ㄴ, ㄷ
④ ㄴ, ㄹ   ⑤ ㄷ, ㄹ

9 (가)에 들어갈 규약의 명칭을 쓰시오.

향촌에는 본래 어려운 일이 있을 경우 이웃끼리 서로 돕는 풍속이 있었어요. 사림은 이러한 풍속에 유교 윤리를 더하여 (가) 을/를 만들었어요.

〈 (가) 의 네 가지 덕목〉
• 좋은 일은 서로 권한다.
• 잘못된 것은 서로 규제한다.
……

10 ㉠~㉤에 대한 설명으로 옳지 않은 것은?

㉠ 붕당의 형성
㉡ 사림의 집권 이후 사림 내부에서 갈등 발생
→ ㉢ 이조 전랑의 임명 문제로 갈등 심화
→ ㉣ 동인과 ㉤ 서인으로 나뉘어 붕당 형성

① ㉠ – 정치적·학문적 의견 차이에 따라 형성되었다.
② ㉡ – 선조 때 정치의 주도권을 잡았다.
③ ㉢ – 3사의 관리를 추천하는 권한이 있었다.
④ ㉣ – 대체로 이황과 조식의 제자들이 많았다.
⑤ ㉤ – 광해군의 중립 외교를 지지하였다.

03 문화의 발달과 사회 변화

11 다음과 같은 배경에서 편찬된 서적으로 옳은 것은?

백성들이 임금과 신하, 어버이와 자식, 부부 사이의 큰 인륜을 모르고, 인색하다. …… 내가 특별히 뛰어난 것을 뽑아서 그림과 글을 만들어 중앙과 지방에 나누어 주니, 남녀 모두 쉽게 보고 느끼기를 바란다. – 「세종실록」

① 농사직설   ② 동국통감
③ 삼강행실도   ④ 용비어천가
⑤ 동국여지승람

12 밑줄 친 부분에 해당하는 사실로 옳은 것은?

조선은 건국 초기부터 유교의 민본 사상에 따라 백성들의 생활을 안정시키고 부강한 나라를 만들고자 과학 기술을 중요하게 생각하였다. 특히 세종 때에는 국가의 적극적인 지원으로 천문학을 비롯한 과학 기술이 크게 발달하였다.

① 고분 벽화로 천문도를 그렸다.
② 역법서인 칠정산을 편찬하였다.
③ 천문대로 첨성대를 건설하였다.
④ 천상열차분야지도를 돌에 새겼다.
⑤ 혼일강리역대국도지도를 편찬하였다.

13 다음 문화유산의 용도에 대한 설명으로 옳은 것은?

① 시간을 측정하였다.　② 천체를 관측하였다.
③ 토지를 측량하였다.　④ 풍향을 관측하였다.
⑤ 강우량을 측정하였다.

14 조선 시대에 다음과 같은 의례가 실시되는 데 영향을 끼친 사실로 옳은 것은?

- 신랑이 신부 집으로 가서 혼례를 올린 후, 신부를 신랑 집으로 데려와 생활하는 경우가 늘어났다.
- 유교식 매장법으로 바뀌고, 부모님이 돌아가시면 3년상을 치렀다.
- 집에 사당을 짓고 유교 절차에 따라 제사를 지냈다.

① 원의 내정 간섭을 받았다.
② 청과 군신 관계를 맺었다.
③ 양반이 주자가례를 적극 보급하였다.
④ 훈민정음 창제로 민족 문화가 발전하였다.
⑤ 조선에서 유교를 처음으로 통치 이념으로 삼았다.

15 교사의 질문에 대한 학생의 대답으로 가장 적절한 것은?

이것은 　(가)　 중 달항아리예요. 　(가)　에 대해 설명해 볼까요?

① 비색이 아름다웠어요.
② 고려 말부터 제작되었어요.
③ 16세기 이후에 유행하였어요.
④ 상감 기법을 적용하기도 하였어요.
⑤ 유네스코 세계 유산으로 지정되었어요.

04　왜란·호란의 발발과 영향

16 (가)에 들어갈 인물에 대한 설명으로 옳은 것은?

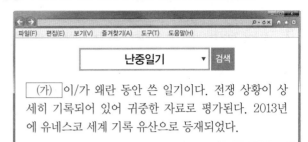

파일(F)　편집(E)　보기(V)　즐겨찾기(A)　도구(T)　도움말(H)

난중일기　▼　검색

　(가)　이/가 왜란 동안 쓴 일기이다. 전쟁 상황이 상세히 기록되어 있어 귀중한 자료로 평가된다. 2013년에 유네스코 세계 기록 유산으로 등재되었다.

① 진주성에서 큰 승리를 거두었다.
② 행주산성에서 큰 승리를 거두었다.
③ 승군을 조직하여 일본군에 대항하였다.
④ 퇴각하는 일본군을 노량에서 크게 무찔렀다.
⑤ 왜란이 끝난 후 일본에서 조선인 포로를 데려왔다.

17 다음 상황이 벌어진 시기를 연표에서 옳게 고른 것은?

강홍립이 통역관을 시켜 여진인에게 말하기를, "우리는 본래 너희와 원수진 일이 없는데, 무엇 때문에 서로 싸우겠냐, 지금 여기 온 것은 부득이한 일이었음을 너희는 모르느냐?" 하니 드디어 적과 화해하는 말이 오갔다.
　　　　　　　　　　　　　　　　　　－ 「연려실기술」

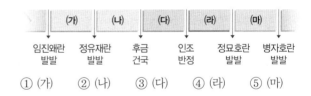

	(가)		(나)		(다)		(라)		(마)	
임진왜란 발발		정유재란 발발		후금 건국		인조 반정		정묘호란 발발		병자호란 발발

① (가)　② (나)　③ (다)　④ (라)　⑤ (마)

18 다음 상황의 결과 나타난 모습으로 옳은 것은?

후금의 세력이 강해져 청이라고 국호를 바꾸고 황제를 칭하고 있소. 우리는 명을 섬기고 있는데, 이를 어떻게 해결하면 좋겠소?

① 북벌론이 제기되었다.
② 명에 지원군을 요청하였다.
③ 선조가 의주로 피란을 갔다.
④ 광해군이 중립 외교를 펼쳤다.
⑤ 척화론과 주화론이 대립하였다.

01 조선 후기의 정치 변동

1 (가)에 들어갈 내용으로 적절한 것을 〈보기〉에서 고른 것은?

> 비변사는 원래 국방 문제를 처리하기 위한 임시 회의 기구였지만, 양 난을 거치며 최고 통치 기구가 되었다. 이에 따라 _____(가)_____

• 보기 •
ㄱ. 왕권이 약화되었다.
ㄴ. 탕평책이 시행되었다.
ㄷ. 6조의 기능이 축소되었다.
ㄹ. 의정부의 기능이 확대되었다.

① ㄱ, ㄴ   ② ㄱ, ㄷ   ③ ㄴ, ㄷ
④ ㄴ, ㄹ   ⑤ ㄷ, ㄹ

2 (가)에 들어갈 군대에 대한 설명으로 옳은 것은?

> 임진왜란 중에 조선 정부는 왜군에 맞서고자 포수, 사수, 살수의 삼수병으로 구성된 [(가)]을/를 설치하였다.

① 중앙군 5위 중 하나였다.
② 지방의 군사적 요충지에 설치되었다.
③ 양반부터 노비까지 편성된 지방군이다.
④ 일정한 급료를 받는 직업 군인으로 구성되었다.
⑤ 평상시 생업에 종사하다가 유사시 전투에 참여하였다.

3 다음 조세 제도의 시행이 조선 사회에 끼친 영향으로 옳은 것은?

 토산물 대신 토지 결수를 기준으로 쌀, 옷감, 동전 등을 내게 하였어.

 지주들의 반대로 전국적으로 실시되는 데 100년이 걸렸어.

① 방납이 생겨났다.
② 상공업이 활성화되었다.
③ 삼정의 문란이 일어났다.
④ 관영 수공업이 발달하였다.
⑤ 농민이 결작미를 부담하였다.

4 밑줄 친 '개편'의 내용으로 옳은 것을 〈보기〉에서 고른 것은?

> 조선은 양 난 이후 국가 재정을 확보하고 농민 부담을 덜어 주기 위해 조세 제도를 개편하였다.

• 보기 •
ㄱ. 집집마다 토산물을 부과하였다.
ㄴ. 1년에 2필씩 내던 군포를 1필로 줄였다.
ㄷ. 토지의 비옥도에 따라 전세를 다르게 걷었다.
ㄹ. 전세를 풍흉에 관계없이 토지 1결당 4두를 걷었다.

① ㄱ, ㄴ   ② ㄱ, ㄹ   ③ ㄴ, ㄷ
④ ㄴ, ㄹ   ⑤ ㄷ, ㄹ

5 다음 붕당 정치의 전개에 대한 설명으로 옳지 <u>않은</u> 것은?

① 선조 때 사림이 서인과 동인으로 갈라졌다.
② 동인에서 나뉜 북인은 인조반정으로 몰락하였다.
③ 예송에서 패배한 붕당은 가혹하게 보복당하였다.
④ 환국을 거치면서 서인은 소론과 노론으로 갈라졌다.
⑤ 숙종이 집권 붕당을 급격히 교체하면서 붕당 정치가 변질되었다.

6 다음 문제를 해결하기 위해 영조가 실시한 정책으로 옳은 것을 〈보기〉에서 고른 것은?

> 붕당의 폐해가 요즈음보다 심한 적이 없었다. 처음에는 학문의 문제에서 분쟁이 일어나더니, 이제는 한쪽 사람을 모두 역적으로 몰아붙이고 있다. – 「영조실록」

• 보기 •
ㄱ. 초계 문신제를 실시하였다.
ㄴ. 규장각을 정책 자문 기구로 삼았다.
ㄷ. 붕당의 근거지인 서원을 정리하였다.
ㄹ. 이조 전랑의 권한을 크게 약화시켰다.

① ㄱ, ㄴ   ② ㄱ, ㄷ   ③ ㄴ, ㄷ
④ ㄴ, ㄹ   ⑤ ㄷ, ㄹ

02 사회 변화와 농민의 봉기

7 밑줄 친 '이것'이 전국적으로 확산된 시기의 경제 상황으로 옳지 <u>않은</u> 것은?

> 이것을 하는 것은 세 가지 이유가 있다. 김매기의 노력을 더는 것이 첫째요, 두 땅의 힘으로 하나의 모를 서로 기르는 것이 둘째이며, …… 싱싱하고 튼튼한 것을 고를 수 있는 것이 셋째이다.　　　－ 서유구, 『임원경제지』

① 사상이 자유롭게 활동하였다.
② 장시가 전국적으로 확대되었다.
③ 청, 일본과의 무역이 위축되었다.
④ 상평통보가 전국적으로 유통되었다.
⑤ 농민이 인삼, 담배, 목화 등을 재배해 팔았다.

8 (가), (나)에 들어갈 신분 계층을 옳게 짝지은 것은?

> • 조선 후기에　(가)　은 문과 응시와 중요 관직 진출의 제한을 없애 달라고 요구하였다.
> • 조선 후기에　(나)　은 전문적인 능력과 경제력을 바탕으로 신분 상승을 추구하였다.

	(가)	(나)
①	향반	잔반
②	잔반	향반
③	서얼	상민
④	서얼	기술직 중인
⑤	기술직 중인	서얼

9 (가)에 들어갈 종교에 대한 설명으로 옳은 것은?

> 조선 정부는 세상을 어지럽히고 백성을 속인다는 죄로 교주 최제우를 처형하고　(가)　을/를 탄압하였어요.

① 유교적 제사 의식을 거부하였다.
② 무당의 굿이나 풀이로 복을 빌었다.
③ 정씨 왕조가 세워질 것이라고 예언하였다.
④ 미륵이 나타나 민중을 구제한다고 주장하였다.
⑤ 인내천 사상을 바탕으로 신분 차별을 비판하였다.

10 다음 격문이 발표된 시기의 정치 상황에 대한 설명으로 옳은 것은?

> 조정에서는 어찌 평안도를 더러운 흙과 같이 여기는가? 심지어 권세가의 노비도 우리를 보면 반드시 '평안도 놈'이라고 말하니 서쪽 땅에 사는 자로서는 어찌 억울하고 원통하지 않겠는가?　　　－ 『패림』

① 인조반정으로 서인이 정권을 잡았다.
② 숙종이 환국을 여러 차례 실시하였다.
③ 영조가 탕평비를 성균관 앞에 세웠다.
④ 정조가 소론과 남인을 적극 등용하였다.
⑤ 세도 가문이 비변사와 주요 관직을 차지하였다.

03 학문과 예술의 새로운 경향

11 (가)에 들어갈 외교 사절단의 명칭을 쓰시오.

> **역사 신문**　　　　　　　　　○○○○년 ○월 ○일
>
> [특집 기획] 조선과 일본의 국교 회복 ①
> 　　　다시 파견되는　(가)　의 행로
> 한성을 출발해 동래까지 육로로 이동한다.
> → 동래에서 배를 나누어 타고 쓰시마섬으로 간다.
> → 이즈하라, 시모노세키를 거쳐 오사카로 간다.
> → 오사카에서 에도까지 육로로 이동한다.
> → 에도에서 국서 교환 및 공식 행사에 참여한다.

12 (가)에 들어갈 내용으로 가장 적절한 것은?

> **수행 평가 보고서**
> • 탐구 주제: _____(가)_____
> • 조사 내용
> 　－ 사신들이 화포, 천리경, 자명종 등을 들여왔다.
> 　－ 김육 등이 서양 역법인 시헌력을 도입하였다.
> 　－ 홍대용이 지구가 자전한다는 사실을 설명하였다.

① 국학의 발달
② 유교 윤리의 보급
③ 상공업 중심의 개혁론
④ 청과의 화의와 북벌 운동
⑤ 서학의 수용과 과학 기술의 발달

13 다음 주장을 펼친 인물에 대한 설명으로 옳은 것은?

> 마을에서 공동으로 토지를 소유하고 경작한 뒤, 일한 날짜에 따라 생산물을 분배하자.

① 거중기를 만들었다.
② 발해고를 저술하였다.
③ 지전설을 설명하였다.
④ 대동여지도를 제작하였다.
⑤ 양반전과 허생전을 지었다.

14 다음 주장에 대한 설명으로 옳은 것은?

> 재물은 비유하자면 샘과 같은 것이다. 우물물은 퍼내면 차고 버려두면 말라 버린다. 그러므로 비단 옷을 입지 않아서 나라에 비단 짜는 사람이 없게 되면 여공이 쇠퇴하며, …… 수공업자가 기술을 익히지 않으면 기예가 사라진다.
> ─ 「북학의」

① 향약을 도입하고자 하였다.
② 상공업을 진흥시키고자 하였다.
③ 청을 정벌하여 치욕을 씻고자 하였다.
④ 서양의 학문과 기술을 받아들이고자 하였다.
⑤ 토지를 재분배하여 농촌을 안정시키고자 하였다.

15 (가)에 들어갈 내용으로 가장 적절한 것은?

〈전시 안내〉
(가)
• 전시 일자: 2020○년 ○월 ○일 ~ △월 △일
• 전시 장소: ○○ 박물관
• 대표 전시 문화재

① 안견, 무릉도원에 다녀온 꿈을 그리다
② 정선, 우리 자연의 진짜 경치를 표현하다
③ 민화, 복을 바라는 서민의 정서를 담아내다
④ 김홍도, 농민의 일상생활을 익살스럽게 그리다
⑤ 신윤복, 양반이나 부녀자들의 생활 모습을 표현하다

---

04 생활과 문화의 새로운 양상

16 밑줄 친 '변화'의 모습으로 옳은 것을 〈보기〉에서 고른 것은?

> 새로 성장한 부농층이 기존의 양반 계층과 향촌의 지배권을 둘러싸고 다툼을 벌이는 등 조선 후기에는 양반 중심의 향촌 질서에도 변화가 나타났다.

• 보기 •
ㄱ. 양반의 지배력과 권위는 점차 약해졌다.
ㄴ. 양반은 동족 마을을 형성하고 결속을 다졌다.
ㄷ. 향촌 자치 규약인 향약이 보급되기 시작하였다.
ㄹ. 정치·학문적 의견 차이에 따라 붕당이 형성되었다.

① ㄱ, ㄴ ② ㄱ, ㄷ ③ ㄴ, ㄷ
④ ㄴ, ㄹ ⑤ ㄷ, ㄹ

17 다음 상황이 나타나게 된 배경으로 옳은 것을 〈보기〉에서 고른 것은?

> 조선 후기에는 양반을 중심으로 이루어지던 문예 활동과 문화의 폭이 서민층까지 확대되었다.

• 보기 •
ㄱ. 주자가례가 보급되었다.
ㄴ. 서민 의식이 성장하였다.
ㄷ. 지방 곳곳에 서원이 설립되었다.
ㄹ. 서민의 경제력과 사회적 지위가 높아졌다.

① ㄱ, ㄴ ② ㄱ, ㄷ ③ ㄴ, ㄷ
④ ㄴ, ㄹ ⑤ ㄷ, ㄹ

18 (가)에 들어갈 내용으로 가장 적절한 것은?

> [역사 다큐멘터리 기획서]
> • 제목: 서민 문화의 발달
> • 주제
> 　1부: 한글 소설과 사설시조가 유행하다
> 　2부: ＿＿＿＿＿(가)＿＿＿＿＿
> • 방영 희망 일시: 2020○년 ○월 ○일~△월 △일 밤 10시

① 삼강행실도가 훈민정음으로 번역되다
② 선비의 취향에 맞는 백자가 만들어지다
③ 판소리와 탈춤이 백성에게 사랑을 받다
④ 편찬 사업이 활발하여 금속 활자가 발명되다
⑤ 현실 문제 해결을 추구하는 실학이 등장하다

01 조선 후기의 정치 변동

1 (가)에 들어갈 정치 기구에 대한 설명으로 옳은 것은?

> (가) 은/는 16세기 초 중종 때 왜구와 여진의 침입에 대비하기 위하여 임시로 설치되었다. 그러다가 명종 때 왜구의 침입을 물리치면서 상설 기구가 되었고, 양 난 후 국가의 최고 통치 기구가 되었다.

① 언론 기능을 담당하였다.
② 중대한 죄인을 다스렸다.
③ 관리의 잘못을 감찰하였다.
④ 국왕의 군사적 기반이었다.
⑤ 훗날 세도 가문이 차지하였다.

2 밑줄 친 '변화'의 내용으로 적절하지 <u>않은</u> 것은?

> 왜란과 호란을 거치면서 조선의 정치 운영과 군사 제도에 변화가 나타났다.

① 비변사의 기능이 강화되었다.
② 중앙군은 5군영 체제를 갖추었다.
③ 지방군으로 속오군을 편성하였다.
④ 친위 부대인 장용영을 설치하였다.
⑤ 임진왜란 때 훈련도감을 설치하였다.

3 (가)에 들어갈 내용으로 가장 적절한 것은?

> 하급 관리나 상인들이 공납을 대신 납부하고 과도한 대가를 챙기는 방납의 폐단이 컸다. 정부는 이를 바로잡기 위해 _____ (가)

① 풍흉에 따라 전세를 다르게 거두었다.
② 1년에 2필씩 걷던 군포를 1필로 줄였다.
③ 풍흉에 관계없이 토지 1결당 4두를 거두었다.
④ 지주에게 토지 1결당 2두씩 결작미를 거두었다.
⑤ 토산물 대신에 토지를 기준으로 쌀, 옷감, 동전을 거두었다.

4 (가)에 들어갈 내용으로 가장 적절한 것은?

〈붕당 정치의 전개〉

인조반정 ➡ (가) ➡ 경신환국

① 1차 예송 ② 북인의 집권
③ 붕당의 형성 ④ 서인의 분열
⑤ 탕평비 건립

5 밑줄 친 '이곳'을 설치한 왕에 대한 설명으로 옳은 것은?

> 이곳은 역대 왕들의 친필과 도서를 보관하는 왕실 도서관으로 설치되었는데 국왕의 정책 자문 기구 역할을 하였어요.

① 경국대전을 반포하였다.
② 훈민정음을 창제하였다.
③ 신문고 제도를 부활하였다.
④ 호패법을 처음 시행하였다.
⑤ 시전 상인의 특권을 축소하였다.

6 다음과 같은 정치 상황이 전개되던 시기에 있었던 사실로 옳은 것은?

> 국정은 안동 김씨와 풍양 조씨 등 외척 가문들이 권력을 장악하고 그 외 몇몇 주요 가문이 권력에 참여하는 형태로 운영되었다. 이 세도 가문의 사람들은 과거 시험 중에서도 주로 특별 시험을 통해 관직에 진출하였다.

① 반정이 일어나 서인이 집권하였다.
② 환국으로 붕당 정치가 변질되었다.
③ 균역법을 실시해 백성의 부담을 줄였다.
④ 상복 입는 기간을 두고 예송이 벌어졌다.
⑤ 관직을 사고파는 일이 공공연히 일어났다.

02 사회 변화와 농민의 봉기

7 지도에 나타난 경제 활동에 대한 설명으로 옳지 <u>않은</u> 것은?

① 전국 곳곳에 장시가 들어섰다.
② 포구에서도 상업이 활발하였다.
③ 벽란도가 국제 무역항으로 번성하였다.
④ 국경 지대에서 공무역과 사무역이 이루어졌다.
⑤ 사상이 국내 상업은 물론 국제 교역에도 참여하였다.

8 다음 화폐가 전국적으로 유통되던 시기의 사회 모습으로 옳지 <u>않은</u> 것은?

▲ 상평통보

① 상민과 노비의 수가 크게 늘었다.
② 상당수의 양반들이 관직을 얻지 못하였다.
③ 노비들이 도망하여 노비 신분에서 벗어났다.
④ 부농층이 공명첩을 사들여 양반 신분을 얻었다.
⑤ 서얼이 관직 진출에 제한을 없애 줄 것을 요구하였다.

9 다음 상황이 나타나게 된 배경으로 가장 적절한 것은?

자네가 빌린 것으로 기록하네.

이렇게 강제로 곡식을 빌리게 하는 법이 어디 있소?

① 왜란 이후 국토가 황폐해졌다.
② 훈구 세력이 권력을 독점하였다.
③ 호란 이후 청에 많은 공물을 바쳤다.
④ 사림과 훈구 사이에 갈등이 심해졌다.
⑤ 세도 정치기에 정치 기강이 해이해졌다.

10 (가)에 들어갈 내용으로 가장 적절한 것은?

> **수행 평가 보고서**
> • 탐구 주제: _____(가)_____
> • 조사 내용
>   – 경상 우병사 백낙신이 백성을 수탈하였다.
>   – 진주의 농민들이 유계춘을 중심으로 봉기하였다.
>   – 이후 농민 봉기가 전국적으로 확산되었다.

① 만적의 난   ② 왕자의 난
③ 홍경래의 난   ④ 임술 농민 봉기
⑤ 망이·망소이의 난

03 학문과 예술의 새로운 경향

11 (가)에 들어갈 인물의 주장으로 옳은 것은?

> 실학을 집대성하였다고 평가받는 [(가)]은/는 서양 과학 기술의 영향을 받아 거중기를 만들어 수원 화성 축조에 이용하였다. 그 결과 공사 기간을 줄이고 경비를 절감하였다.

① 영업전을 설정하고 매매를 금지하자.
② 신분에 따라 차등을 두어 토지를 지급하자.
③ 마을에서 공동으로 토지를 소유하고 경작하자.
④ 수레와 선박을 이용하고 화폐의 사용을 늘리자.
⑤ 청과의 교역을 확대하고 소비를 통해 생산을 늘리자.

12 다음 주장에 대한 설명으로 옳은 것을 〈보기〉에서 고른 것은?

> 진실로 백성에게 이롭고, 나라에 도움이 될 일이라면, 그 법이 비록 오랑캐에서 나온 것일지라도 마땅히 이를 본받아야 한다.
>   – 박지원

• 보기 •
ㄱ. 북학파 실학자들의 주장이다.
ㄴ. 청의 문물을 수용하자는 것이다.
ㄷ. 명에 대한 의리를 지키려는 것이다.
ㄹ. 청을 정벌하여 치욕을 씻자는 주장이다.

① ㄱ, ㄴ   ② ㄱ, ㄷ   ③ ㄴ, ㄷ
④ ㄴ, ㄹ   ⑤ ㄷ, ㄹ

13 밑줄 친 '연구'의 성과로 옳지 <u>않은</u> 것은?

> 실용과 현실 개혁을 주장한 실학자들의 관심은 조선의 역사, 지리, 언어 등에 관한 <u>연구</u>로 확대되었다.

① 발해고   ② 동사강목
③ 대동여지도   ④ 동국여지승람
⑤ 훈민정음운해

14 (가)에 들어갈 문화유산으로 옳은 것은?

문화유산 카드

(가)

• 정선의 작품이다.
• 진경 산수화이다.
• 우리나라 명승지인 금강산을 그렸다.

①   ②   ③

④    ⑤

15 다음 건축물들이 세워진 시기의 문화에 대한 설명으로 옳지 <u>않은</u> 것은?

▲ 수원 화성 팔달문   ▲ 보은 법주사 팔상전

① 진경 산수화가 유행하였다.
② 한글 소설이 인기가 있었다.
③ 중인들이 시사를 조직하였다.
④ 분청사기와 백자가 등장하였다.
⑤ 김정희가 독창적인 추사체를 만들었다.

04 생활과 문화의 새로운 양상

16 다음 상황이 흔하게 일어났던 시기의 여성의 생활 모습으로 옳은 것을 〈보기〉에서 고른 것은?

> 김득문이 본처와 첩과의 사이에서 아들을 얻지 못한 채 사망하여 동성 20촌 형인 김동언의 셋째 아들로 대를 잇고자 양가가 동의하여 청원서를 올리니, …… 윤허한다는 입안을 발급한다.   – 예조 입안 문서, 1768

• 보기 •
ㄱ. 양반 여성은 안채에서 따로 거주하였다.
ㄴ. 남편이 사망하면 부인이 반드시 호주가 되었다.
ㄷ. 딸과 아들이 부모의 재산을 똑같이 상속받았다.
ㄹ. 여성은 혼례 후 곧바로 남자 집에서 생활하였다.

① ㄱ, ㄴ   ② ㄱ, ㄹ   ③ ㄴ, ㄷ
④ ㄴ, ㄹ   ⑤ ㄷ, ㄹ

17 조사할 내용 ㉠~㉤ 중 적절하지 <u>않은</u> 것은?

수행 평가 보고서

• 주제: 조선 후기 상업과 서민 문화의 발달
• 탐구 방법
 – 조선 후기에 활동한 상인들을 조사한다.
 – 다양한 서민 문화의 내용을 파악한다.
• 조사할 내용
 – 상인: ㉠ 경강상인, ㉡ 공인 등
 – 서민 문화: ㉢ 춘향전, ㉣ 탈춤, ㉤ 몽유도원도 등

① ㉠   ② ㉡   ③ ㉢   ④ ㉣   ⑤ ㉤

18 (가)에 들어갈 화가의 이름을 쓰시오.

▶ 지식 Q&A

[(가)]에 대해 알려 주세요.

▶ 답변하기

└ 호는 단원으로, 20대에 도화서의 화원이 되었어요.
└ 씨름, 서당, 벼타작, 대장간 등의 작품을 남겼어요.
└ 농민의 일상생활을 익살스럽게 표현하였어요.

01 국민 국가의 수립

1 다음과 같은 상황에 반발하여 일어난 사건으로 옳은 것은?

> 개항 이후 정부는 개화 정책 추진 기구로 통리기무아문을 설치하고 신식 군대인 별기군을 창설하였으며, 선진 문물을 받아들이기 위해 외국에 사절단을 파견하였다.

① 갑신정변 　② 병인양요 　③ 신미양요
④ 을미사변 　⑤ 위정척사 운동

2 다음 사건의 영향으로 옳은 것은?

> 개화 정책 추진 과정에서 소외된 구식 군대의 군인과 하층민이 난을 일으켰으나, 청이 군대를 투입하여 진압하였다.

① 병인양요가 일어났다.
② 청일 전쟁이 일어났다.
③ 을사늑약이 체결되었다.
④ 강화도 조약이 체결되었다.
⑤ 청이 조선의 내정에 간섭하였다.

3 (가) 기구가 추진한 개혁으로 옳은 것을 〈보기〉에서 고른 것은?

> 1894년에 일본은 경복궁을 점령한 후 조선에 개혁을 강요하였다. 이에 김홍집을 중심으로 새 정부가 구성되었고, (가) 을/를 설치하여 개혁을 추진하였다.

• 보기 •
ㄱ. 지계를 발급하였다.
ㄴ. 궁내부를 설치하였다.
ㄷ. 과부의 재가를 허용하였다.
ㄹ. 대한국 국제를 반포하였다.

① ㄱ, ㄴ 　② ㄱ, ㄹ 　③ ㄴ, ㄷ
④ ㄴ, ㄹ 　⑤ ㄷ, ㄹ

4 밑줄 친 '이 단체'에 대한 설명으로 옳은 것은?

> **역사 신문**　　　　　　　○○○○년 ○월 ○일
>
> 자주독립의 상징으로 독립문을 건설하고, 민중 계몽을 통해 민권 신장을 도모한 이 단체의 활동을 특집 기사를 통해 자세히 밝히고자 합니다.
> • 특집 1: 독립신문 기사로 보는 이권 수호 운동
> • 특집 2: 헌의 6조에 나타난 정치 개혁 방안

① 만민 공동회를 개최하였다.
② 민립 대학 설립 운동을 펼쳤다.
③ 전국 각지에 척화비를 건립하였다.
④ 일본의 황무지 개간권 요구를 철회시켰다.
⑤ 유신 체제에 대한 저항 운동을 전개하였다.

5 밑줄 친 '이 단체'에 대한 설명으로 옳은 것은?

> **역사 용어 카드**
>
> ○○○
>
> 안창호, 양기탁 등이 주도하여 비밀 결사로 조직된 이 단체는 대성 학교와 오산 학교를 세워 민족 교육을 실시하고, 자기 회사와 태극 서관을 운영하여 민족 자본 육성에 힘썼다.

① 공화정을 추구하였다.
② 독립문을 건립하였다.
③ 광무개혁을 추진하였다.
④ 고부에서 봉기를 일으켰다.
⑤ 항일 의병 운동을 주도하였다.

6 3·1 운동의 역사적 의의나 영향으로 옳은 것을 〈보기〉에서 고른 것은?

• 보기 •
ㄱ. 다양한 계층이 참여하였다.
ㄴ. 일제의 문화 통치를 철회시켰다.
ㄷ. 대한민국 임시 정부가 주도하였다.
ㄹ. 중국의 5·4 운동에 영향을 끼쳤다.

① ㄱ, ㄴ 　② ㄱ, ㄷ 　③ ㄱ, ㄹ
④ ㄴ, ㄹ 　⑤ ㄷ, ㄹ

7 (가), (나) 지역에서 대한민국 임시 정부가 전개한 활동으로 옳은 것을 〈보기〉에서 고른 것은?

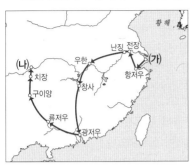

▲ 대한민국 임시 정부의 이동 경로

• 보기 •
ㄱ. (가) – 대한민국 건국 강령을 발표하였다.
ㄴ. (가) – 삼권 분립에 기초한 헌법을 제정하였다.
ㄷ. (나) – 연통제와 교통국을 운영하였다.
ㄹ. (나) – 한국 광복군을 조직하였다.

① ㄱ, ㄴ　　　② ㄱ, ㄷ　　　③ ㄴ, ㄷ
④ ㄴ, ㄹ　　　⑤ ㄷ, ㄹ

8 다음 대화에 나타난 민족 운동에 대한 설명으로 옳은 것은?

독립을 위해서는 무엇보다 민족의 실력을 기르는 것이 중요하네.

국산품 애용 운동을 하세. 민족 산업을 발전시켜야지.

① 독립 공채를 발행하였다.
② 민족주의 계열에서 주도하였다.
③ 반민족 행위 처벌법을 제정하였다.
④ 러시아의 절영도 조차 요구를 저지하였다.
⑤ 대한민국 임시 정부 수립에 영향을 끼쳤다.

9 다음 설명에 해당하는 단체로 옳은 것은?

1919년에 만주에서 김원봉을 중심으로 조직된 단체로, 일제의 주요 기관을 폭파하고 고위 관리와 친일파를 처단하였다. 대표적 활동으로 김익상의 조선 총독부 폭탄 투척, 김상옥의 종로 경찰서 폭탄 투척 등이 있다.

① 신간회　　② 신민회　　③ 의열단
④ 한인 애국단　⑤ 조선 독립 동맹

10 밑줄 친 '이 부대'에 대한 설명으로 옳은 것은?

근거지를 옮겨 다니다가 충칭에 정착한 대한민국 임시 정부는 1940년에 직속 부대인 이 부대를 창설하였다.

① 홍범도가 이끌었다.
② 을사늑약의 체결에 저항하였다.
③ 공주 우금치에서 일본군에게 패배하였다.
④ 청산리 대첩에서 일본군에 대승을 거두었다.
⑤ 태평양 전쟁에 연합군의 일원으로 참전하였다.

11 밑줄 친 '회의'가 국내에 끼친 영향으로 옳은 것은?

역사 신문　　　　　　○○○○년 ○월 ○일

[속보] 회의의 결정 사항
미국, 영국, 소련의 외무 장관이 모스크바에서 회의를 열어 한반도에 임시 민주 정부를 수립하고, 이를 지원하기 위하여 미소 공동 위원회를 설치할 것에 합의하였다. 또한 최고 5년 기한의 신탁 통치를 결정하였다.

① 좌우 대립이 심화되었다.
② 5·18 민주화 운동이 일어났다.
③ 많은 청년들이 전쟁터에 끌려갔다.
④ 부정 선거 규탄 시위가 전개되었다.
⑤ 조선 건국 준비 위원회가 결성되었다.

02　자본주의와 사회 변화

12 개항 이후 등장한 외세의 경제 침탈에 대한 설명으로 옳지 <u>않은</u> 것은?

① 개항장에서 일본 화폐의 유통이 허용되었다.
② 청일 전쟁 이후 청 상인이 조선에 대거 침투하였다.
③ 아관 파천 이후 열강의 이권 침탈이 더욱 심화되었다.
④ 열강이 최혜국 대우 규정을 앞세워 이권을 침탈하였다.
⑤ 많은 양의 쌀이 일본으로 유출되어 국내의 쌀값이 폭등하였다.

대단원별 핵심 문제　**75**

13 다음 설명에 해당하는 일제의 경제 수탈 정책을 쓰시오.

> 일제가 자국의 식량 부족 문제를 해결하기 위해 1920
> 년부터 추진한 정책으로, 이 정책의 추진 결과 늘어난
> 생산량보다 더 많은 양의 한국의 쌀이 일본으로 빠져
> 나갔다.

14 (가)에 들어갈 내용으로 가장 적절한 것은?

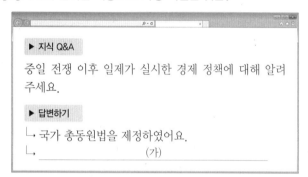

> ▶ 지식 Q&A
> 중일 전쟁 이후 일제가 실시한 경제 정책에 대해 알려
> 주세요.
>
> ▶ 답변하기
> └ 국가 총동원법을 제정하였어요.
> └_____(가)

① 토지 조사령을 발표하였어요.
② 국채 보상 운동을 실시하였어요.
③ 조일 무역 규칙을 체결하였어요.
④ 지원병제와 징병제를 시행하였어요.
⑤ 동양 척식 주식회사를 설립하였어요.

15 (가) 시기의 경제 상황에 대한 설명으로 옳은 것을 〈보기〉
에서 고른 것은?

1962   1972
(가)
제1차 경제 개발   제3차 경제 개발
5개년 계획 실시   5개년 계획 실시

> • 보기 •
> ㄱ. 수출 주도형 경제 전략을 세웠다.
> ㄴ. 경공업 중심의 공업화 정책이 추진되었다.
> ㄷ. 석유 파동으로 경제 위기를 맞기도 하였다.
> ㄹ. 철강·화학·조선 공업 등의 분야가 집중 육성되었다.

① ㄱ, ㄴ   ② ㄱ, ㄷ   ③ ㄴ, ㄷ
④ ㄴ, ㄹ   ⑤ ㄷ, ㄹ

16 밑줄 친 '이 운동'이 전개된 시기의 경제 상황에 대한 설
명으로 옳은 것은?

> 1998년에 우리 국민은 '제2의 국채 보상 운동'이라 불
> 리는 이 운동을 벌였다. 이 운동에는 1월부터 4개월 동
> 안 350여만 명이 참여하여 200톤이 넘는 금을 모아
> 전 세계의 이목을 집중시켰다.

① 쌀과 금속의 공출이 행해졌다.
② 병참 기지화 정책이 실시되었다.
③ 미국으로부터 경제 원조를 받았다.
④ 국제 통화 기금(IMF)의 구제 금융을 지원받았다.
⑤ 6·25 전쟁으로 인해 산업 시설이 대부분 파괴되었다.

17 (가) 인물의 활동이 끼친 영향으로 옳은 것은?

> 1970년에 서울의 평화시장에서 (가) 은/는 자신의
> 몸에 석유를 뿌리고 불을 붙인 채 "근로 기준법을 준수
> 하라! 우리는 기계가 아니다!" 등의 구호를 외쳤다. 병
> 원에 실려 간 (가) 은/는 어머니에게 "내가 못다 이
> 룬 일을 어머니가 대신 이루어 주세요."라는 유언을 남
> 기고 세상을 떠났다.

① 농지 개혁법이 제정되었다.
② 제주 4·3 사건이 일어났다.
③ 경부 고속 국도가 개통되었다.
④ 미국의 경제 원조가 시작되었다.
⑤ 노동 운동이 활발하게 전개되었다.

03   민주주의의 발전

18 다음은 4·19 혁명의 주요 사건들이다. (가)~(다)를 일어
난 순서대로 옳게 나열한 것은?

> (가) 이승만 대통령이 하야 성명을 발표하였다.
> (나) 대학 교수들이 시국 선언을 발표하고 시위에 동참
> 하였다.
> (다) 마산 등지에서 3·15 부정 선거를 규탄하는 시위가
> 일어났다.

① (가) – (나) – (다)   ② (가) – (다) – (나)
③ (나) – (가) – (다)   ④ (다) – (가) – (나)
⑤ (다) – (나) – (가)

19 밑줄 친 '이 협정'에 대한 설명으로 옳은 것은?

> 1965년 6월 22일 양국 외무 장관이 양국 간 국교를 정상화하기 위해 이 협정에 서명하였다. 이 협정에 대해 한편에서는 경제 개발을 위한 자금을 마련하였다는 긍정적인 평가를 하기도 한다. 그러나 다른 한편에서는 과거 식민 지배에 대한 사죄와 배상이 미흡하였다는 부정적인 평가를 내리기도 한다.

① 자유 무역 협정(FTA)이었다.
② 협정 체결에 반대하는 시위가 일어났다.
③ 해안 측량권, 영사 재판권 등을 규정하였다.
④ 체결 결과 많은 장병들이 베트남에 파병되었다.
⑤ 체결 결과 반민족 행위 특별 조사 위원회가 구성되었다.

20 다음 자료와 관련된 민주화 운동의 원인으로 옳은 것은?

> 우리는 왜 총을 들 수밖에 없었는가? 그 대답은 너무 간단합니다. 무자비한 만행을 더 이상 보고 있을 수만 없어서 너도 나도 총을 들고 나섰던 것입니다. …… 계엄 당국은 18일 오후부터 공수 부대를 대량 투입하여 시내 곳곳에서 학생, 젊은이들에게 무차별 살상을 자행하였으니!
> －광주 시민의 궐기문

① 3선 개헌이 통과되었다.
② 3·15 부정 선거가 일어났다.
③ 4·13 호헌 조치가 발표되었다.
④ 박종철 고문치사 사건이 발생하였다.
⑤ 신군부가 비상계엄을 전국으로 확대하였다.

21 다음 사건이 발생한 시기의 정부가 추진한 정책으로 옳은 것은?

> **역사 신문** ○○○○년 ○월 ○일
>
> **IMF 구제 금융 공식 요청**
> 동남아시아에서 시작한 외환 위기로 외국인 투자자들이 자금을 회수하면서 우리나라의 외환 보유고가 부족해졌고, 무분별하게 돈을 빌려 사업을 확장한 일부 대기업이 도산하여 외환 위기를 맞게 되었다. 이에 정부가 국제 통화 기금(IMF)에 구제 금융을 요청하였다는 소식이다.

① 북방 외교 추진　　② 금융 실명제 시행
③ 삼청 교육대 운영　④ 남북 정상 회담 개최
⑤ 서울 올림픽 대회 개최

---

04 평화 통일을 위한 노력

22 다음 사건이 전개된 시기를 연표에서 옳게 고른 것은?

> 김구, 김규식 등이 평양으로 건너가 북측 지도자와 통일 정부 수립 문제를 논의하였으나, 큰 성과를 거두지 못하였다.

	(가)	(나)	(다)	(라)	(마)	
8·15 광복		대한민국 정부 수립	정전 협상 개시	한일 협정 체결	7·4 남북 공동 성명 발표	제차 남북 정상 회담 개최

① (가)　② (나)　③ (다)　④ (라)　⑤ (마)

23 밑줄 친 '이 사건'이 일어난 배경으로 옳은 것은?

> 이 사건은 1948년 4월 3일에 발생한 소요 사태 및 1954년 9월 21일까지 제주도에서 발생한 무력 충돌과 진압 과정에서 제주 주민들이 희생당한 사건을 말한다.

① 반민족 행위 처벌법이 제정되었다.
② 암태도의 소작인들이 쟁의를 일으켰다.
③ 시위 중에 실종된 김주열의 시신이 발견되었다.
④ 유엔 소총회에서 남한만의 총선거를 결의하였다.
⑤ 일부 민족주의 세력이 일제의 지배에 타협하려 하였다.

24 (가), (나) 사이 시기에 있었던 사실로 옳은 것은?

(가)	(나)
역사 신문 회담 결과 발표된 6·15 남북 공동 선언의 주요 내용에 따라 남북한 사이의 교류와 협력이 더욱 활발해질 것으로 ……	**역사 신문** 10·4 남북 공동 선언에서 합의한 사업들을 적극 추진해 나가기 위한 대책을 마련하는 한편, ……

① 개성 공단이 건설되었다.
② 12·12 사태가 발생하였다.
③ 남북 기본 합의서가 채택되었다.
④ 남북 적십자 회담이 최초로 개최되었다.
⑤ 국가 재건 최고 회의를 통한 군정이 실시되었다.

핵심 문제 〉 VI 근·현대 사회의 전개(2회)

01 국민 국가의 수립

1 다음 상황을 배경으로 일어난 사건에 대한 설명으로 옳은 것은?

> 청군이 임오군란을 진압한 이후 청의 내정 간섭이 너무 심해졌네. 이대로 가다가 조선은 영원히 청의 속국이 될 것일세.

> 개화 정책이 후퇴하도록 지켜볼 수만은 없네. 일본의 지원이라도 받아서 거사를 도모해야겠어.

① 일본이 명성 황후를 시해하였다.
② 중국의 5·4 운동에 영향을 주었다.
③ 흥선 대원군이 척화비를 건립하였다.
④ 우리 역사상 최초의 총선거가 실시되었다.
⑤ 김옥균, 박영효 등의 급진 개화파가 주도하였다.

2 밑줄 친 '정부'에 대한 설명으로 옳은 것은?

> 우리 정부에서 고용한 외국인 측량 기사가 광무개혁의 일환으로 토지를 측량하고 있어.

> 조사가 끝나면 정부에서 토지 소유 증명서인 지계를 발급한다고 하더군.

① 수원에 화성을 건설하였다.
② 대성 학교와 오산 학교를 설립하였다.
③ 사사오입 개헌안을 국회에 제출하였다.
④ 개혁의 지침으로 홍범 14조를 반포하였다.
⑤ 독도가 우리 영토인 증거가 되는 칙령을 내렸다.

3 다음 개혁안을 제기한 민족 운동에 대한 설명으로 옳은 것은?

> • 탐관오리의 못된 버릇을 징계하고 쫓아낼 것
> • 각종 항목의 결세액은 돈으로 걷되, 부담을 균등하게 나누고 마구 거두지 말 것
> • 각 읍에서 아전들에게 일을 맡길 때 뇌물을 바치지 못하게 하고, 쓸 만한 사람을 골라 일을 맡길 것
>
> – 정교, 『대한계년사』

① 서경으로의 천도를 주장하였다.
② 서북 지역민에 대한 차별에 반발하였다.
③ 집강소를 통해 폐정 개혁을 추진하였다.
④ 강화도 조약이 체결되는 결과를 가져왔다.
⑤ 일본에 진 빚을 갚기 위한 모금 운동을 전개하였다.

4 (가) 단체에 대한 탐구 활동으로 가장 적절한 것은?

> [(가)] 이/가 개최한 만민 공동회의 주요 주제
>
> 1897. 8. 29. 조선의 급선무는 인민의 교육
> 1897. 9. 26. 부녀자를 교육하는 것이 의리상과 경제상에 마땅함
> 1897. 12. 26. 인민이 견문을 넓히려면 국내의 신문 반포를 제일로 해야 함
> 1898. 3. 6. 대한의 국토를 한 치라도 남의 나라에 빌려주는 것은 선왕의 죄인이요, 일천이백만 동포의 원수임

① 헌의 6조의 내용을 알아본다.
② 규장각의 설치 목적을 찾아본다.
③ 폐정 개혁안의 내용을 살펴본다.
④ 탕평 정치가 펼쳐진 배경을 파악한다.
⑤ 흥선 대원군의 대외 정책을 파악한다.

5 밑줄 친 부분의 배경으로 옳은 것은?

> 고종은 만국 평화 회의가 열리는 네덜란드 헤이그에 이상설, 이준, 이위종을 특사로 파견하였다. 그러나 일본 등의 방해로 이들은 회의에 참석하지 못하였다.

① 신민회가 조직되었다.
② 을사늑약이 체결되었다.
③ 독립 협회가 해산되었다.
④ 고종이 강제 퇴위당하였다.
⑤ 일본이 대한 제국의 국권을 빼앗았다.

6 다음 선언서가 발표된 배경으로 옳은 것을 〈보기〉에서 고른 것은?

> 오늘 우리는 조선이 독립국이며, 조선 사람이 자주적인 민족임을 선언한다. 이로써 세계 만국에 알리어 인류 평등의 대의를 분명히 하며, 자손만대에 깨우쳐 자주와 독립을 유지하는 올바른 민족의 권리를 영원히 누리도록 한다. ─「기미 독립 선언서」

• 보기 •
ㄱ. 일제가 민족 말살 정책을 추진하였다.
ㄴ. 일본이 연합군에 무조건 항복을 선언하였다.
ㄷ. 도쿄 유학생들이 2·8 독립 선언을 발표하였다.
ㄹ. 미국 대통령 윌슨이 민족 자결주의를 제창하였다.

① ㄱ, ㄴ   ② ㄱ, ㄷ   ③ ㄴ, ㄷ
④ ㄴ, ㄹ   ⑤ ㄷ, ㄹ

7 밑줄 친 '정부'에 대한 설명으로 옳은 것은?

> 이 사진은 3·1 운동 이후 상하이에서 수립된 정부가 독립운동 자금을 모금하기 위해 발행한 독립 공채입니다.

① 강화도 조약을 체결하였다.
② 대한국 국제를 반포하였다.
③ 토지 조사 사업을 시행하였다.
④ 연통제와 교통국을 운영하였다.
⑤ 우한에서 조선 의용대를 창설하였다.

8 다음 설명에 해당하는 민족 운동을 쓰시오.

> 1920년대에 실력 양성 운동의 일환으로 민족주의자들이 추진한 것이다. 민족 자본을 육성하여 경제적 자립을 이루려고 하였으며 이를 위해 국산품 애용을 강조하였다.

9 (가) 단체에 대한 설명으로 옳은 것은?

역사 용어 카드
(가)
• 주도 세력: 비타협적 민족주의 세력과 사회주의 세력의 연합
• 3대 강령: 정치적·경제적 각성 촉구, 민족 단결을 공고히 함, 기회주의 일체 부인
• 주요 활동: 노동 운동, 농민 운동, 청년 운동 지원

① 비밀 결사로 조직되었다.
② 남북 협상을 추진하였다.
③ 6·10 만세 운동을 주도하였다.
④ 광주 학생 항일 운동을 지원하려 하였다.
⑤ 러시아의 절영도 조차 요구를 저지시켰다.

10 밑줄 친 '의거'에 대한 설명으로 옳은 것은?

> 1932년 4월 29일에 상하이 훙커우 공원에서 일왕의 생일과 상하이 사변의 승리를 축하하는 기념식이 열렸다. 이때 기념식 단상에 폭탄을 던져 일본군 장성과 고관 다수를 처단하는 의거가 일어났다.

① 신간회 창립에 영향을 끼쳤다.
② 을사늑약의 철회를 요구하였다.
③ 한인 애국단의 윤봉길이 일으켰다.
④ 중국의 5·4 운동에 영향을 주었다.
⑤ 헤이그에 특사를 파견하는 배경이 되었다.

11 (가)~(라)를 일어난 순서대로 옳게 나열한 것은?

> (가) 5·10 총선거
> (나) 좌우 합작 운동
> (다) 모스크바 3국 외상 회의
> (라) 조선 건국 준비 위원회 조직

① (가) ─ (나) ─ (다) ─ (라)   ② (가) ─ (라) ─ (나) ─ (다)
③ (나) ─ (가) ─ (라) ─ (다)   ④ (라) ─ (나) ─ (가) ─ (다)
⑤ (라) ─ (다) ─ (나) ─ (가)

02 자본주의와 사회 변화

12 다음 자료를 활용한 탐구 활동 주제로 가장 적절한 것은?

> 국채 1,300만 원은 우리 대한의 존망에 직결된 것이
> 라. …… 2천만 민중이 3개월 동안 담배를 피우지 말
> 고 그 대금으로 1인당 매달 20전씩 징수하면 1,300만
> 원이 될 수 있다.
> – 「대한매일신보」

① 보안회의 결성 목적
② 광무개혁의 추진 원칙
③ 국채 보상 운동의 전개 과정
④ 병참 기지화 정책의 추진 배경
⑤ 을미사변과 단발령에 대한 저항

13 일제 강점기에 다음 법령에 따라 시행된 식민지 경제 정책에 대한 설명으로 옳지 <u>않은</u> 것은?

> 토지 소유자는 조선 총독이 정하는 기간 내에 주소, 씨
> 명, 명칭 및 소유지의 소재, 지목 등을 임시 토지 조사
> 국장에게 신고해야 한다.

① 1910년대에 시행되었다.
② 지주의 권한이 더욱 강화되었다.
③ 일본인의 농업 이민이 증가하였다.
④ 조선 총독부의 지세 수입이 늘어났다.
⑤ 소작농의 관습적인 경작권이 인정되었다.

14 다음 상황이 국내 경제에 끼친 영향으로 옳은 것은?

> 1950년대에 미국은 한국에 대량의 물자를 무상으로
> 원조하였다. 미국의 원조는 주로 농산물, 의복, 의료품
> 과 같은 생활필수품과 밀가루, 설탕, 면화와 같은 소비
> 재 산업의 원료에 집중되었다.

① 삼백 산업이 발달하였다.
② 국가 총동원법이 제정되었다.
③ 신자유주의 정책이 추진되었다.
④ 대규모 소작 쟁의가 발생하였다.
⑤ 제1·2차 경제 개발 5개년 계획이 추진되었다.

15 다음 조형물이 세워진 시기를 연표에서 옳게 고른 것은?

1950	1960	1965	1969	1979	1988
(가)	(나)	(다)	(라)	(마)	
6·25 전쟁 발발	4·19 혁명	한일 협정	3선 개헌	10·26 사태	서울 올림픽 대회

① (가) ② (나) ③ (다) ④ (라) ⑤ (마)

16 다음 사진을 통해 알 수 있는 2000년대 이후 우리나라 대중문화의 동향으로 옳은 것은?

◀ 케이팝(K-POP)에 열광하는 해외 팬들

① 텔레비전 방송이 시작되었다.
② 대중문화가 정부의 검열과 통제를 받았다.
③ 우리나라 대중문화가 전 세계로 확산되었다.
④ 청바지·통기타로 대표되는 청년 문화가 발전하였다.
⑤ 대학가를 중심으로 전통문화에 대한 관심이 높아졌다.

03 민주주의의 발전

17 밑줄 친 '이 개헌안'의 내용으로 옳은 것은?

> 1954년에 이 개헌안을 국회에서 표결에 붙인 결과 재적
> 203명 중 찬성 135표로 개헌 정족수인 136표에 1표가
> 미달, 부결이 선언되었다. 그러나 자유당 정권은 "국회
> 의원 재적 203명의 2/3는 135.33……인데 소수점 이하
> 의 숫자는 1인의 인간이 될 수 없으므로 사사오입하면
> 203명의 2/3는 135명이 된다."라는 억지 주장으로 부
> 결 선언을 번복하고 개헌안의 가결을 선포하였다.

① 내각 책임제를 규정하였다.
② 대통령 간선제를 직선제로 변경하였다.
③ 대통령직을 3회까지 할 수 있도록 하였다.
④ 초대 대통령에 한해 연임 횟수 제한을 없앴다.
⑤ 통일 주체 국민 회의에서 대통령을 선출하도록 하였다.

18 다음 민주화 운동이 일어난 배경을 알아보기 위한 탐구 활동으로 가장 적절한 것은?

> 시위 중에 실종되었던 김주열 학생의 시신이 마산 앞바다에서 발견되자 시위가 전국으로 확산되었다. 4월 19일에 경찰은 시위대를 무력 진압하였으나, 이후 대학 교수들까지 시위에 동참하였다.

① 5·16 군사 정변의 주도 세력을 알아본다.
② 3·15 부정 선거의 주요 사례들을 조사한다.
③ 5·18 민주화 운동의 전개 과정을 파악한다.
④ 모스크바 3국 외상 회의의 결정 사항을 정리한다.
⑤ 반민족 행위 특별 조사 위원회의 활동 내용을 조사한다.

19 밑줄 친 '이 헌법'에 대한 설명으로 옳은 것을 〈보기〉에서 고른 것은?

> **역사 신문**   1974년 ○월 ○일
>
> **개헌 언동 금지, 긴급 조치 선포**
>
> 정부는 오늘 이 헌법에 따라 긴급 조치 1호를 선포하였다.
> 1. 대한민국 헌법을 부정, 반대, 왜곡 또는 비방하는 일체의 행위를 금한다. ……
> 5. 이 조치에 위반한 자와 비방한 자는 법관의 영장 없이 체포·구속·압수·수색하며 15년 이하의 징역에 처한다.

> • 보기 •
> ㄱ. 6월 민주 항쟁의 결과 개정된 헌법이다.
> ㄴ. 대통령이 국회 의원의 1/3을 임명하였다.
> ㄷ. 대통령은 국민들의 직접 선거로 선출하였다.
> ㄹ. 대통령의 중임 제한을 없애 영구 집권이 가능하였다.

① ㄱ, ㄴ   ② ㄱ, ㄷ   ③ ㄴ, ㄷ
④ ㄴ, ㄹ   ⑤ ㄷ, ㄹ

20 다음 발표에 반발하여 일어난 사건으로 옳은 것은?

> 정부가 국민들의 개헌 요구를 거부하고 당시 헌법에 규정된 대통령 간선제를 유지하겠다는 4·13 호헌 조치를 발표하였다.

① 6월 민주 항쟁이 일어났다.
② 박정희 대통령이 피살되었다.
③ 이승만 대통령이 하야하였다.
④ 부마 민주 항쟁이 발생하였다.
⑤ 여야 간 평화적 정권 교체가 최초로 이루어졌다.

04   **평화 통일을 위한 노력**

21 지도는 6·25 전쟁의 전개 과정을 나타낸 것이다. (가)와 (나) 사이 시기에 있었던 사실로 옳은 것은?

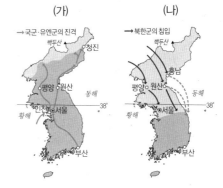

① 정전 협정이 체결되었다.
② 애치슨 선언이 발표되었다.
③ 유엔군 참전이 결정되었다.
④ 인천 상륙 작전이 전개되었다.
⑤ 중국이 북한을 돕기 위해 참전하였다.

22 (가)에 들어갈 선언으로 옳은 것은?

① 남북 기본 합의서
② 6·29 민주화 선언
③ 대한민국 건국 강령
④ 7·4 남북 공동 성명
⑤ 6·15 남북 공동 선언

01 통치 체제와 대외 관계

1 다음 왕이 추진한 주요 정책을 <u>두 가지</u> 서술하시오.

> **역사 인물 카드**
>
> ○○
> • 요약: 조선 제3대 왕
> • 재위 기간: 1400~1418년
> • 관련 사건: 왕자의 난
> • 정책 방향: 국왕 중심의 정치

_____

_____

_____

2 밑줄 친 '이 왕'이 유교 중심의 국가 통치 질서를 확립하였다고 평가받는 이유를 서술하시오.

> 이 왕은 국가와 왕실의 의례를 유교 예법에 따라 정리한 『국조오례의』를 간행하고, 집현전을 계승한 홍문관을 두어 경연을 활성화하였다.

_____

_____

_____

3 밑줄 친 '3사'에 해당하는 관청들을 쓰고, 이들의 기능을 각각 서술하시오.

> 조선은 권력의 독점과 부정을 막기 위해 언론 기능을 담당하는 <u>3사</u>를 두었다. 국왕이나 고위 관리도 <u>3사</u>의 활동을 함부로 막을 수 없었다.

_____

_____

_____

4 (가)에 들어갈 내용을 <u>두 가지</u> 서술하시오.

> 조선은 지방 행정 제도의 측면에서 고려 시대와는 달라진 모습을 보였다. 그 예로 _____ (가) _____

_____

_____

_____

02 사림 세력과 정치 변화

[5~6] 다음 그림을 보고 물음에 답하시오.

5 (가), (나)에 해당하는 정치 세력을 이르는 말을 쓰고, 당시 (가)와 (나)의 갈등의 결과를 서술하시오.

_____

_____

_____

6 (가), (나) 정치 세력의 대립으로 (가)가 피해를 입은 일련의 사건들을 이르는 말을 쓰고, 그럼에도 불구하고 (가) 세력이 선조 때 다시 정치의 주도권을 잡게 된 이유를 서술하시오.

_____

_____

_____

7 밑줄 친 '서인'에 대한 설명을 〈보기〉 중 적절한 것만을 골라 서술하시오.

> 16세기 후반 선조 때에 사림이 중앙 정계의 주도권을 잡았다. 이러한 가운데 정계에 남아 있는 외척 세력에 대한 처리를 둘러싸고 사림 내부에서 갈등이 일어나 동인과 <u>서인</u>으로 나뉘어 붕당을 형성하였다.

● 보기 ●
• 성혼   • 이이   • 이황   • 조식
• 영남 지역   • 경기·충청 지역

_____

_____

_____

---

03 **문화의 발달과 사회 변화**

8 밑줄 친 '과인'의 재위 기간에 있었던 과학 기술의 발달 사례를 <u>세 가지</u> 서술하시오.

훈민정음 창제를 경하드리옵니다.

과인은 훈민정음을 반포하여 백성들도 자신의 생각을 글로 표현할 수 있도록 할 것이오.

_____

_____

9 (가)에 들어갈 내용을 공예품의 명칭을 포함해 서술하시오.

> 조선 전기 양반 중심 문화의 발달
> • 그림: 「고사관수도」, 「몽유도원도」
> • 공예
>   – 15세기: 소박하고 자연스러운 분청사기를 제작
>   – 16세기: _____ (가)

_____

_____

---

04 **왜란·호란의 발발과 영향**

10 지도에 나타난 전쟁이 조선, 중국, 일본에 끼친 영향을 각각 서술하시오.

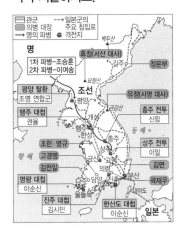

_____

_____

_____

11 다음은 병자호란 당시 신하들 사이에 일어난 논쟁의 모습이다. (가)에 들어갈 주장을 서술하시오.

(가)

지금은 힘이 부족하니 청의 요구를 받아들여 나라를 보전해야 합니다.

척화론자   주화론자

_____

_____

_____

01 조선 후기의 정치 변동

1 밑줄 친 부분을 보여 주는 사례를 서술하시오.

> 왜란과 호란을 겪으면서 조선의 정치 운영과 <u>군사 제도가 달라졌다</u>. 그리고 국가 재정을 확보하고 농민 부담을 덜어주기 위해 조세 제도를 개편하였다.

_____

_____

_____

2 다음은 어느 예송 논쟁 당시의 모습이다. 남인의 주장을 참고하여 (가)에 들어갈 서인의 주장을 서술하시오.

> 효종 임금께서 왕위를 계승하였으니, 큰아들이나 다름없습니다. 일반 사대부와 예법을 같이 할 수 없지요. 대비께서는 3년간 상복을 입으셔야 합니다.

(가)

서인   남인

_____

_____

_____

3 (가)에 들어갈 조선의 왕을 쓰고, 이 왕이 추진한 개혁 정치의 내용을 세 가지 서술하시오.

> 영조의 손자로 왕위를 이은 [(가)]은/는 노론과 소론뿐만 아니라 남인 세력도 등용하며 적극적으로 탕평책을 시행하였다.

_____

_____

02 사회 변화와 농민의 봉기

4 다음 그림에 나타난 농업 기술의 명칭을 쓰고, 이 농사법이 조선 후기의 농촌 사회에 미친 영향을 서술하시오.

▲ 모판에 기른 모를 논에 옮겨 심는 모습

_____

_____

_____

5 다음 자료를 참고하여 조선 후기 신분제의 변동 양상을 서술하시오.

> 옷차림은 신분의 귀천을 나타내는 것이다. 그런데 어찌된 것인지, 요즘 이것이 문란해져 상민과 천민이 조정의 관리나 선비처럼 갓을 쓰고 도포를 입는다. …… 심지어 시전 상인과 군역을 지는 상민들까지도 서로 양반이라고 부르고 있다.
> – 『일성록』

이름을 쓰는 부분

▲ 공명첩

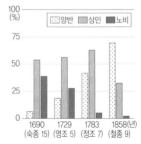

▲ 조선 후기 신분별 인구 구성비

_____

_____

6 교사의 질문에 대한 답변을 한 문장으로 서술하시오.

이 지도는 1811년에 일어난 농민 봉기의 전개를 보여 주고 있습니다. 이 농민 봉기의 명칭과 배경에 대해 말해 볼까요?

_____

_____

_____

03 학문과 예술의 새로운 경향

7 밑줄 친 '북학파'의 대표적인 인물을 **세 명** 쓰고, '북학파'의 공통적인 주장을 서술하시오.

조선 후기에 현실 문제를 해결하려는 실학이 등장하였다. 실학자들의 주장과 학문 연구는 후대에 많은 영향을 주었으며, 특히 북학파는 개화사상에 큰 영향을 끼쳤다.

_____

_____

_____

8 (가), (나)를 그린 작가를 각각 쓰고, (가), (나)에서 알 수 있는 조선 후기 회화의 특징을 서술하시오.

(가)   (나)

▲ 벼타작   ▲ 단오풍정

_____

_____

04 생활과 문화의 새로운 양상

9 밑줄 친 부분에 해당하는 내용을 **세 가지** 서술하시오.

조선 후기에는 향촌 사회에 성리학적 생활 규범이 정착되었다. 이에 따라 혼인, 제사, 상속에서 변화가 나타났다.

_____

_____

_____

_____

10 다음과 같은 상황이 나타난 배경을 서술하시오.

조선 후기에는 양반을 중심으로 이루어지던 문예 활동과 문화의 폭이 서민층까지 확대되었다.

_____

_____

_____

_____

11 다음을 참조하여 서민 문화의 특징을 서술하시오.

• "평생 서럽기를 아버지를 아버지라고 부르지 못하고, 형을 형이라고 못하여 모두가 천하게 보고, 친척도 아무개의 천한 소생이라 이르오니 이런 원통한 일이 어디에 있겠습니까?" …… 길동은 무리의 호칭을 활빈당이라 하고, 수령이 불의의 재물이 있으면 탈취하고, 가난하고 의지할 데 없는 자를 구제하며 나라의 것은 손대지 않았다.
　　　　　　　　　　　　　　　　　　　　 - 「홍길동전」
• 말뚝이: 양반들 나오신다아! 양반이라거니 노론, 소론, 이조, 호조, 옥당(홍문관) 다 지내고, 삼정승, 육판서를 다 지내고 퇴로 재상으로 계신 양반인 줄 알지 마시오. 개잘양이라는 '양'자에 개다리소반이라는 '반'자를 쓰는 양반들이 나오신단 말이오.
　　　　　　　　　　　　　　　　　　　　 - 봉산 탈춤 대사

01 국민 국가의 수립

1 밑줄 친 '이 사건'의 명칭을 쓰고, 그 결과와 의의를 서술하시오.

> 임오군란 이후 청의 간섭이 심해지면서 개화 정책의 추진이 지지부진해지자, 김옥균을 중심으로 한 급진 개화파가 일본의 지원을 약속받고 이 사건을 일으켰다.

2 밑줄 친 '개혁'의 내용을 두 가지 서술하시오.

> 일본은 청일 전쟁에서 우세해지면서 조선의 내정에 적극적으로 간섭하였다. 이에 조선 정부가 러시아의 힘을 빌려 일본의 간섭에서 벗어나려 하자, 일본은 경복궁을 습격하여 명성 황후를 시해하였다. 그리고 내각을 다시 구성하여 개혁을 추진하였다.

3 밑줄 친 '이 섬'의 이름을 쓰고, 이 섬이 우리나라 영토인 역사적 근거를 두 가지 서술하시오.

> 일본은 러일 전쟁 중에 불법적으로 이 섬을 편입한 이래로 끈질기게 자국의 영토라고 주장해 오고 있습니다.

4 밑줄 친 정부의 활동 내용을 세 가지 서술하시오.

> 일제에 국권을 빼앗긴 이후 3·1 운동을 계기로 국내외에 임시 정부가 수립되었고 임시 정부의 통합 움직임이 일어나 중국 상하이에 대한민국 임시 정부가 수립되었다.

5 1920년에 만주 지역에서 일어난 대표적인 무장 독립 투쟁 두 가지에 대한 설명을 서술하시오(단, 부대의 명칭, 사령관의 이름, 전투의 명칭을 모두 포함시킬 것).

6 광복 이후 국내에서 다음과 같은 상황이 나타난 배경을 회의의 명칭을 포함해 한 문장으로 서술하시오.

> 이번 회의 결정의 핵심은 민주주의 임시 정부 수립에 있으니, 이를 거부하는 것은 독립을 지연시킬 뿐이다.

> 독립은 수포로 돌아간 것이나 다름없다. 삼천만이 똘똘 뭉쳐 신탁 통치안을 거부해야 한다.

02 자본주의와 사회 변화

7 밑줄 친 '식민지 경제 정책'의 명칭을 쓰고, 일제가 이 정책을 추진한 목적을 서술하시오.

> 일제가 1920년부터 추진한 식민지 경제 정책이다. 쌀 생산량을 늘리기 위해 벼 종자를 개량하고 비료 사용을 확대하였으며, 농토를 개간하고 밭을 논으로 바꾸었다. 또한 저수지를 만들기 위해 수리 조합을 조직하였다.

8 (가) 시기에 정부가 추진한 경제 정책의 특징을 서술하시오.

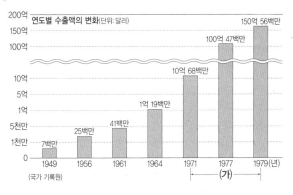

03 민주주의의 발전

9 다음 자료와 관련된 민주화 운동의 명칭을 쓰고, 역사적 의의를 서술하시오.

> • 끝까지 부정 선거에 데모로 싸우겠습니다. 저는 아직 철없는 줄 압니다. 그러나 국가와 민족을 위하는 길이 어떻다는 것을 알고 있습니다. ─ 한성여중 진영숙
> • 우리들은 선거의 부정을 목격하였다. 경찰은 학생에게 폭력을 금하라. 우리들은 민주주의를 지킬 뿐이다. ─ 동성고 이병태

10 다음 내용을 통해 알 수 있는 유신 헌법의 문제점을 대통령의 권력과 관련하여 서술하시오.

> 통일 주체 국민 회의에서 대통령을 선출하고, 대통령의 중임 제한을 없앴다. 또한 대통령에게 국회 의원의 1/3에 대한 임명권, 긴급 조치권 등을 부여하였다.

04 평화 통일을 위한 노력

11 다음은 6·25 전쟁의 전개 과정을 나타낸 것이다. (가)에 들어갈 사실을 한 문장으로 서술하시오.

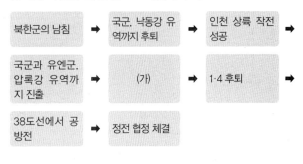

12 다음은 7·4 남북 공동 성명의 내용이다. 여기에 제시된 통일 3대 원칙과 이 성명이 지니는 의의를 서술하시오.

> 첫째, 통일은 외세의 간섭 없이 자주적으로 해결한다.
> 둘째, 통일은 상대방을 반대하는 무력 행사에 의하지 않고 평화적 방법으로 실현한다.
> 셋째, 사상과 이념, 제도의 차이를 넘어 하나의 민족으로서 민족적 대단결을 도모한다.

핵심만 빠르게~ 단기간에
내신 공부의 힘을 키운다

정답과 해설

중등 역사
2·2

 책 속의 가접 별책 (특허 제 0557442호)

'정답과 해설'은 본책에서 쉽게 분리할 수 있도록 제작되었으므로
유통 과정에서 분리될 수 있으나 파본이 아닌 정상제품입니다.

정답과 해설

Ⅳ 조선의 성립과 발전

01 통치 체제와 대외 관계 ~
02 사림 세력과 정치 변화

개념 확인하기　　　　　　　　　　　　　p. 10

1 (1) ◯ (2) ◯ (3) ✕　　2 ㄴ, ㄷ　　3 (1) – ㉠ (2) – ㉢ (3) – ㉺
(4) – ㉡ (5) – ㉣　　　　4 (1) 홍문관 (2) 사대 (3) 관찰사 (4) 성균관
5 (1) 향약 (2) 사림 (3) 동인 (4) 현량과

내공 쌓는 족집게 문제　　　　　　　　　　　p. 10 ~ 13

1 ④　2 ③　3 ①　4 ②　5 ④　6 ⑤　7 ④　8 ④　9 ②
10 ①　11 ③　12 ①　13 ⑤　14 3사　15 ④　16 ②　17 ④
18 ④　[서술형 문제 19~21] 해설 참조

1 이성계는 정도전 등 새 왕조 개창을 추구한 신진 사대부와 함께 새 왕조 개창에 반대한 정몽주를 제거한 후 조선을 건국하였다.
| 바로 알기 | ① 조선 건국(1392) 후 태조 이성계는 한양으로 도읍을 옮겼다(1394). ② 이방원은 두 차례에 걸친 왕자의 난으로 정도전과 세자 등을 제거하고 왕위에 올라 태종이 되었다. ③ 이성계와 손잡은 신진 사대부는 과전법을 마련하였다. 전시과는 고려의 토지 제도이다. ⑤ 우왕과 최영이 추진한 요동 정벌 때 이성계가 위화도에서 회군을 하였다.

2 밑줄 친 '이 왕'은 태종이다. 태종은 왕자의 난으로 정도전과 세자 등을 제거하고 왕위에 오른 후, 국왕 중심의 정치를 지향하는 여러 정책을 추진하였다. 한편, 호구 조사와 호패법을 실시하여 세금 징수와 군역 부과의 기초 자료를 마련하였다.
| 바로 알기 | ①은 세조, ②는 태조, ④, ⑤는 성종 때의 일이다.

3 밑줄 친 '이것'은 『경국대전』이다. 조선의 기본 법전인 『경국대전』은 이·호·예·병·형·공전의 6전으로 구성되었다.
| 바로 알기 | ② 『경국대전』은 성종 때 완성하여 반포하였다. ③은 『조선경국전』 등이 해당된다. ④는 호구 조사나 호패에 대한 설명이다. ⑤ 『경국대전』은 한자로 서술되었다.

4 자료는 과전법에 생긴 문제 상황이다. 세조는 전·현직 관리에게 수조권을 지급하는 과전법을 고쳐서 현직 관리에게만 수조권을 주는 직전법을 시행하였다.
| 바로 알기 | ①, ④는 통일 신라 신문왕 때의 사실이다. ③, ⑤는 고려 시대의 토지 제도이다.

5 (가) 승정원은 왕명 출납을 담당하여 국왕의 비서 역할을 하였고, (나) 의금부는 반역 등 중대한 죄인을 다스려 승정원과 함께 왕권을 뒷받침하는 기구였다. (다) 사헌부는 관리를 감찰하였고, (마) 홍문관은 국왕의 정책 자문과 경연을 담당하였다.
| 바로 알기 | ④ (라) 사간원은 간쟁, 즉 국왕이 올바른 정치를 하도록 일깨웠다. 수도 한성의 행정과 치안을 담당한 기구는 한성부이다.

6 (다) 사헌부, (라) 사간원, (마) 홍문관을 3사라고 하였는데, 3사는 언론 기능을 담당하여 권력의 독점과 관리의 부정을 막았다. 국왕이나 고위 관리도 3사의 활동을 함부로 막을 수 없었다.

7 제시된 지도는 조선의 지방 행정 구역을 나타낸 것이다. 조선은 전국을 8도로 나누고, 도 아래에 부·목·군·현을 두었다. 도에 관찰사를 파견하였고, 모든 군현에 수령을 파견하였다. 향리는 수령을 보좌하여 행정 실무를 처리하였다.
| 바로 알기 | ④ 국경 지역에 양계를 설치한 것은 고려이다. 고려는 전국을 5도와 양계, 경기로 나누어 다스렸다.

8 성균관은 조선의 최고 교육 기관으로 높은 수준의 유학을 가르쳐서 유교적 지식과 능력을 지닌 관리를 양성하였다. 소과 즉, 생원·진사과에 합격하면 성균관에 입학할 수 있었다.

9 제시된 도표는 조선의 과거 제도를 나타낸 것이다. 과거는 문관을 뽑는 문과, 무관을 뽑는 무과, 기술관을 뽑는 잡과가 실시되었다. 양인이면 과거에 응시할 수 있었지만 문과는 주로 양반 자제가 응시하였다. 문관은 소과, 대과 모두 합격해야 높은 지위에 오를 수 있었다.
| 바로 알기 | ② 과거는 대체로 3년마다 시행되었다. 과거에는 3년마다 시행하는 정기 시험과 나라에 경사가 있거나 특별한 일이 있을 때 시행하는 특별 시험이 있었다.

10 지도의 (가)는 명, (나)는 여진, (다)는 일본이다. 조선은 태종 이후 명과 사대 관계를 확립하였다. 조선은 명과의 조공 무역으로 문화적·경제적 이득을 얻었다. 조선은 여진, 일본과는 교린 관계를 맺어 때로는 회유하고 때로는 강경하게 대처하였다. 여진과는 국경 지역에 무역소를 두고 교역하였으며, 일본에는 3포를 개항하여 제한적인 교역을 허용하였다.
| 바로 알기 | ① 태조 때에는 요동 정벌을 추진하는 등 명과 대립하였다.

11 세종은 여진의 약탈이 계속되자 두만강 지역(함경도 동북 지역)에 김종서를 파견하여 6진을 설치하였다.
| 바로 알기 | ① 서희는 거란의 고려 1차 침입 때 외교 담판으로 강동 6주를 획득하였다. ② 윤관은 여진이 고려를 침범하자 별무반을 이끌고 정복한 후 동북 9성을 세웠다. ④ 세종은 이종무를 보내 왜구의 소굴인 대마도를 정벌하였다. ⑤ 최윤덕은 4군을 설치하였다.

12 조선은 일본과 교린 관계를 맺었다. 세종은 왜구가 서남해안을 계속 침략하자, 이종무를 보내 왜구의 소굴인 대마도를 토벌하는 강경책을 폈다.
| 바로 알기 | ②, ④는 고려의 여진 정벌과 관련된 사실이다. ③은 조선의 여진에 대한 강경책에 해당하는 사실이다. ⑤는 조선의 일본에 대한 회유책에 해당하는 사실이다.

13 제시된 도표는 사림의 계보도이다. 사림은 정몽주, 길재의 학통을 계승하여 지방에서 성리학을 연구하고 제자 교육에 힘쓴 사람들로, 왕도 정치와 향촌 자치를 추구하였다. 사림은 주로 3사의 언관직에 임명되어 훈구 세력의 권력 독점을 비판하였다. 이후 사림 세력과 훈구 세력 간의 정치적 갈등이 심해졌고, 무오·갑자·기묘·을사사화 때 사림이 큰 피해를 입었다. 하지만 향촌 사회에서 서원과 향약을 바탕으로 세력을 키운 사림은 16세기 후반 선조 때에 이르러 정치의 주도권을 잡았다.

| 바로 알기 | ⑤ 훈구 세력이 연산군을 몰아내고 중종을 왕으로 세웠다.

14 성종은 훈구 세력을 견제하기 위해 김종직을 비롯한 영남 지역의 사림을 많이 등용하였다. 사림은 주로 언론 기능을 하는 3사에 임명되어 훈구 세력의 부정과 권력 독점을 비판하였다.

15 그림에서 왕에게 중종반정 공신 중 부당하게 공신이 된 자들의 자격을 박탈해야 한다는 위훈 삭제를 말하고 있는 사람은 조광조이다. 중종반정은 훈구 세력이 연산군을 몰아내고 중종을 왕으로 세운 사건이다. 중종은 훈구 세력을 견제하기 위해 조광조를 비롯한 사림을 등용하였다. 조광조는 왕도 정치의 실현을 내세우며 소격서를 폐지하였고, 현량과를 실시하였다.
| 바로 알기 | ④ 조광조는 그의 개혁에 부담을 느낀 중종이 훈구 세력과 손을 잡고 일으킨 기묘사화에서 제거되었다.

16 사림은 향촌에서 서원과 향약을 바탕으로 세력을 키웠다. (가) 서원은 유학자를 제사 지내고, 성리학을 연구하며 지방 양반 자제를 교육하고자 세운 사립 교육 기관이고, (나) 향약은 향촌의 질서 유지를 위해 사림이 만들어 보급한 향촌의 자치 규약이다.
| 바로 알기 | 서당은 기초적인 유학 지식을 가르치는 교육 기관이다. 향교는 지방에 세워진 국립 교육 기관으로 유교 경전을 가르쳤다. 유향소는 지방 양반이 설치한 것으로 수령을 돕고 향리의 비리를 감시하는 기구이다.

17 제시된 그림은 사림들이 이조 전랑의 자리를 두고 다투는 상황을 나타내고 있다. 사림이 선조 때 정치의 주도권을 잡은 이후 사림 내부에서 외척의 정치 참여 문제와 이조 전랑의 임명 문제를 놓고 갈등이 격화되어 사림이 동인과 서인으로 나뉘어 붕당이 형성되었다.

18 (라) 성종이 훈구 세력을 견제하기 위해 김종직 등 사림을 처음으로 등용하였다. (가) 훈구 세력이 반정을 일으켜 연산군을 쫓아내고 중종을 왕위에 올렸다. (나) 중종 때 조광조 등 사림 세력은 기묘사화로 제거되었다. (다) 사림은 사화로 큰 피해를 입었지만 선조 때 다시 정치의 주도권을 잡았는데 동인과 서인으로 나뉘어 붕당이 형성되었다.

서술형 문제

19 | 예시 답안 | 경국대전을 완성하여 유교 중심의 국가 통치 질서를 확립하였다. (또는 경국대전을 완성하여 유교적 법치 국가로 나아갈 수 있었다.)

구분	채점 기준
상	경국대전, 유교, 통치 질서 확립(또는 법치 국가)이라는 용어를 모두 포함하여 서술한 경우
중	경국대전, 유교, 통치 질서 확립(또는 법치 국가)이라는 용어 중 두 가지를 포함하여 서술한 경우
하	경국대전의 명칭만 쓴 경우

20 | 예시 답안 | 승정원, 의금부. 왕명 출납 등 국왕의 비서 역할을 하는 승정원과 반역 등 중대한 죄인을 다스리는 의금부가 왕권을 뒷받침하였다.

구분	채점 기준
상	승정원과 의금부의 명칭과 역할을 모두 옳게 서술한 경우
중	승정원 또는 의금부 중 한 가지의 명칭과 역할만 옳게 서술한 경우
하	승정원과 의금부라는 명칭만 쓴 경우

21 (1) 조광조

(2) | 예시 답안 | 조광조는 소격서를 폐지하였고, 현량과를 실시하였으며, 중종이 왕위에 오를 때 부당하게 공신이 된 사람들의 자격을 박탈해야 한다고 주장하였다.

구분	채점 기준
상	소격서 폐지, 현량과 실시, 위훈 삭제 주장을 모두 서술한 경우
중	소격서 폐지, 현량과 실시, 위훈 삭제 주장 중 두 가지를 서술한 경우
하	소격서 폐지, 현량과 실시, 위훈 삭제 주장 중 한 가지만 서술한 경우

03 문화의 발달과 사회 변화

개념 확인하기   p. 16

1 ㄱ, ㄴ, ㄷ   2 (1) – ㉡ (2) – ㉢ (3) – ㉣ (4) – ㉠   3 신기전
4 (1) 유교 (2) 향약 (3) 주자가례 (4) 국조오례의   5 (1) ×
(2) ○ (3) × (4) ×

족집게 문제   p. 16~19

1 ③   2 ③   3 ②   4 ①   5 ⑤   6 ②   7 ⑤   8 ④   9 ②
10 ④   11 ⑤   12 천상열차분야지도   13 ④   14 ②   15 ⑤
16 ③   17 ①   [서술형 문제 18~20] 해설 참조

1 제시된 책은 『훈민정음』해례본으로, 세종이 훈민정음을 창제한 목적, 그 소리값과 사용법 등을 적은 훈민정음의 설명서이다. 훈민정음은 글자의 원리가 독창적이고 과학적이어서 28자의 소리글자로 누구나 쉽게 우리말을 소리 나는 대로 적을 수 있었다.
| 바로 알기 | ㄱ. 훈민정음은 세종이 만들었다. ㄹ. 훈민정음은 소리글자이다. 한자가 상형 문자이다.

2 훈민정음의 창제로 우리 민족은 고유한 문자를 가지게 되었고, 백성은 누구나 쉽게 자신의 생각과 감정을 글로 표현할 수 있게 되었으며, 이를 토대로 민족 문화가 더욱 발전하게 되었다. 또한 정부는 백성에게 국가 정책과 통치 이념을 쉽게 전달하게 되었다.
| 바로 알기 | ③ 조선 후기에 천문학의 발달과 세계 지도의 전래는 당시 지식인들이 중국 중심의 세계관에서 벗어나는 데 크게 기여하였다.

3 밑줄 친 '내'는 세종이다. 세종은 집현전을 설치하였고, 의정부의 권한을 강화하였으며, 경연을 열어 신하들과 정책을 토론하였다. 여진의 약탈이 계속되자 군대를 파견하여 4군 6진을 설치하였고, 왜구가 침략하자 왜구의 소굴인 대마도를 토벌하였다. 혼천의와 간의를 만들어 천체를 관측하고, 그 결과를 토대로 한성을 중심으로 한 역법서인 『칠정산』을 편찬하였다.
| 바로 알기 | ② 조선의 기본 법전인 『경국대전』은 성종 때 반포되었다.

4 조선 초에 조선 건국의 정당성을 밝히고 정통성을 확립하고자 고려사 정리에 힘써 『고려사』, 『고려사절요』가 편찬되었다. 성종 때에는 고조선부터 고려 말까지의 역사를 정리한 『동국통감』이 편찬되었다.
| 바로 알기 | ㄷ. 『삼국사기』는 고려 중기, ㄹ. 『삼국유사』는 원 간섭기에 편찬되었다.

5 『조선왕조실록』은 조선 태조부터 철종까지 25대 왕 472년간의 역사를 날짜에 따라 기록한 역사책이다. 국왕이 죽으면 왕이 살아 있을 때 사관이 기록한 것을 비롯해 각종 자료를 모아 실록을 편찬하였는데, 완성된 실록은 국왕이라고 할지라도 함부로 내용을 보거나 수정할 수 없었다. 『조선왕조실록』은 그 가치를 인정받아 1997년에 유네스코 세계 기록 유산으로 등재되었다.

6 제시된 자료는 『혼일강리역대국도지도』이다. 태종 때 제작되었는데 현존하는 동양에서 가장 오래된 세계 지도이다. 중앙에 중국이 크게 그려져 있고, 그 옆에 조선도 크게 그려져 있으며, 지도의 좌측에 아프리카, 아라비아반도, 유럽이 그려져 있다.
| 바로 알기 | ㄴ. 별자리의 위치와 모양을 표현한 것은 천문도이다. ㄷ. 지역의 인물, 풍속 등을 담은 것은 지리서이다.

7 조선은 지방 통치와 국방 강화를 위해 지도와 지리서를 편찬하였다. 세계 지도인 『혼일강리역대국도지도』, 전국 지도인 『팔도도』를 제작하였고, 지리서인 『동국여지승람』을 편찬하여 지방의 연혁, 인물, 풍속 등을 정리하였다.

8 제시된 서적은 『삼강행실도』이다. 세종 때에 편찬된 『삼강행실도』는 모범이 될 만한 충신, 효자, 열녀의 이야기를 글과 그림으로 설명하여 백성들이 유교 윤리를 쉽게 익히게 하였다.
| 바로 알기 | ①은 『소학』, ②는 『주자가례』, ③은 『악학궤범』, ⑤는 『국조오례의』에 적절한 학생의 대답이다.

9 제시된 사진은 앙부일구이다. 앙부일구는 해시계로, 그림자를 이용하여 시간을 측정하였다. 하루의 시간뿐만 아니라 1년의 절기까지도 측정할 수 있었다.

10 제시된 전시 안내 포스터에 실린 신기전과 화차, 간의, 『칠정산』은 모두 조선 전기의 과학 기술의 발전을 보여 주는 유물들이다. 조선은 건국 초부터 나라를 부강하게 하고 백성의 삶을 안정시키기 위해 과학 기술의 발전에 힘썼다. 세종 때 혼천의와 간의를 만들어 천체를 관측하였고, 그 관측 결과를 토대로 역법서인 『칠정산』을 편찬하였다. 화약 무기로 신기전과 화차를 개발하여 여진과 왜구의 침입을 물리치는 데 활용하였다.

11 조선은 국가 기틀을 다지며 다양한 서적을 편찬하였다. 서적 편찬을 위해 고려의 금속 활자를 개량하는 데 힘써 태종 때 계미자, 세종 때 갑인자 등의 금속 활자를 주조하였다.
| 바로 알기 | ①, ③, ④는 고려, ②는 신라 때 인쇄술의 발전을 보여 주는 사례이다.

12 천문학은 통치자의 권위와 농사에 관련되었기에 왕들은 천문학에 관심을 기울였다. 조선 태조 때 천문도인 『천상열차분야지도』를 돌에 새겼다. 『천상열차분야지도』는 하늘을 12개 구역으로 나누어 별자리의 위치와 모양을 표현한 것이다.

13 성리학을 통치 이념으로 삼은 조선은 유교적 사회 질서를 확립하고자 유교 윤리 보급에 힘썼다. 조선 정부는 『삼강행실도』를 편찬하여 백성들이 유교 윤리를 쉽게 익히게 하였고, 국가 행사의 절차와 의례를 유교 예법에 맞게 정리하여 『국조오례의』를 편찬하였다. 양반도 『소학』과 『주자가례』를 널리 보급하고 실천하여 향촌 사회에서 유교 윤리의 확산을 위해 노력하였다.

14 양반들은 도덕과 의례의 기초 서적인 『소학』과 가정에서 실천해야 할 유교 예법을 정리한 『주자가례』를 널리 보급하고 실천하였다. 그리하여 양반들은 집안에 사당을 세우고 제사를 지냈고, 일부 양반가들을 중심으로 친영을 따라 신랑이 신부 집에서 혼례를 올린 후, 신부를 신랑 집으로 데려와 사는 경우가 늘어났다.
| 바로 알기 | ㄴ, ㄷ은 고려 시대부터의 생활 모습이다.

15 조선 전기에는 양반 중심의 문화가 발달하였다. 문학에서는 서거정이 『동문선』을 펴냈고, 김시습이 최초의 한문 소설인 『금오신화』를 지었다. 그림에서는 강희안이 「고사관수도」에서 선비의 여유로운 모습을 표현하였고, 선비의 지조와 절개를 상징하는 매화, 난초, 국화, 대나무를 그린 사군자화가 유행하였다. 공예에서는 분청사기와 백자가 많이 만들어졌다.

| 바로 알기 | ⑤ ㉤ 상감 청자는 고려 시대에 많이 만들어졌다.

16 제시된 그림은 「몽유도원도」이다. 이 그림은 세종의 셋째 아들인 안평 대군이 이상 세계인 무릉도원에 다녀온 꿈을 꾼 후 도화서 화원인 안견에게 그 내용을 그리게 한 작품이다.

| 바로 알기 | ①은 고려의 불화, ②는 「고사관수도」, ④는 16세기에 선비들이 매화, 난초, 국화, 대나무 등을 그린 그림에 대한 설명이다. ⑤는 고려의 「천산대렵도」에 대한 설명이다.

17 조선 전기에는 양반 중심의 문화가 발달하였다. 그림은 주로 도화서의 화원과 양반 계층의 문인들이 그렸다. ①은 조선 전기에 강희안이 그린 「고사관수도」로, 선비의 여유로운 모습을 나타낸 그림이다.

| 바로 알기 | ②는 고려 후기의 불화로, 혜허의 「양류관음도」이다. ③은 고려청자 중 청자 상감 운학문 매병, ④는 발해 삼채, ⑤는 고려의 팔만대장경판이다.

서술형 문제

18 (1) 훈민정음

(2) | 예시 답안 | 훈민정음의 창제로 우리 민족은 민족 고유의 문자를 갖게 되었고, 백성은 누구나 쉽게 자신의 생각과 감정을 글로 표현할 수 있게 되었으며, 국가는 백성에게 국가 통치 이념을 쉽게 전달(정책 홍보, 백성 교화를)할 수 있게 되었고, 민족 문화 발전의 토대가 마련되었다.

구분	채점 기준
상	민족 고유의 문자 소유, 백성이 우리말을 쉽게 표기, 국가의 통치 이념 전달(정책 홍보, 백성 교화), 민족 문화 발전 중 세 가지 이상을 포함하여 서술한 경우
중	민족 고유의 문자 소유, 백성이 우리말을 쉽게 표기, 국가의 통치 이념 전달(정책 홍보, 백성 교화), 민족 문화 발전 중 두 가지를 서술한 경우
하	민족 고유의 문자 소유, 백성이 우리말을 쉽게 표기, 국가의 통치 이념 전달(정책 홍보, 백성 교화), 민족 문화 발전 중 한 가지만 서술한 경우

19 | 예시 답안 | 신랑이 신부 집에서 혼례를 올리고 신부를 신랑 집에 데려가 생활하기도 하였으며, 부모가 죽으면 매장하고 3년상을 치렀고, 집 안에 사당(가묘)을 세워 제사를 지냈다.

구분	채점 기준
상	양반들의 관례, 혼례, 상례, 제례의 변화 중 세 가지를 모두 옳게 서술한 경우
중	양반들의 관례, 혼례, 상례, 제례의 변화 중 두 가지를 옳게 서술한 경우
하	양반들의 관례, 혼례, 상례, 제례의 변화 중 한 가지만 옳게 서술한 경우

20 | 예시 답안 | 태조 때에는 천문도인 천상열차분야지도를 돌에 새겼다. 세종 때에는 혼천의와 간의 등 천문 관측 기구를 만들어 천체를 관측하고, 역법서인 칠정산을 편찬하였다. 자격루와 앙부일구를 만들어 시간을 측정하였고 측우기를 제작하여 강우량을 측정하였다.

구분	채점 기준
상	천문도 제작, 천체 관측, 역법서 편찬, 시간 측정, 강우량 측정 중 세 가지 이상을 관련 기구명을 포함하여 옳게 서술한 경우
중	천문도 제작, 천체 관측, 역법서 편찬, 시간 측정, 강우량 측정 중 두 가지를 관련 기구명을 포함하여 옳게 서술한 경우
하	천문도 제작, 천체 관측, 역법서 편찬, 시간 측정, 강우량 측정 중 한 가지만 관련 기구명을 포함하여 옳게 서술한 경우

04 왜란·호란의 발발과 영향

개념 확인하기   p. 21

1 (1) ○ (2) ○ (3) ○ (4) × (5) ×   **2** (1) 에도 (2) 통신사
3 ㄴ, ㄹ   **4** (1) – ㉠ (2) – ㉣ (3) – ㉢ (4) – ㉡   **5** (1) 군
신 (2) 청 (3) 북벌론

족집게 문제   p. 22~23

1 ③   **2** ④   **3** ②   **4** ②   **5** 노량   **6** ③   **7** ④   **8** ⑤   **9** ②
10 ② [서술형 문제 11~12] 해설 참조

1 16세기 중반 이후 조선은 붕당이 출현하면서 양반 사회의 분열로 정치가 혼란하였고, 군역 제도의 문란 등으로 국방력이 크게 약해져 있었다.

2 지도에 나타난 전쟁은 왜란(임진왜란과 정유재란)이다. 조총으로 무장한 일본군의 급작스러운 침입에 조선의 관군은 연이어 패하였으나, 이순신이 이끄는 수군과 유생 등이 조직한 의병의 활약, 명군의 지원으로 전세가 역전되었다. 한편, 이 전쟁 중에 불국사, 궁궐, 사고 등이 불탔다.
| 바로 알기 | ④ 주화론과 척화론의 대립은 병자호란 때 있었던 사실이다.

3 왜란으로 조선은 전국의 토지가 황폐해져 백성의 생활과 국가 재정이 어려워졌고, 많은 사람이 죽거나 일본에 끌려갔다. 일본은 포로로 끌고 간 조선의 성리학자, 활자 인쇄공, 도자기 기술자 등을 통해 문화 발전의 계기를 마련하였다. 일본에서는 정권이 바뀌어 도쿠가와 이에야스가 에도 막부를 열었다. 조선에 지원군을 보냈던 명은 전쟁의 영향으로 국력이 약해졌고, 이러한 틈을 타 만주에서는 여진이 성장하여 후금을 세웠다.
| 바로 알기 | ② 조선에서 붕당은 임진왜란 이전에 출현하였다.

4 임진왜란의 주요 전개 과정은 일본군의 침략 → 충주 방어선 붕괴 → ③ 선조의 의주 피란 → 의병과 수군의 활약 시작 → ① 명군의 참전 → 평양성 탈환 → ② 권율의 행주 대첩 → 정유재란 → ④ 이순신의 명량 해전 → ⑤ 도요토미 히데요시 사망 → 이순신의 노량 해전이다.

5 명과의 휴전 협상이 결렬되자 일본은 다시 조선을 침략하였다. 하지만 이순신이 명량 해전을 승리로 이끄는 등 조선군이 잘 막아 내고 있었다. 이에 따라 도요토미 히데요시가 죽자 일본군이 조선에서 철수하기 시작하였는데, 이순신이 퇴각하는 일본군을 노량에서 무찌르면서 왜란은 끝이 났다.

6 제시된 그림은 「양수투항도」로, 밑줄 친 '항복'은 강홍립 등이 이끄는 군대가 후금에 항복하는 것을 가리킨다. 후금이 명을 공격하자 명은 조선에 군사 지원을 요청하였고, 광해군은 강홍립을 파견하면서 후금과의 관계가 악화되지 않도록 강홍립에게 상황에 따라 적절하게 대처하라고 지시하였다. 광해군은 후금과 명 사이에서 중립 외교를 펼쳐 후금과의 전쟁을 피하였다.

7 밑줄 친 '왕'은 광해군이다. 광해군은 북인과 함께 왜란의 피해를 복구하는 데 힘썼다. 후금과 명 사이에서 중립 외교를 펼쳐 후금과의 전쟁을 피하였다. 하지만 광해군의 중립 외교는 서인들의 반발을 불러일으켰다. 광해군이 영창 대군을 죽이고 그 어머니인 인목 대비도 폐위하자 서인은 이에 대해 유교 윤리에 어긋난다고 비판하였고, 이를 구실로 인조반정을 일으켰다.
| 바로 알기 | ①은 중종, ②는 인조, ③은 세조, ⑤는 효종에 대한 설명이다.

8 밑줄 친 '침략'은 정묘호란이다. 인조와 서인 정권은 후금을 배척하고 명을 가까이하는 친명배금 정책을 펼쳤다. 당시 명과의 경제 교류가 막힌 후금은 물자 부족을 해결하고 평안도에 명의 군대가 주둔하자 배후를 안정시키기 위해 친명배금 정책을 편 조선을 침략하였는데 이것이 정묘호란이다.

9 제시된 주장은 윤집의 척화론이다. 후금이 나라 이름을 청으로 바꾸고, 스스로 황제를 칭하며 조선에 군신 관계를 요구하였다. 이에 조선 조정에서는 청과 맞서 싸워야 한다는 척화론과 외교적으로 해결하자는 주화론의 대립이 일어났다.

10 (가) 광해군의 중립 외교 → (다) 인조반정 → 인조의 친명배금 정책 → 후금의 침략(정묘호란) → (나) 후금과 형제 관계 체결 → 후금이 나라 이름을 청으로 바꾸고 조선 침략(병자호란) → (라) 인조가 삼전도에서 항복(청과 군신 관계 체결) 순으로 전개되었다.

11 | 예시 답안 | 왜란으로 조선은 전국의 토지가 황폐해져 백성의 생활과 국가 재정이 어려워졌으며, 많은 사람이 죽거나 일본에 끌려가 인구가 줄었고, 신분 질서도 흔들렸다.(궁궐과 사고 등이 불탔으며, 도자기, 서적 등 많은 문화재를 일본에 약탈당하였다. 조선에 투항한 일본인들이 철포와 탄약 제조 기술 등을 전하였고, 일본에서 고추, 담배 등 새로운 작물이 전래되었다.)

구분	채점 기준
상	왜란이 조선에 끼친 영향을 세 가지 모두 옳게 쓴 경우
중	왜란이 조선에 끼친 영향을 두 가지만 옳게 쓴 경우
하	왜란이 조선에 끼친 영향을 한 가지만 옳게 쓴 경우

12 | 예시 답안 | 광해군은 강성해진 후금과 쇠퇴한 명 사이에서 중립 외교를 펼쳐 후금과의 충돌을 피하는 실리를 얻었다.

구분	채점 기준
상	후금과 명 사이에서의 중립 외교라는 내용과 후금과의 충돌을 피하는 결과를 모두 서술한 경우
하	후금과 명 사이에서의 중립 외교라는 내용과 후금과의 충돌을 피하는 결과 중 한 가지만 서술한 경우

Ⅴ 조선 사회의 변동

01 조선 후기의 정치 변동

개념 확인하기   p. 26

1 (1) 강화 (2) 환국 (3) 이조 전랑 (4) 세도   2 (1) – ㉠ (2) – ㉡
(3) – ㉢   3 (1) ㄱ (2) ㄷ (3) ㄴ   4 (가) – (라) – (다) – (나)
5 ㄱ, ㄹ

족집게 문제   p. 26 ~ 29

1 비변사   2 ⑤   3 ⑤   4 ④   5 ⑤   6 ⑤   7 ①   8 ⑤
9 ③   10 ③   11 ②   12 ④   13 ③   14 ①   15 ①   16 ③
17 ③   18 ④   [서술형 문제 19~21] 해설 참조

1 조선의 국정 총괄 기구인 의정부와 6조를 유명무실하게 한 기구로, 이름이 변방의 방비를 담당하는 것이었던 정치 기구는 비변사이다.

2 비변사는 처음에는 국방 문제를 처리하기 위한 임시 회의 기구로 설치되었다. 이후 상설 기구가 되었고, 왜란과 호란을 거치면서 내정, 인사, 재정, 외교 등 국정 전반을 총괄하는 최고 기구로 발전하였다.
| 바로 알기 | ㄱ은 정조 때 설치한 장용영에 대한 설명이다. ㄴ. 비변사는 중종 때 처음으로 여진과 왜구의 침입에 대비하기 위한 임시 회의 기구로 설치되었다.

3 임진왜란 중에 조선은 총을 다루는 포수, 활을 쏘는 사수, 창과 칼을 쓰는 살수의 삼수병으로 구성된 훈련도감을 설치하였다. 삼수병은 일정한 급료를 받는 직업 군인이었다.

4 임진왜란 중에 정부는 왜군에 맞서고자 훈련도감을 설치하였다. 이후 한성과 그 외곽을 방어하는 어영청, 총융청, 수어청, 금위영을 마련하면서 조선 후기에 중앙군은 (가) 5군영 체제를 갖추었다. 조선 후기에 지방군으로는 양반부터 노비까지 포함하여 (나) 속오군을 편성하였다. 속오군은 평상시에는 생업에 종사하다가 유사시에는 전투에 참여하였다.
| 바로 알기 | 2군은 고려의 중앙군, 주현군과 주진군은 고려의 지방군이다. 5위는 조선 전기의 중앙군이다.

5 제시된 지도는 대동법의 확대 과정을 나타내고 있다. 따라서 (가)에 들어갈 조세 제도는 대동법이다. 대동법은 집집마다 토산물을 부과하던 공납을 토산물 대신에 토지 결수를 기준으로 쌀이나 옷감, 동전 등으로 내게 한 제도이다.
| 바로 알기 | ①은 군역 제도, ②는 세종 때 마련된 전세 제도, ③은 영조 때 마련된 균역법, ④는 인조 때 마련된 영정법에 대한 설명이다.

6 토산물 대신에 쌀이나 옷감, 동전을 거두는 대동법의 실시로 국가에 필요한 물품을 대량으로 구입해 조달하는 공인이 등장하였다. 이 결과 상품의 수요가 증가하면서 상품 화폐 경제가 발전하였다.

7 조선은 양 난 이후 국가 재정을 확보하고 농민 부담을 덜어 주기 위해 조세 제도를 개편하였다. 직접 군대에 복무하는 대신에 군포를 1년에 2필씩 내던 군역을 개편하여 군포를 1필로 줄이는 균역법을 실시하였다. 한편, 줄어든 군포 수입을 보충하기 위해 지주에게 결작미를 거두었고, 일부 부유한 상민에게 선무군관이라는 직책을 주고 매년 군포 1필을 내게 하였다.

8 왜란과 호란을 거치면서 조선의 정치 운영과 군사 제도가 달라졌다. 중앙 정치에서는 국방 문제에 대처하던 임시 회의 기구였던 비변사가 국가의 모든 정책을 결정하는 최고 통치 기구가 되었다. 군사 제도에서 중앙군은 훈련도감을 비롯한 5군영 체제를 갖추었고, 지방군은 속오군을 양반부터 노비까지 편성하였다. 농민의 부담을 덜어주고 국가 재정을 확보하기 위해 조세 제도를 개편하여 영정법, 대동법, 균역법을 실시하였다.
| 바로 알기 | ⑤는 양 난 이전의 일로, 현량과를 실시하여 사림을 등용한 사람은 중종 때의 조광조이다.

9 제시된 그림은 1차 예송을 나타내고 있다. 현종 시기에 효종이 죽었을 때와 효종비가 죽었을 때 두 차례에 걸쳐 인조의 계비이자 효종의 계모인 자의 대비가 얼마 동안 상복을 입어야 하는가를 둘러싸고 예송이 벌어졌다. 1차 예송에서는 서인의 주장이 받아들여졌지만, 2차 예송에서는 남인의 주장이 받아들여졌다. 예송은 둘째 아들로서 왕위에 오른 효종의 정통성 문제와 연관되어 치열하게 전개되었다.
| 바로 알기 | ③은 숙종 때 환국을 거치면서 발생하였다. 권력을 장악한 서인이 남인을 처리하는 문제를 두고 강경파와 온건파로 나뉘어 대립하면서 노론과 소론으로 나뉘었다.

10 붕당 정치는 숙종이 집권 붕당을 급격히 교체하는 환국을 여러 차례 실시하면서 변질되었다. 서인과 남인은 번갈아 집권할 때마다 상대 붕당을 몰아내고 보복하였다. 이 과정에서 서인은 남인을 처리하는 문제를 두고 노론과 소론으로 나뉘었다.

11 붕당 정치는 선조 때 서인과 동인의 붕당 형성 → (가) 광해군 때 북인 집권 → (나) 인조반정으로 서인 집권 → (라) 현종 때 예송으로 정국 주도 붕당 교체 → (다) 숙종 때 환국으로 상대 붕당 축출 → 남인 몰락, 서인이 노론과 소론으로 분열 순으로 전개되었다.

12 자료에는 붕당 정치의 폐단 문제가 나타나 있다. 영조는 이 문제를 해결하기 위해 탕평책을 시행하였다. 영조는 탕평의 취지를 따르는 노론과 소론의 온건파를 중심으로 인재를 등용하였다. 붕당의 근거지인 서원을 대폭 정리하고, 붕당 간 갈등을 심화시키는 이조 전랑의 인사 권한을 약화시켰다.

13 조선의 21대 왕으로 재위 기간이 50년이 넘었던 왕은 영조이다. 그는 탕평책을 실시하였고, 『속대전』, 『동국문헌비고』를 편찬하여 문물제도를 정비하였다.

14 제시된 비석은 영조가 탕평 의지를 알리기 위해 성균관 앞에 세운 탕평비이다. 영조는 탕평책을 시행하여 왕의 정치적 영향력을 확대하였고, 백성의 생활을 안정시키기 위한 개혁 중 하나로 균역법을 실시하여 백성의 군역 부담을 줄여 주었다.
| 바로 알기 | ②는 정조, ③은 성종, ④, ⑤는 세종의 업적이다.

15 정조는 왕실 도서관으로 규장각을 설치하였다가 자신의 정책을 뒷받침하는 정책 자문 기구로 삼았다. 초계 문신제를 실시하여 개혁 정치를 뒷받침할 젊고 유능한 관리들을 길러 냈고, 서얼 출신을 검서관으로 등용하였다.

16 제시된 문화유산은 수원 화성의 일부이다. 정조는 아버지 사도 세자의 묘를 수원으로 옮기고, 이곳에 자신의 정치적 이상을 실현할 상징적 도시로 화성을 세웠다. 정조는 민생 안정에도 힘써 시전 상인의 특권을 축소하여 자유로운 상업 활동을 보장하였다.
| 바로 알기 | ①은 영조, ②는 숙종, ④는 중종, ⑤는 광해군에 대한 설명이다.

17 밑줄 친 '이 시기'는 세도 정치기이다. 세도 정치기에는 안동 김씨, 풍양 조씨 등 세도 가문이 비변사를 장악하여 권력을 휘둘렀다. 정치 기강이 해이해져 과거제의 문란이 극심해졌으며, 관직을 사고파는 일도 공공연히 일어났다. 부패한 관리들이 규정 이상의 세금을 거두면서 삼정이 문란해져 백성의 고통이 커졌다.
| 바로 알기 | ③ 예송은 현종 때 있었다. 서인의 주장이 채택된 때에는 서인이 정국을 주도하였고, 남인의 주장이 채택된 때에는 남인이 정국을 주도하였다.

18 암행어사는 국왕의 특명을 받고 비밀리에 파견된 관리로, 수령의 비리와 백성의 어려움을 탐문해 왕에게 보고하였다. 세도 정치기에 부패한 관리들이 백성을 수탈하자 정부는 암행어사를 파견하였다. 하지만 당시 암행어사의 파견은 큰 효과를 거두지는 못하였다.

서술형 문제

19 | 예시 답안 | 비변사가 최고 통치 기구가 되면서 의정부와 6조의 기능이 축소되고, 왕권이 약해졌다.

구분	채점 기준
상	의정부의 기능 축소, 6조의 기능 축소, 왕권 약화라는 내용을 모두 서술한 경우
중	의정부의 기능 축소, 6조의 기능 축소, 왕권 약화라는 내용 중 두 가지만 서술한 경우
하	의정부의 기능 축소, 6조의 기능 축소, 왕권 약화라는 내용 중 한 가지만 서술한 경우

20 (1) 영조
(2) **| 예시 답안 |** 가혹한 형벌을 금지하였고, 균역법을 실시해 백성의 군역 부담을 줄여주었으며, 신문고 제도를 부활하였다. (청계천을 정비하였다. 등)

구분	채점 기준
상	영조의 민생 안정을 위한 개혁 세 가지를 모두 옳게 서술한 경우
중	영조의 민생 안정을 위한 개혁 중 두 가지만 옳게 서술한 경우
하	영조의 민생 안정을 위한 개혁 중 한 가지만 옳게 서술한 경우

21 | 예시 답안 | 세도 가문의 부정과 비리로 과거제가 문란해지고 관직을 사고파는 일도 공공연히 일어나는 등 정치 기강이 해이해졌다. 부패한 관리들이 백성을 수탈하여 삼정이 문란해졌다.

구분	채점 기준
상	과거제 문란, 매관매직 성행, 삼정의 문란 중 세 가지를 서술한 경우
중	과거제 문란, 매관매직 성행, 삼정의 문란 중 두 가지만 서술한 경우
하	과거제 문란, 매관매직 성행, 삼정의 문란 중 한 가지만 서술한 경우

02 사회 변화와 농민의 봉기

개념 확인하기   p. 31

1 (1) ○ (2) ○ (3) × (4) ○   **2** (1) − ㉢ (2) − ㉠ (3) − ㉡
3 (1) ㄴ (2) ㄱ (3) ㄷ   **4** ㄱ, ㄴ   **5** (1) 세도 (2) 홍경래
(3) 임술 농민 봉기

족집게 문제   p. 32~33

1 ①   **2** ⑤   **3** ①   **4** ②   **5** ④   **6** ①   **7** ①   **8** ③
[서술형 문제 9~11] 해설 참조

1 밑줄 친 '이 농법'은 모내기법이다. 모내기법의 적용으로 잡초 제거에 드는 노동력이 감소하였고, 생산량이 늘어났으며, 쌀과 보리의 이모작도 가능해졌다.
| 바로 알기 | ㄷ. 모내기법의 확산으로 일부 농민은 경작지를 확대하여 부농으로 성장하였지만, 일부 농민은 소작지마저 얻지 못해 머슴이 되거나 도시나 광산에서 품삯을 받고 생계를 이었다. ㄹ. 모내기법의 보급으로 잡초를 제거하는 일손을 덜게 되었다.

2 지도는 조선 후기 상업 활동과 대외 무역을 나타낸 것이다. 조선 후기에는 사상의 자유로운 활동이 허용되었고, 전국에 장시가 들어섰으며, 포구에서 상업이 활발하였다. 청, 일본과의 무역이 활기를 띠면서 송상, 내상 등이 대상인으로 성장하였다.
| 바로 알기 | ⑤ 조선 후기에는 관영 수공업이 쇠퇴하고 민영 수공업이 발달하여 장인들이 자유롭게 물건을 만들어 장시에 내다 팔았다.

3 제시된 문서는 공명첩이다. 공명첩은 정부가 재정을 보충하기 위해 돈이나 곡식 등을 받고 발행한 관직 임명장으로 이름을 쓰는 부분이 비어 있다. 부유한 농민이나 상인들이 공명첩을 사들여 양반 신분을 얻은 결과 양반의 수가 늘었다.

4 제시된 자료는 조선 후기에 양반의 권위가 떨어진 것을 보여 주는 것이다. 조선 후기에는 붕당 정치가 변질되어 소수 양반만 권력을 장악하였다. 그 결과 많은 양반들이 향촌에서 겨우 위세를 유지(향반)하거나 일반 농민과 다를 바 없는 처지로 몰락(잔반)하였다. 부유한 농민이나 상인들은 호적을 고치거나 족보를 위조하여 양반으로 행세하였다. 기술직 중인은 전문적인 능력과 경제력을 바탕으로 신분 상승을 추구하였다. 상민 수가 줄어들자 정부는 일부 공노비를 양인으로 해방하였다.
| 바로 알기 | ② 조선 전기에 훈구 세력을 견제하려 한 성종이 김종직 등을 비롯한 영남 사림을 처음으로 관직에 등용하였다.

5 세도 정치기에는 사회 불안이 계속되면서 예언서인 『정감록』이 널리 읽혔고, 미륵이 나타나 민중을 구제한다는 미륵 신앙과 무당의 굿으로 복을 비는 무속 신앙이 유행하였다. 17세기에 소개된 천주교는 평등사상과 내세 사상에 많은 사람들이 호응하여 교세가 커졌다. 19세기에 경주의 몰락 양반 최제우는 천주교(서학)에 맞서 동학을 창시하였다.
| 바로 알기 | ④ 사람이 곧 하늘이라는 인내천을 중심으로 평등사상을 강조한 종교는 ㉢ 동학이다.

6 (가)는 천주교이다. 천주교는 17세기에 중국을 다녀온 사신들을 통해 국내에 들어왔다. 처음에는 학문으로 연구되었다가 18세기 후반에 남인 계열의 학자들에 의해 신앙으로 받아들여졌다. 정부는 제사를 거부한 천주교를 금지하였지만 많은 사람들이 평등사상과 내세 사상에 호응하면서 교세가 커졌다.
| 바로 알기 | ㄷ, ㄹ은 동학에 대한 설명이다.

7 제시된 자료는 홍경래가 발표한 격문이다. 홍경래는 세도 정권의 수탈과 평안도 지역 주민에 대한 차별에 맞서 세도 정권을 무너뜨리기 위해 봉기를 일으켰다. 홍경래의 난에는 농민, 광산 노동자, 품팔이꾼 등 다양한 사람들이 참여하였다. 봉기군은 한때 청천강 이북 대부분의 지역을 장악하였으나, 정주성에서 진압되었다.
| 바로 알기 | ① 유계춘은 진주 농민 봉기를 주도하였다.

8 삼정의 문란으로 농민의 불만이 고조되어 임술 농민 봉기가 일어나자 조선 정부는 농민 봉기를 수습하고 백성을 안정시키기 위해 관리를 보냈다. 그리고 삼정의 문란을 바로 잡기 위해 삼정이정청을 설치하였다. 하지만 큰 성과를 거두지는 못하였다.

서술형 문제

9 **| 예시 답안 |** 모내기(이앙). 모내기법으로 잡초를 제거하는 노동력이 줄었고, 농업 생산량이 늘었으며, 쌀과 보리의 이모작이 가능해졌다.

구분	채점 기준
상	모내기(이앙)를 쓰고, 노동력 절감, 농업 생산량 증가, 쌀과 보리의 이모작 가능을 모두 서술한 경우
중	모내기(이앙)를 쓰고, 노동력 절감, 농업 생산량 증가, 쌀과 보리의 이모작 가능 중 두 가지만 서술한 경우
하	모내기(이앙)만 쓰거나 노동력 절감, 농업 생산량 증가, 쌀과 보리의 이모작 가능 중 한 가지만 서술한 경우

10 **| 예시 답안 |** 세도 정치로 정치 기강이 문란해져 관리가 백성을 수탈하여 삼정이 문란해졌다. 이에 농민은 적극적인 저항으로, 농민 봉기를 일으켰는데 1862년(임술년)에 농민 봉기가 전국적으로 일어난 임술 농민 봉기가 대표적이다.

구분	채점 기준
상	세도 정치, 관리의 백성 수탈을 배경으로, 대표적인 농민 봉기로 임술 농민 봉기(홍경래의 난, 진주 농민 봉기)를 서술한 경우
중	세도 정치, 관리의 백성 수탈의 배경만 서술한 경우
하	대표적인 농민 봉기로 임술 농민 봉기(홍경래의 난, 진주 농민 봉기)만 서술한 경우

11 **| 예시 답안 |** 삼정의 문란을 근본적으로 해결하지는 못하였지만 농민의 사회의식이 성장하는 계기가 되었다.

구분	채점 기준
상	삼정의 문란을 근본적으로 해결하지 못한 한계와 농민의 사회의식 성장이라는 의의를 모두 서술한 경우
하	삼정의 문란을 근본적으로 해결하지 못한 한계와 농민의 사회의식 성장이라는 의의 중 한 가지만 서술한 경우

03 학문과 예술의 새로운 경향 ~
04 생활과 문화의 새로운 양상

개념 확인하기 p. 36

1 (1) 통신사 (2) 시헌력 (3) 곤여만국전도 **2** (1) – ㉠ (2) – ㉢
(3) – ㉡ (4) – ㉣ **3** ㄱ, ㄴ, ㄹ, ㅂ **4** (1) ㄴ (2) ㄱ (3) ㄷ
5 (1) ○ (2) × (3) ○ (4) ○

족집게 문제 p. 36 ~ 39

1 ③ **2** ④ **3** 마테오 리치 **4** ① **5** ⑤ **6** ③ **7** ① **8** ⑤
9 ⑤ **10** ④ **11** ⑤ **12** ② **13** ③ **14** ③ **15** ③ **16** ③
17 ⑤ **18** ③ [서술형 문제 19~21] 해설 참조

1 제시된 설명은 연행사에 관한 것이다. 연행사는 청에 조공을 바치고 청으로부터 답례품을 받아 왔다. 또 연행사에 참여한 일부 학자는 청의 학자들과 학문을 교류하였고 청에 온 서양 선교사들을 만나 서양 문물을 접하기도 하였다.
| 바로 알기 | ㄱ은 북벌론으로, 병자호란 직후 조선에서 나온 주장이다. ㄹ은 일본에 파견된 통신사의 활동이다. 통신사 일행은 귀국하면서 일본의 서적과 고구마 등 외래 작물을 국내에 들여왔다.

2 (가)에 들어갈 외교 사절단은 통신사이다. 임진왜란 이후 단절된 조선과 일본의 외교 관계는 에도 막부의 요청으로 회복되었다. 에도 막부는 쇼군이 바뀔 때마다 그 권위를 인정받고자 조선에 통신사 파견을 요청하였다. 통신사는 국서와 함께 인삼, 비단 등을 선물로 가져갔고, 일본으로부터 은, 무기 등을 답례로 받아 왔다. 통신사 일행에 포함된 학자, 의원, 화원, 악대 등은 조선의 성리학, 의학, 그림 등을 일본에 전해 주었다.
| 바로 알기 | ④ 서양 선교사와 만나 천주교를 조선에 들여온 사절단은 중국에 간 사신들이다.

3 제시된 지도는 「곤여만국전도」이다. 「곤여만국전도」는 이탈리아 출신의 예수회 선교사 마테오 리치가 제작한 세계 지도로, 조선에 전해지면서 당시 조선 지식인들이 중국 중심 세계관에서 벗어나는 데 기여하였다.

4 조선은 17세기 초부터 중국에서 서양 문물을 받아들였는데, 이것은 조선의 과학 기술 발달에 영향을 주었다. 김육 등은 청에서 사용되던 서양 역법인 시헌력을 도입하였고, 홍대용은 서양 과학을 참고해 지구가 자전한다는 사실을 설명하였다.
| 바로 알기 | ㄷ, ㄹ. 앙부일구는 15세기 중반 세종 때 처음 만들어졌고, 「칠정산」도 세종 때 편찬되었다.

5 (가)에 들어갈 학문은 실학이다. 양 난 이후 사회·경제적 변화가 나타나면서 여러 사회 문제가 발생하였다. 이에 실증적인 방법으로 학문을 연구하고, 그 결과를 실생활에 활용하여 현실 문제를 해결하려는 실학이 등장하였다. 실학은 크게 농업 중심의 개혁론과 상공업 중심의 개혁론으로 발전하였다.
| 바로 알기 | ①, ④는 동학에 대한 설명이고, ②, ③은 서학, 즉 천주교에 대한 설명이다.

6 신분에 따른 토지 차등 분배를 주장한 실학자는 유형원, 생계에 필요한 최소한의 토지는 판매를 제한하여 자영농을 보호하자고 주장한 실학자는 이익, 마을 단위로 토지를 공동 소유·경작한 후 생산물을 분배하자고 한 실학자는 정약용이다. 농민 생활과 농촌 문제에 관심을 둔 유형원, 이익, 정약용은 토지 제도를 개혁하여 농촌 사회를 안정시켜야 한다고 주장하였다.

7 『북학의』를 쓰고, 소비를 통해 생산을 늘려야 한다고 주장한 실학자는 박제가이다. 『북학의』는 박제가가 연행사의 일행으로 연경에 가서 청의 풍속과 제도를 보고 깨달은 내용을 담은 책이다. 박제가는 청과의 교역을 확대하고 상공업을 진흥시켜야 한다고 주장한 북학파 실학자 중 한 명이다.
| 바로 알기 | ② 박지원은 수레와 선박, 화폐의 사용을 강조하였다. ③ 유수원은 직업적 평등을 주장하였다. ④ 유형원은 신분에 따른 토지의 차등 분배를 주장하였다. ⑤ 홍대용은 기술의 혁신과 문벌 제도의 폐지를 주장하였다.

8 실학자들이 우리의 전통과 현실에 관심을 가지고 역사, 지리, 언어 등을 연구하면서 국학이 발달하였다. 이 결과 역사에서는 『동사강목』, 『발해고』, 지리에서는 『택리지』, 한글 연구서로 『훈민정음운해』 등의 서적이 편찬되었다.

9 제시된 지도는 「대동여지도」이다. 「대동여지도」는 김정호가 제작하였는데 산맥, 하천, 포구, 도로망 등을 정밀하게 표시하였다. 특히 10리마다 점을 찍어 거리를 정확하게 알 수 있었다. 22첩을 접으면 책 한 권 크기로 줄어들어 가지고 다닐 수 있었다.
| 바로 알기 | ①, ③은 「동국지도」, ②는 「곤여만국전도」 등, ④는 「혼일강리역대국도지도」에 대한 설명이다.

10 북학파 실학자 박지원은 「양반전」, 「허생전」 등의 한문 소설에서 양반 계층의 위선과 무능을 풍자하였다.
| 바로 알기 | ①은 정약용의 한시 등, ②는 『열하일기』 등, ③은 『홍길동전』, ⑤는 『춘향전』에 대한 설명이다.

11 제시된 그림은 정선이 그린 「인왕제색도」이다. 정선은 우리의 산천을 직접 보고 사실적으로 그리는 진경 산수화를 개척하였다. 그의 작품으로 「금강전도」와 「인왕제색도」가 있다.
| 바로 알기 | ①은 이름 없는 화가들이 그린 그림, ②는 아미타불도, 관음보살도 등 불교와 관련된 그림, ③은 당시 사람들의 생활 모습을 생동감 있게 표현한 그림, ④는 매화, 난초, 국화, 대나무 등 선비들이 숭상하는 사군자를 그린 그림이다.

12 밑줄 친 '이 시기'는 조선 후기이다. 조선 후기에 양반 지주와 부유한 상인의 지원으로 보은 법주사 팔상전을 포함하여 구례 화엄사 각황전, 김제 금산사 미륵전과 같은 대규모 불교 건축물이 많이 지어졌다.
| 바로 알기 | ②는 조선 전기에 볼 수 있는 모습이다. 훈구 세력은 주로 세조가 왕이 될 때 공을 세워 집권한 정치 세력을 가리킨다. 성종이 훈구 세력을 견제하기 위해 사림을 등용한 후 훈구와 사림의 대립으로 사화가 일어났다.

13 (가)는 김홍도가 그린 「벼타작」으로 풍속화이다. (나)는 민화 중 하나인 「까치호랑이」이다. 김홍도는 농촌 서민의 일상생활을 익살스럽게 표현하여 「벼타작」, 「씨름」, 「서당」 등의 작품을 남겼다. 민화는 주로 이름이 알려지지 않은 화가들이 그렸고, 동식물,

문자 등을 소재로 삼았다. 복과 장수 등을 바라는 서민의 정서가 담긴 작품들이 많았으며, 생활 공간을 장식하는 데 이용되었다.
| **바로 알기** | ⑤ 진경 산수화의 대표적인 작품에는 정선의 「인왕제색도」, 「금강전도」가 있다.

14 제시된 문화유산은 청화 백자이다. 청화 백자는 흰 바탕에 푸른 색깔로 꽃, 새, 산수 등의 무늬를 넣은 자기로, 조선 후기에 문방구, 생활용품 등의 용도로 많이 제작되었다.
| **바로 알기** | ①, ②는 분청사기, ④는 상감 청자, ⑤는 일본의 아리타 자기에 대한 설명이다.

15 조선 후기에는 향촌 사회에 성리학적 생활 규범이 정착되면서 생활 전반에 변화가 나타났다. 남녀유별을 강조하면서 양반 여성은 안채에서 따로 거주하였다. 부계 중심 가족 제도가 강화되면서 제사는 큰아들이 지내야 한다는 인식이 확산되었고, 재산 상속에서도 큰아들이 우대를 받았다. 아들이 없는 경우 같은 성을 쓰는 친족 중에서 양자를 들이는 일이 흔해졌다.
| **바로 알기** | ③ 조선 후기에 혼례 후 신부가 곧바로 남자 집에서 생활하는 풍습이 정착되면서 부계 친족 집단이 형성되었다.

16 조선 후기에는 향촌에서 양반의 지배력과 권위가 점차 약해졌다. 이에 양반들은 동족 마을을 형성하고, 문중의 결속을 다져 세력을 유지하려 하였다. 이를 위해 사우나 서원을 세웠고, 족보를 활발히 간행하였다.
| **바로 알기** | ⑤ 향약은 중종 때 사림 세력이 보급하기 시작하였다.

17 조선 후기에 허균이 지은 한글 소설인 (가) 홍길동전은 서얼 차별 철폐와 이상 사회의 건설 등을 담아 당시 사회를 비판하였다. 남녀 간의 사랑 이야기를 다룬 한글 소설인 (나) 춘향전은 기생을 주인공으로 내세워 신분 차별의 부당함을 주장하고, 양반의 횡포에 맞서는 백성의 저항 의식을 보여 주었다.

18 소리꾼이 북 장단에 맞추어 노래와 말로 이야기를 풀어가는 공연은 판소리이다. 청중도 추임새를 넣으면서 공연에 참여할 수 있었고, 서민뿐만 아니라 양반에게도 인기가 있었다.

서술형 문제

19 | **예시 답안** | 조선 후기에 곤여만국전도가 중국으로부터 조선에 전해져 당시 조선인들의 세계관 확대에 이바지하였다.

구분	채점 기준
상	곤여만국전도, 세계관 확대(중국 중심 세계관 탈피)에 기여를 서술한 경우
중	세계관 확대(중국 중심 세계관 탈피)에 기여만 서술한 경우
하	곤여만국전도라는 지도 이름만 쓴 경우

20 | **예시 답안** | 유형원은 신분에 따라 토지를 차등 지급하되, 농민에게 일정한 면적의 토지를 지급하자고 하였다. 이익은 농가마다 생계에 필요한 최소한의 토지를 영업전으로 정하여 매매를 금지하자고 하였다. 정약용은 마을에서 공동으로 토지를 소유하고 경작한 뒤 일한 날짜에 따라 생산물을 분배하자고 하였다.

구분	채점 기준
상	유형원의 균전론, 이익의 한전론, 정약용의 여전론을 모두 옳게 서술한 경우
중	유형원의 균전론, 이익의 한전론, 정약용의 여전론 중 두 가지만 옳게 서술한 경우
하	유형원의 균전론, 이익의 한전론, 정약용의 여전론 중 한 가지만 옳게 서술한 경우

21 (1) 정선
(2) | **예시 답안** | 중국의 화풍을 모방하던 기존의 산수화에서 벗어나 우리 자연을 직접 보고 그대로 묘사하였다.

구분	채점 기준
상	중국의 화풍을 벗어난 것과 우리 자연을 그대로 묘사한 것을 모두 서술한 경우
하	우리 자연을 그대로 묘사한 것만 서술한 경우

VI 근·현대 사회의 전개

01 국민 국가의 수립(1)

개념 확인하기 p. 41

1 (1) ㄷ (2) ㄱ (3) ㄹ (4) ㄴ   2 집강소   3 군국기무처
4 (1) × (2) × (3) ○ (4) ○   5 독립문   6 (1) 신민회
(2) 을미개혁 (3) 강화도 조약

족집게 문제 p. 42~43

1 ⑤   2 ②   3 ⑤   4 ④   5 ④   6 ②   7 독립신문   8 ③
9 ①   10 ①   [서술형 문제 11~12] 해설 참조

1 자료는 병인양요와 신미양요를 설명하고 있다. 이 사건들이 발생할 무렵 고종은 어린 나이였기 때문에 아버지인 흥선 대원군이 실권을 장악하였다. 흥선 대원군은 통상 수교 거부 정책을 펼쳤는데, 통상을 요구하는 프랑스와 미국이 침입하여 병인양요와 신미양요가 발생하였다.

2 통상 수교 거부 정책을 펼쳤던 흥선 대원군은 병인양요, 신미양요를 겪으며 이를 더욱 확고히 하기 위해 전국에 척화비를 세웠다.

3 제시된 조약은 강화도 조약이다. 강화도 조약은 일본에 해안 측량권, 영사 재판권 등을 허용한 불평등 조약이었다.
| 바로 알기 | ① 을사늑약으로 대한 제국이 외교권을 박탈당하였다. ② 강화도 조약은 일본의 강요에 의해 체결되었다. ③ 임술 농민 봉기의 원인은 세도 정치 시기에 발생한 삼정의 문란과 탐관오리의 농민 수탈이다. ④ 위정척사파는 개항과 개화에 반대하였다. 즉, 일본에 개항하기로 한 강화도 조약 체결을 반대하였다.

4 자료는 갑신정변 당시 급진 개화파가 발표한 개혁 정강이다. 임오군란 이후 청의 내정 간섭이 심해져 개화 정책의 추진이 지연되자, 급진 개화파는 일본의 지원을 약속받고 정변을 일으켰다. 갑신정변은 자주적 근대 국가 수립을 위한 최초의 정치 개혁 운동이었으나, 청군의 개입으로 3일 만에 실패로 끝났다.
| 바로 알기 | ㄱ. 급진 개화파는 조정의 젊은 관료들이 중심이 되었다. 이들은 대부분 양반 명문가 출신이었다. ㄷ은 동학 농민 운동에 대한 설명이다.

5 지도는 동학 농민 운동의 전개 과정을 나타낸 것이다. 고부 농민 봉기, 황토현 전투, 전주 화약, 우금치 전투 등을 통해 파악할 수 있다.

6 밑줄 친 '개혁'은 갑오개혁이다. 군국기무처는 1차 갑오개혁 당시 출범하였다. 이 갑오개혁을 통해 신분제가 폐지되었다.
| 바로 알기 | ①은 흥선 대원군의 개혁 내용이다. ③은 정조의 개혁 내용이다. ④는 을미개혁의 내용이다. ⑤ 삼정이정청은 임술 농민 봉기로 인해 설치되었다.

7 서재필이 발간한 우리나라 최초의 민간 신문은 독립신문이다. 이후 서재필은 개화파 관료들과 함께 독립 협회를 창립하였다.

8 ⓒ '이 단체'는 독립 협회이다. 서재필이 개화파 관료와 함께 조직하고 독립문을 세운 단체는 독립 협회이다. 독립 협회는 토론회와 연설회를 통해 민중의 정치 의식을 향상시키고자 하였다. 또한 근대적 민중 집회인 만민 공동회를 열어 열강의 이권 침탈을 규탄하고 민중의 자유 민권 의식을 고취하였다.
| 바로 알기 | ① 임오군란은 구식 군대의 군인과 하층민들이 일으켰다. ② 신민회가 국권 회복을 목표로 비밀 결사로 조직되었다. ④는 급진 개화파에 대한 설명이다. ⑤는 전봉준이 이끄는 동학 농민군에 대한 설명이다.

9 대한 제국은 '옛 것을 근본으로 삼고, 새 것을 참고한다.'라는 원칙에 따라 점진적인 개혁을 추진하였는데 이 개혁은 대한 제국의 연호 '광무'를 붙여 광무개혁이라고 한다. 이때 국가 재정을 늘리기 위해 양전 사업을 실시하고 근대적 토지 소유 문서인 지계를 발급하였으며, 상공업 진흥 정책을 펼쳤다.

10 제시된 자료는 독도가 우리나라의 영토임을 보여 주는 역사적인 증거들이다. 독도는 지증왕 때 신라의 영토로 편입된 후 현재까지 우리나라가 영토 주권을 행사하고 있는 지역이다. 대한 제국은 칙령 제41호를 발표하여 독도를 울릉군이 관할하게 하였다.

서술형 문제

11 **| 예시 답안 |** 동학 농민 운동. 안으로는 사회 개혁을 추구한 반봉건 운동이었고, 밖으로는 외세의 침입을 막아 내려 한 반외세 운동이었다.

구분	채점 기준
상	동학 농민 운동을 쓰고, 동학 농민 운동의 대내적·대외적 성격을 모두 옳게 서술한 경우
중	동학 농민 운동을 쓰고, 동학 농민 운동의 대내적·대외적 성격 중 한 가지만 옳게 서술한 경우
하	동학 농민 운동만 쓴 경우

12 **| 예시 답안 |** 대한 제국의 외교권을 빼앗고, 통감부를 설치하여 내정 전반을 간섭하였다.

구분	채점 기준
상	외교권 박탈, 통감부 설치 두 가지 모두 서술한 경우
하	외교권 박탈, 통감부 설치 중 한 가지만 서술한 경우

01 국민 국가의 수립(2)

개념 확인하기
p. 45

1 민족 자결주의 2 (1) ✕ (2) ✕ (3) ○ (4) ○ 3 신간회
4 (1) – ㉡ (2) – ㉢ (3) – ㉠ (4) – ㉣ 5 (가) – (라) – (나) – (다)
6 (1) 여운형 (2) 대한 독립군 (3) 의열단 (4) 우익

내공 쌓는 족집게 문제
p. 46~47

1 ① 2 ① 3 신간회 4 ⑤ 5 ④ 6 ④ 7 ② 8 ⑤ 9 ①
[서술형 문제 10~11] 해설 참조

1 국내의 민족 지도자들과 학생들은 민족 자결주의와 도쿄 유학생들의 독립 선언(2·8 독립 선언)에 영향을 받아 전국적인 독립운동을 준비하였다. 1919년 3월 1일에 시작된 만세 시위는 전국으로 확산되어 약 두 달간 지속되었다. 3·1 운동을 계기로 중국 상하이에서 대한민국 임시 정부가 수립되었다.
| 바로 알기 | 장호: 가혹한 무단 통치에 반발하여 3·1 운동이 일어나자, 일제는 통치 방식을 문화 통치로 바꾸었다. 현정: 만세 시위는 만주, 연해주, 일본, 미주 지역 등 국외로 확산되었다.

2 (가)는 중국 상하이에서 통합 정부로 수립된 대한민국 임시 정부이다. 대한민국 임시 정부는 연통제와 교통국을 두어 국내와 연락하였다. 독립신문을 펴내 국내외 동포에게 독립운동 소식을 알렸고, 독립 공채를 발행하여 독립운동 자금을 마련하였다.
| 바로 알기 | ㄷ. 2·8 독립 선언은 일본 도쿄에서 유학생들이 발표하였다. 3·1 운동에 영향을 주었다. ㄹ. 물산 장려 운동은 1920년대 초반 국내에서 민족주의 계열의 주도로 일어났다.

3 비타협적 민족주의 계열과 사회주의 계열의 연합으로 조직된 일제 강점기 최대 규모의 민족 운동 단체는 신간회이다.

4 신간회는 전국 각지에 지회를 만들어 강연회와 연설회를 열었고, 1929년에 광주에서 일어난 학생 시위(광주 학생 항일 운동)가 전국으로 확대되자, 이를 지원하려 하였다.
| 바로 알기 | ①은 1930년대 전반에 남만주에서 활동한 조선 혁명군에 대한 설명이다. ② 1926년의 6·10 만세 운동을 계기로 민족주의 세력과 사회주의 세력의 연합이 추진되었다. ③ 민립 대학 설립 운동은 1920년대 초반에 민족주의 계열이 주도한 실력 양성 운동이다. ④는 타협적 민족주의 세력에 대한 설명이다.

5 (가) 지역은 청산리 일대이다. 봉오동 전투에서 패한 일본군은 대규모 병력을 보내 독립군을 공격하였다. 김좌진의 북로 군정서와 홍범도의 대한 독립군 등 독립군 연합 부대는 청산리 일대에서 여러 차례 일본군을 크게 물리쳤다. 이것이 청산리 대첩이다.

6 (가)는 한국 광복군이다. 대한민국 임시 정부는 충칭에 정착한 이후, 지청천을 사령관으로 하는 한국 광복군을 창설하였다. 한국 광복군은 태평양 전쟁이 발발하자 일본에 선전 포고하고 연합군의 일원으로 전쟁에 참전하였다. 또한 미국과 합동으로 국내 진공 작전을 준비하였으나 일제의 갑작스러운 항복으로 실행에 옮기지는 못하였다.

| 바로 알기 | ①은 한인 애국단에 대한 설명이다. ②는 대한 독립군에 대한 설명이다. ③은 을사늑약 체결에 맞서 일어난 항일 의병 운동 등에 대한 설명이다. ⑤는 동학 농민군에 대한 설명이다.

7 대한민국 임시 정부는 보통 선거를 통한 민주 공화국의 수립을 규정하고 있는 대한민국 건국 강령을 공포하였다. 중국 화북 지방의 조선 독립 동맹, 국내의 조선 건국 동맹도 각각 민주 공화국 건설을 위한 건국 강령을 발표하였다.

8 미국과 소련, 영국의 외무 장관은 모스크바에서 회의를 열어 한반도 문제를 협의하였다. 이 모스크바 3국 외상 회의에서 임시 민주 정부 수립, 미소 공동 위원회 구성, 최고 5년간의 신탁 통치 등이 결정되었다. 하지만 국내에 신탁 통치 소식이 알려지자 이를 둘러싼 의견의 대립으로 좌익과 우익의 갈등이 심화되었다.

9 (가) 1948년 5월 10일에 우리 역사상 처음으로 국회 의원을 선출하는 총선거가 실시되었다. (나) 이어 성립된 국회는 헌법을 제정하였고, 헌법이 정한 절차에 따라 이승만을 초대 대통령으로 선출하였다. (다) 이승만은 1948년 8월 15일에 대한민국 정부 수립을 선포하였고 (라) 유엔(UN)은 대한민국 정부가 선거가 가능하였던 한반도 내에서 유일한 합법 정부임을 승인하였다.

서술형 문제

10 | 예시 답안 | 3·1 운동. 3·1 운동은 중국의 5·4 운동 등 다른 나라의 민족 운동에 영향을 주었다. 3·1 운동을 계기로 대한민국 임시 정부가 수립되었다. 한편, 일제의 통치 방식이 무단 통치에서 문화 통치로 바뀌었다.

구분	채점 기준
상	3·1 운동을 쓰고, 3·1 운동이 국내외에 끼친 영향을 세 가지 모두 옳게 서술한 경우
중	3·1 운동을 쓰고, 3·1 운동이 국내외에 끼친 영향을 두 가지만 옳게 서술한 경우
하	3·1 운동을 쓰고, 3·1 운동이 국내외에 끼친 영향을 한 가지만 옳게 서술한 경우

11 | 예시 답안 | 한인 애국단. 윤봉길의 의거는 중국 정부가 대한민국 임시 정부의 활동을 지원하는 계기가 되었다.

구분	채점 기준
상	한인 애국단을 쓰고, 윤봉길의 의거가 독립운동에 끼친 영향을 옳게 서술한 경우
중	한인 애국단은 쓰지 못하였지만, 윤봉길의 의거가 독립운동에 끼친 영향을 옳게 서술한 경우
하	한인 애국단만 쓴 경우

02 자본주의와 사회 변화

개념 확인하기   p. 50

1 강화도 조약(조일 수호 조규)   **2** (1) ㄹ (2) ㄴ (3) ㄷ (4) ㄱ
3 (1) ✕ (2) ✕ (3) ○ (4) ○   **4** (1) 원산 총파업 (2) 금 모으기
운동 (3) 산미 증식 계획   **5** 전태일   **6** (1) – ⓒ (2) – ⓛ (3) – ㉠
(4) – ㉣

족집게 문제   p. 50~53

1 ①   **2** ②   **3** ③   **4** ④   **5** ③   **6** 동양 척식 주식회사   **7** ⑤
8 ⑤   **9** ③   **10** ⑤   **11** ⑤   **12** ②   **13** ③   **14** ④   **15** 전태일
16 ④   **17** ③   **18** ④   **[서술형 문제 19~21]** 해설 참조

1 강화도 조약에 따라 조선은 부산 외에 2개 항구를 개방하였고, 이후 체결된 부속 조약인 조일 수호 조규 부록과 조일 무역 규칙에 따라 일본 상인들은 개항장에서 일본 화폐 사용, 무관세 등의 특권을 누렸다. 이 일본 상인들에 의해 일본으로의 곡물 유출이 일어나면서 조선 국내의 쌀값이 폭등하였다.
| 바로 알기 | ① 식량 배급제는 국가 총동원법 제정(1938) 이후에 실시되었다.

2 자료는 국채 보상 운동을 주장한 글이다. 일본은 한반도 지배에 필요한 기반을 마련하기 위해 대한 제국에 막대한 차관 도입을 강요하였다. 그 결과 대한 제국이 많은 빚을 지게 되면서 일본에 경제적으로 예속되었다. 이에 국민이 성금을 모아 나라의 빚을 갚자는 국채 보상 운동이 전개되었다.

3 대구에서 시작된 국채 보상 운동은 언론 기관의 지원 아래 전국으로 확산되었으나, 통감부의 방해와 탄압으로 중단되었다.
| 바로 알기 | ① 국채 보상 운동은 국권 피탈 전인 1907년에 전개되었다. 이 시기에는 을사늑약 체결에 따라 통감부가 설치되어 있었다. ② 산미 증식 계획은 일제가 일본의 식량 문제를 해결하기 위해 1920년대에 추진하였다. ④는 노동 운동, ⑤는 소작 쟁의에 대한 설명이다.

4 지도는 제국주의 열강의 이권 침탈을 보여 주고 있다. 아관 파천 이후 러시아에게 주었던 이권이 최혜국 대우 규정을 앞세운 다른 나라에도 넘어가면서 열강의 이권 침탈이 가속화되었다. 러시아, 미국, 프랑스, 일본 등의 열강은 철도 부설권, 광산 채굴권, 삼림 채벌권 등 각종 이권을 빼앗아 갔다.

5 개항 후 외세의 경제 침탈에 맞서 여러 단체가 경제적 자주권을 지키고자 노력하였다. 독립 협회는 러시아의 절영도 조차 요구를 저지하였고, 보안회는 일본의 황무지 개간권 요구에 반대하는 운동을 전개하였다.
| 바로 알기 | ①, ⑤는 일제 강점기에 설립된 단체이다. ②는 애국 계몽 운동 단체이다. ④는 8·15 광복 때 설립된 단체이다.

6 동양 척식 주식회사는 일제가 1908년에 식민지 농업 경영과 일본인의 조선 이민 사업을 위해 설립한 국책 회사이다. 토지 수탈의 중심 기구이자 조선 최대의 지주였다.

7 그래프는 일제가 한국에서 늘어난 생산량보다 더 많은 쌀을 일본으로 가져간 것을 나타내고 있다. 1920년부터 일제는 자국의 식량 부족 문제를 해결하기 위해 산미 증식 계획을 실시하였다. 그 결과 한국의 식량 사정이 크게 나빠졌고, 농민들은 증산에 필요한 여러 비용을 부담하여 생활이 더욱 어려워졌다.
| 바로 알기 | ㄱ 국가 총동원법은 1938년에 제정되었다. ㄴ은 토지 조사 사업에 대한 설명이다.

8 1930년대 초에 침략 전쟁을 일으킨 일제는 한국을 대륙 침략의 병참 기지로 만들기 위해 중화학 공장을 건설하고 지하자원의 생산을 늘렸다. 이를 병참 기지화 정책이라고 한다.

9 1930년대 초에 침략 전쟁을 일으키고, 1937년에 중일 전쟁을 일으켜 침략 전쟁을 확대한 일제는 1938년에 국가 총동원법을 제정하여 인력과 물자를 수탈하였다. 당시에 미곡과 금속의 공출제, 식량 배급제, 지원병제·징병제, 국민 징용령, 일본군 '위안부' 등으로 물자와 인력 수탈이 이루어졌다.
| 바로 알기 | ③ 토지 조사 사업은 1910년대에 시행되었다.

10 (가)는 1910년대에 일제가 토지 조사 사업을 전개하며 발표한 토지 조사령, (나)는 1937년에 중일 전쟁이 일어난 후 일제가 제정한 국가 총동원법이다. 산미 증식 계획은 1920년대에 실시되었다.
| 바로 알기 | ①, ③, ④는 국권 피탈(1910) 이전에 일어난 일이다. ②는 광복 이후 대한민국에서 일어난 일이다.

11 밑줄 친 '이 사건'은 원산 총파업이다. 원산 인근 석유 회사에서 일어난 일본인 공장 관리자의 한국인 노동자 폭행 사건에 항의하여 4개월 동안 대규모의 파업 투쟁이 벌어졌다. 이는 일제 강점기 최대 규모의 노동 운동이었다.

12 밑줄 친 '이 산업'은 삼백 산업이다. 광복 직후 남한은 산업 기반이 취약하였고, 6·25 전쟁으로 많은 산업 시설이 파괴되어 미국의 원조에 의존하였다. 미국에서 원조해 주는 밀가루(제분), 설탕(제당), 면화(면방직) 등 흰색의 원료를 가공하여 판매하는 삼백 산업이 발전하였다.
| 바로 알기 | ① 3저 호황은 1980년대의 경제 상황이다. ③ 삼백 산업은 미국의 원조 물자를 이용한 산업이다. ④ 중화학 공업은 1970년대에 육성되었다. ⑤ 수출 100억 달러 달성은 1977년의 일이다.

13 (가) 시기인 1960년대에 정부는 제1·2차 경제 개발 5개년 계획을 추진하였다. 풍부한 노동력을 바탕으로 의류, 신발, 합판 등 경공업을 육성하고 수출을 늘리는 데 힘썼다. 경부 고속 국도를 개통하고 울산 등 여러 지역에 산업 단지를 조성하였다.
| 바로 알기 | ③ 석유 파동은 1970년대에 두 차례 발생하였다.

14 제시된 조형물은 수출 100억 달러 돌파를 기념하며 1977년에 세운 조형물이다. 이 시기에는 철강, 화학, 조선과 같은 중화학 공업을 육성하며 수출 주도형 정책을 지속하였다.
| 바로 알기 | ①은 1980년대, ②는 2000년대, ③은 1950년대, ⑤는 1990년대의 경제 상황에 대한 설명이다.

15 전태일은 근로 기준법이 제대로 지켜지지 않는 평화시장의 노동 실태를 각계각층에 호소하면서 노동자들의 처지를 개선하기 위해 많은 노력을 기울였다. 이러한 노력이 사회로부터 외면을 당하자 1970년 11월 13일에 근로 기준법 준수를 요구하며 분신하였다. 이를 계기로 노동 문제에 대한 관심이 커졌다.

16 그래프는 도시 인구가 늘고 있고, 농촌 인구가 줄고 있는 모습을 보여 주고 있다. 농업의 비중이 줄어들고 제조업과 서비스 산업(2차·3차 산업)의 비중이 커지면서, 도시에 일자리가 늘어나 도시 인구가 증가하였다.

17 경제 성장 과정에서 농촌에는 노동력 부족 문제와 인구 고령화 현상, 도시와의 소득 격차 증대의 문제가 나타났다. 이를 해결하기 위해 정부는 새마을 운동을 전개하였다. 새마을 운동은 도시와 농촌의 균형 있는 발전을 위해 농촌의 생활 환경 개선과 소득 증대를 목표로 하였다. 그러나 당시 정부의 체제 유지에 이용되었다는 지적을 받기도 한다.

18 1960년대에 텔레비전 방송이 시작되었고, 1970년대에는 청년층을 중심으로 한 대중문화가 확산되었지만 정부의 검열과 통제를 받았다. 1980년대에는 대학가를 중심으로 전통문화에 대한 관심이 높아졌고, 가요 시장이 성장하였다. 한편, 이 시기에 프로 스포츠가 출범하였다. 1990년대에 들어와 영화 산업이 크게 발전하여 국내는 물론 세계 영화계에서 주목을 받았다. 가요의 인기가 높아지면서 음반 시장도 커졌다. 2000년대 이후 대형 기획사들을 중심으로 제작된 가요가 주류를 이루었고, 한국의 대중 가수와 음악이 전 세계에서 '케이팝'이라는 이름으로 유행하게 되었다. 다양하게 발전한 우리의 대중문화는 '한류'라고 불리며 세계로 뻗어 나가고 있다.

| 바로 알기 | ④ 한일 월드컵 대회는 2002년, 평창 동계 올림픽 대회는 2018년에 개최되었다.

구분	채점 기준
상	제시어를 네 가지 모두 활용하여 1990년대 말의 경제 상황을 옳게 서술한 경우
중	제시어 두 가지, 세 가지를 활용하여 1990년대 말의 경제 상황을 옳게 서술한 경우
하	제시어 한 가지를 활용하여 1990년대 말의 경제 상황을 옳게 서술한 경우

서술형 문제

19 | 예시 답안 | 토지 조사 사업. 토지 조사 사업의 결과 많은 한국인 농민들은 토지를 잃고 소작농이 되었다.

구분	채점 기준
상	토지 조사 사업을 쓰고, 토지 조사 사업이 한국인 농민들에게 끼친 영향을 옳게 서술한 경우
중	토지 조사 사업은 쓰지 못하였지만, 토지 조사 사업이 한국인 농민들에게 끼친 영향을 옳게 서술한 경우
하	토지 조사 사업만 쓴 경우

20 | 예시 답안 | 3저 호황. 3저 호황은 저유가, 저금리, 저달러 현상 출현으로 우리 경제가 호황을 누렸던 것을 뜻한다.

구분	채점 기준
상	3저 호황을 쓰고, 3저 호황의 의미를 옳게 서술한 경우
중	3저 호황은 쓰지 못하였지만, 3저 호황의 의미를 옳게 서술한 경우
하	3저 호황만 쓴 경우

21 | 예시 답안 | 대한민국 경제는 1990년대 말에 외환 위기를 맞아 국제 통화 기금(IMF)의 구제 금융을 지원받게 되었다. 하지만 국민들은 자발적으로 금 모으기 운동에 참여해 성금을 모았고, 정부는 부실 기업과 금융 기관을 구조 조정하여 외환 위기를 극복하였다.

03 민주주의의 발전

1 자료는 대한민국 임시 정부에서 제정한 대한민국 임시 헌법이다. 국민 평등, 삼권 분립의 원칙이 나타나 있으며 주권이 국민에게 있는 민주 공화제임을 밝히고 있다.
| 바로 알기 | ⑤ 대한국 국제는 대한 제국에서 반포하였으며 전제 군주정을 표방하여 황제의 무한한 권한을 규정하였다.

2 제헌 국회가 제정하고 공포한 제헌 헌법은 대한민국이 민주 공화국임을 천명하였다.

3 제시된 헌법은 제헌 헌법이다. 제헌 국회는 제헌 헌법에 따라 이승만을 초대 대통령으로 선출하였고, 친일파(반민족 행위자)를 처벌할 수 있는 반민족 행위 처벌법을 제정하였다.
| 바로 알기 | ㄱ. 5·10 총선거의 결과 제헌 국회가 구성되었다. ㄴ은 대한민국 임시 정부의 활동이다.

4 이승만 정부와 자유당은 초대 대통령에 한해 연임 횟수 제한을 적용받지 않도록 하는 헌법 개정안을 제출하였다. 이 개헌안에 대해 국회 의원 2/3 이상이 찬성해야 통과되므로 203명의 2/3인 136명에 1명이 부족하여 부결되었다. 그러나 203의 2/3는 135.333……이기 때문에 사사오입(반올림)하면 135라는 의견이 제시되면서, 다시 통과되는 사태가 벌어졌다.

5 1960년 3월 15일 정부통령 선거에서 이승만 정부는 사전 투표, 3인조 및 5인조 공개 투표와 같은 부정 선거를 자행하였다(3·15 부정 선거). 선거 당일 마산에서 부정 선거 규탄 시위가 전개되었는데, 시위 도중 실종된 김주열의 시체가 4월 11일에 마산 앞바다에서 떠오르면서 국민의 분노가 폭발하였다. 4월 19일에는 중·고등학생, 대학생, 시민 등의 시위대가 서울 거리를 가득 메웠다. 경찰이 시위대를 향하여 총을 쏘아 이날 하루만 해도 사망자가 100명이 넘었다. 이 4·19 혁명은 4월 26일 이승만이 대통령직에서 물러나면서 막을 내렸다.

6 1961년 5월 16일에 박정희를 중심으로 한 일부 군인 세력은 장면 내각의 무능과 사회 혼란을 이유로 정변을 일으켜 정권을 잡았다. 이것을 5·16 군사 정변이라고 한다. 이들은 국가 재건 최고 회의를 만들어 군정을 실시하였다.

7 자료는 유신 체제 하에서 내려진 대통령 긴급 조치 1호이다. 박정희 정부는 1972년에 유신 헌법을 제정하여 대통령에게 모든 권력을 집중시켰다. 이러한 유신 체제가 성립하자 재야인사, 종교인, 학생들은 민주 헌정의 회복과 개헌을 요구하였다.
| 바로 알기 | ①은 김영삼 정부 시기의 사실이다. ②, ③은 일제 강점기의 사실이다. ④는 8·15 광복 후 모스크바 3국 외상 회의의 결정이 국내에 알려지자 일어난 사실이다.

8 자료는 5·18 민주화 운동과 관련 있다. 계엄이 전국으로 확대되자 1980년 5월 18일에 광주에서는 계엄 철회와 민주주의 회복을 요구하는 대규모 시위가 일어났다. 신군부가 계엄군을 투입하여 시위를 무력 진압하자 이에 분노한 광주 시민들은 시민군을 조직하여 계엄군에 맞섰다. 계엄군은 광주 시내를 포위하고, 전라남도 도청에서 저항하던 시민군을 무력으로 진압하였다.
| 바로 알기 | ①, ③은 4·19 혁명에 대한 설명이다. ②는 3·1 운동에 대한 설명이다. ⑤는 부마 민주 항쟁에 대한 설명이다.

9 전두환 정부의 강압적 통치 하에서 민주화를 요구하는 목소리가 높아지는 가운데, (나) 대학생 박종철이 경찰의 고문으로 사망하자 진상 규명과 대통령 직선제 개헌을 요구하는 시위가 일어났다. 그러나 (다) 전두환 정부가 개헌을 거부하는 조치를 발표하면서 대통령 직선제 개헌과 전두환 정부의 퇴진을 요구하는 대규모 시위가 전국 각지에서 전개되었다(6월 민주 항쟁). 그 결과 (가) 6·29 민주화 선언이 발표되었고 (라) 5년 단임의 대통령 직선제 개헌이 이루어졌다.

10 1997년에 치러진 대통령 선거에서 야당 후보인 김대중이 당선되면서 최초로 여야 간 평화적 정권 교체가 이루어졌다. 김대중 정부는 외환 위기를 극복하였고, 분단 이후 처음으로 남북 정상 회담을 개최하였다.

서술형 문제

11 **| 예시 답안 |** 박정희 정부. 일본과 국교를 정상화하였으며, 미국의 요청에 따라 베트남 전쟁에 국군을 파병하였다.

구분	채점 기준
상	박정희 정부를 쓰고, 한일 국교 정상화, 베트남 전쟁 국군 파병 두 가지를 모두 서술한 경우
중	박정희 정부를 쓰고, 한일 국교 정상화, 베트남 전쟁 국군 파병 중 한 가지만 서술한 경우
하	박정희 정부만 쓴 경우

12 **| 예시 답안 |** 김영삼. 김영삼 정부는 금융 실명제를 시행하고 지방 자치제를 전면적으로 실시하였다. 또한 역사 바로 세우기를 통해 전두환, 노태우를 반란 및 내란죄로 법정에 세웠다.

구분	채점 기준
상	김영삼을 쓰고, 김영삼 정부의 정책을 두 가지 이상 옳게 서술한 경우
중	김영삼을 쓰고, 김영삼 정부의 정책을 한 가지만 옳게 서술한 경우
하	김영삼만 쓴 경우

5p.17

04 평화 통일을 위한 노력

개념 확인하기   p. 59

1 (1) 남북 협상 (2) 중국군 2 (다) - (라) - (가) - (나) 3 인천 상륙 작전 4 (1) ○ (2) × (3) × 5 ㄱ, ㄴ 6 (1) - ㉠ (2) - ㉢ (3) - ㉡

족집게 문제   p. 59~60

1 ③ 2 남북 협상 3 ④ 4 ③ 5 ④ 6 ① 7 ④
[서술형 문제 8~9] 해설 참조

1 미국, 영국, 소련의 대표가 모스크바에서 한반도에 임시 민주 정부를 세우고 최대 5년간 신탁 통치를 실시하기로 결정하였다. 이 모스크바 3국 외상 회의의 결정이 국내에 전해져 신탁 통치를 둘러싼 좌익과 우익의 갈등이 심해지자 여운형, 김규식 등은 통일 정부를 수립하기 위해 좌우 합작 운동을 벌였다.
| 바로 알기 | ①은 부마 민주 항쟁 등에 대한 설명이다. ② 좌우 합작 운동은 1946~1947년에 전개되었다. ④는 3·1 운동에 대한 설명이다. ⑤ 김구와 김규식이 추진한 남북 협상에 대한 설명이다.

2 두 차례의 미소 공동 위원회가 결렬되자, 미국은 국제 연합(UN)에 한반도 문제를 상정하였고, 국제 연합은 인구 비례에 따른 총선거를 결정하였다. 그러나 소련과 북한이 이 결정을 거부하자 유엔 소총회에서는 선거가 가능한 남쪽 지역에서 총선거를 실시하기로 결정하였다. 이 결정으로 사실상 분단이 확정되자, 통일 정부 수립을 바라던 김구와 김규식은 평양으로 가 북측 지도자들과 만나 통일 정부 수립 문제를 논의하였는데 이것이 남북 협상이다.

3 1950년 6월 25일에 북한군의 남침으로 전쟁이 발발하였다. (가) 북한군은 3일 만에 서울을 점령하였고, 국군은 점점 남쪽으로 밀려나 낙동강 유역까지 후퇴하였다. 유엔 안전 보장 이사회는 북한의 남침을 침략 행위로 규정하고 유엔군의 파병을 결정하였다. 국군과 유엔군은 인천 상륙 작전에 성공하여 서울을 되찾았다. 이후 (나) 국군과 유엔군은 압록강 유역까지 진격하였다.
| 바로 알기 | ①, ②는 (나) 이후의 상황이다. ③, ⑤는 (가) 이전, 6·25 전쟁 발발 이전의 상황이다.

4 1950년 6월 25일에 북한군의 남침으로 시작되어 1953년 7월에 정전 협정의 체결로 중단된 3년간의 6·25 전쟁은 남북한에 막대한 인적·물적 피해를 남겼다.

5 자주·평화·민족 대단결의 통일 3대 원칙에 남북이 최초로 합의한 성명서는 7·4 남북 공동 성명이다.

6 자료는 6·15 남북 공동 선언의 일부이다. 김대중 정부는 '햇볕 정책'이라고 불리는 적극적인 대북 화해 협력 정책을 추진하였다. 그 결과 2000년에는 평양에서 분단 이후 최초로 남북 정상 회담이 개최되었다. 이 회담에서 발표된 6·15 남북 공동 선언에 따라 개성 공단 건설, 경의선 복구, 이산가족 상봉 등이 이루어져 남북한 사이의 교류와 협력이 더욱 활발해졌다.

7 문재인 정부가 출범한 후 남북한 사이에 화해와 협력의 분위기가 다시 조성되었다. 2018년 4월에 남북한 정상은 판문점에서 남북 정상 회담을 개최하여 한반도의 평화와 번영, 통일을 위한 판문점 선언을 발표하였다. 이 선언에서 남북한은 남북한이 채택한 합의와 선언을 이행하며, 항구적인 평화 체제를 구축하기 위해 협력하기로 하였다.
| 바로 알기 | ①은 김대중 정부의 대북 화해 협력 정책 추진 과정에서 1998년에 시작되었다. ② 최초의 이산가족 상봉은 1985년에 이루어졌다. ③ 남북한 유엔 동시 가입은 노태우 정부 때 이미 실행되었다. ⑤는 7·4 남북 공동 성명에 대한 설명이다.

서술형 문제

8 | 예시 답안 | 노태우 정부. 노태우 정부 시기에 남북한은 유엔(UN)에 동시 가입하였으며, 한반도 비핵화 공동 선언을 하였다.

구분	채점 기준
상	노태우 정부를 쓰고, 남북한 유엔 동시 가입, 한반도 비핵화 공동 선언 두 가지를 서술한 경우
중	노태우 정부를 쓰고, 남북한 유엔 동시 가입, 한반도 비핵화 공동 선언 중 한 가지만 서술한 경우
하	노태우 정부만 쓴 경우

9 | 예시 답안 | 김대중 정부 시기에 6·15 남북 공동 선언에 따라 개성 공단 건설, 경의선 복구, 이산가족 상봉 등이 이루어져 남북한 사이의 교류와 협력이 더욱 활발해졌다.

구분	채점 기준
상	개성 공단 건설, 경의선 복구, 이산가족 상봉 세 가지를 서술한 경우
중	개성 공단 건설, 경의선 복구, 이산가족 상봉 중 두 가지만 서술한 경우
하	개성 공단 건설, 경의선 복구, 이산가족 상봉 중 한 가지만 서술한 경우

Ⅳ. 조선의 성립과 발전(1회)   p. 62~64

1 ⑤	2 ②	3 ①	4 ①	5 ⑤	6 ④	7 ③	8 ①	9 조광조
10 ②	11 ④	12 ④	13 ③	14 ③	15 ②	16 ②	17 ③	

1 밑줄 친 '이 법'은 호패법이고, 호패법을 처음 실시한 왕은 태종이다. 태종은 왕자의 난을 일으켜 정도전과 세자 등을 제거하고 왕위에 오른 뒤 공신과 왕자들의 사병을 없애 군사권은 국왕만 가지도록 하였다.
| 바로 알기 | ①은 효종, ②는 태조, ③은 세종, ④는 성종에 대한 설명이다.

2 성종은 홍문관을 설치하여 경연을 다시 열었고, 세조 때 편찬을 시작한 『경국대전』을 완성하여 반포함으로써 유교적 법치 국가의 기틀을 마련하였다.

3 사간원은 왕이 올바른 정치를 하도록 일깨워 주는 일을 맡았다. 한편, 사간원은 사헌부, 홍문관과 함께 3사라고 불렸는데, 3사는 언론 기능을 담당하였다.
| 바로 알기 | ②는 왕명 출납, ③은 반역 등 중대한 죄인 처벌, ④는 국정 총괄, ⑤는 수도 한성의 치안과 행정을 담당하였다.

4 (가)는 과거이다. 조선 시대에는 주로 과거를 통해 관리를 선발하였다. 과거는 대개 3년마다 실시되었는데, 수시로 실시하는 특별 시험도 있었다. 천민이 아니면 과거에 응시할 수 있었는데 문과에는 주로 양반이 응시하였다.
| 바로 알기 | ① 조선 시대에 과거는 문관을 뽑는 문과, 무관을 뽑는 무과, 기술관을 선발하는 잡과가 실시되었다.

5 지도에 표시된 지역은 4군과 6진이다. 여진의 약탈이 계속되자 세종은 압록강 지역에 최윤덕을 파견하여 4군을 설치하고 두만강 지역에 김종서를 파견하여 6진을 설치하였다.
| 바로 알기 | ①은 대마도, ②는 동북 9성, ③은 부산포, 제포, 염포의 3포, ④는 강동 6주에 대한 설명이다.

6 조선은 여진, 일본과 교린 관계를 유지하였다. (가) 여진에는 국경 지역에 무역소를 설치하여 제한적인 교류를 허용하였고, (나) 일본에는 부산포, 제포, 염포 등 3포를 열어 제한적인 무역을 허용하였다.

7 대화의 (가) 세력은 사림 세력이다. 사림은 고려 말 조선 건국에 참여하지 않은 신진 사대부인 정몽주, 길재의 학통을 계승한 사람들이다. 도덕과 의리를 바탕으로 하는 왕도 정치와 향촌 자치를 추구하였다. 성종이 훈구 세력을 견제하기 위해 사림을 3사 언관직에 주로 등용하였다.
| 바로 알기 | ③ 세조가 왕이 되는 데 공을 세운 정치 세력은 훈구 세력이다.

8 훈구 세력 등에게 정치적 탄압을 받아 사림 세력이 화를 입은 사건을 사화라고 한다. 가장 처음에 일어난 무오사화는 연산군과 훈구 세력이 김종직의 「조의제문」을 문제 삼아 사림 세력

을 제거한 사건이다. 훈구 세력은 사림인 김종직이 「조의제문」을 통해 단종을 몰아낸 세조를 의제를 몰아낸 항우에 빗대어 비판하였다고 주장하였다.

9 훈구 세력에 의해 중종반정으로 즉위한 중종은 훈구 세력을 견제하기 위해 조광조를 비롯한 사림을 등용하였다. 조광조는 왕도 정치의 실현을 내세우며 개혁을 추진하였다. 국가와 왕실의 도교 행사를 주관하던 소격서를 폐지하였고, 추천으로 인재를 등용하는 현량과를 실시하였으며, 중종반정 때 부당하게 공신이 된 사람의 자격을 박탈해야 한다고 주장하였다.

10 사림은 지방 곳곳에 서원을 세워 덕망이 높은 유학자를 제사 지내고, 성리학을 연구하며 지방 양반의 자제를 교육하였다. 서원이 향촌에 자리 잡으면서 사림은 성리학 이념을 향촌에 널리 보급하고 정치에 대한 여론을 모으며 세력을 키웠다.
| 바로 알기 | ② 서원은 사립 교육 기관이다. 조선 시대 최고의 국립 교육 기관은 성균관이다.

11 (가)는 훈민정음이다. 세종은 훈민정음으로 『용비어천가』를 간행하게 하였다. 성종 때 『삼강행실도』에 훈민정음으로 번역한 내용을 추가하였다. 조선 정부는 서리나 향리에게 훈민정음을 배우게 하고 교서 작성 등에 훈민정음을 사용하였다. 하급 관리 선발 때 훈민정음으로 시험을 보기도 하였다.
| 바로 알기 | ㄱ. 『경국대전』은 한자로 편찬되었다.

12 제시된 과정으로 편찬된 역사서는 『조선왕조실록』이다. 『조선왕조실록』은 조선 태조부터 철종까지의 통치를 날짜별로 기록한 역사서이다. 국왕이라고 할지라도 함부로 실록의 내용을 보거나 수정할 수 없었으므로, 사관들은 공정하고 객관적으로 기록할 수 있었다. 『조선왕조실록』은 그 가치를 인정받아 1997년에 유네스코 세계 기록 유산으로 등재되었다.
| 바로 알기 | ①은 『삼국유사』, ②는 『동국통감』 등, ③은 『삼국사기』, ⑤는 『고려사』, 『고려사절요』 등에 대한 설명이다.

13 제시된 자료는 자격루에 대한 문화유산 카드이다. 자격루는 자동으로 시간을 알려 주는 장치가 달린 물시계이다.
| 바로 알기 | ①은 측우기, ②는 앙부일구, ④는 화차, ⑤는 간의나 혼천의에 대한 설명이다.

14 성리학을 통치 이념으로 삼은 조선은 유교적 사회 질서를 확립하고자 유교 윤리를 확산시키는 데 힘썼다. 세종 때에는 충신, 효자, 열녀의 이야기를 글과 그림으로 설명한 『삼강행실도』를 편찬하여 백성들이 유교 윤리를 쉽게 익히게 하였고, 성종 때에는 국가 행사의 절차와 의례를 유교 예법에 따라 정리하여 『국조오례의』를 편찬하였다. 양반들도 유교 윤리의 확산을 위해 도덕과 의례의 아동용 기초 서적인 『소학』과 가정에서 실천해야 할 유교 예법을 정리한 『주자가례』를 보급하고 실천하였다.
| 바로 알기 | ①은 『농사직설』 등, ②는 『용비어천가』 등, ④는 『동국여지승람』 등, ⑤는 『고려사』 등의 편찬 및 보급 목적이다.

15 꿈속에서 복숭아 밭을 노니는 그림이라는 제목을 가진 그림은 「몽유도원도」이다. 「몽유도원도」는 세종의 셋째 아들인 안평 대군이 이상 세계인 무릉도원에 다녀온 꿈을 꾼 후 도화서 화원인 안견에게 그 내용을 그리게 한 작품이다.

16 제시된 지도에 표시된 인물들은 임진왜란 때 활약한 의병장들이다. 임진왜란이 일어나자 전국 곳곳에서 유생과 전직 관리 등을 중심으로 의병이 조직되었다. 의병들은 향토 지리에 익숙한 점을 이용하여 지형에 맞는 전술로 일본군에 맞섰다.
| 바로 알기 | ㄴ. 임진왜란 중에 설치된 훈련도감이 포수, 사수, 살수의 삼수병으로 구성되었다. ㄷ. 이순신이 이끄는 수군이 서남해의 제해권을 장악하여 곡창 지대인 충청도와 전라도 지방을 지키고 일본군의 해상 보급로를 차단하였다.

17 칠판의 ○○은 왜란이다. 왜란으로 조선은 전국의 토지가 황폐해져 백성의 생활과 국가 재정이 어려워졌다. 많은 사람이 죽거나 일본에 끌려가 인구가 줄었고, 신분 질서도 흔들렸다. 또한 궁궐과 사고 등이 불탔으며, 도자기와 서적 등 많은 문화재를 일본에 약탈당하였다.
| 바로 알기 | ③ 북벌 운동은 병자호란 이후에 추진되었다.

Ⅳ. 조선의 성립과 발전(2회)   p. 65~67

1 ⑤　2 ②　3 ④　4 ③　5 ⑤　6 ①　7 ②　8 ②　9 향약
10 ⑤　11 ②　12 ②　13 ②　14 ③　15 ③　16 ④　17 ③
18 ⑤

---

1 제시된 지도에 표시된 지역은 4군 6진이다. 여진의 약탈이 계속되자 세종은 최윤덕을 파견하여 4군을 설치하고, 김종서를 파견하여 6진을 설치하였다. 세종은 소리글자인 훈민정음을 창제하여 반포하였다.
| 바로 알기 | ①은 중종, ②는 세조, ③, ④는 성종의 업적이다.

2 자료는 (가) 사헌부, (나) 사간원, (다) 홍문관의 역할을 『경국대전』에서 규정한 내용이다. 사헌부, 사간원, 홍문관은 3사라고 불렸는데, 언론 기능을 담당하며 권력의 독점과 부정을 막았다.
| 바로 알기 | ①은 의정부, ③은 승정원, ④는 의금부, ⑤는 한성부에 대한 설명이다.

3 조선은 전국을 8도로 나누고, 도 아래에 부·목·군·현을 두었다. 각 도에는 관찰사를 파견하였고, 모든 군현에 수령을 파견하였다. 수령은 행정 업무뿐만 아니라 재판과 군사 업무도 담당하였고, 향리는 수령을 보좌하며 행정 실무를 처리하였다. 한편, 각 지방의 양반들은 유향소를 만들어 수령을 돕고 향리의 비리를 감시하였다.
| 바로 알기 | ④ 고려의 향리는 지방 세력가였지만, 조선의 향리는 하급 관리에 그쳐 지위가 낮았다.

4 조선의 교육은 유교적 지식과 교양을 갖춘 관리를 기르는 데 중점을 두었다. 서당에서는 기초적인 유학 지식을 가르쳤고, 4부 학당과 향교에서는 유교 경전을 가르쳤다. 최고 교육 기관인 성균관에서는 높은 수준의 유학 교육을 실시하였다.
| 바로 알기 | ③ 의학, 법학, 외국어 등 기술 교육은 해당 관청에서 담당하였다.

5 조선은 큰 나라인 중국에 대해서는 섬기는 사대 관계를, 중국을 제외한 주변 이웃 나라와는 가깝게 지내는 교린 관계를 맺었다. 조선은 태종 때 명과 사대 관계를 확립한 이후, 해마다 명에 조공을 보내고, 명으로부터 답례품을 받았다. 조선은 여진, 일본 등과는 교린 관계를 맺고 대등한 의례를 나누었다.
| 바로 알기 | ⑤는 ⓒ에만 해당하는 설명이다. 조선은 여진, 일본과는 교린 관계를 맺어 토벌 등 강경책을 병행하였다.

6 조선은 북방의 여진에는 국경 지역에 무역소를 설치하여 제한적인 교류를 허용하였고, 귀화한 여진의 지배층에게 관직과 토지를 주어 귀화를 장려하였다. 그러나 여진의 약탈이 계속되자, 세종은 압록강 지역에 최윤덕을 파견하여 4군을 설치하고, 두만강 지역에 김종서를 파견하여 6진을 설치하였다.
| 바로 알기 | ㄷ은 고려 예종 때 윤관이 여진을 정벌했던 사실이다. ㄹ은 세종 때 일본에 대해 펼친 강경책에 해당하는 사실이다.

7 세조가 왕위에 오르는 데 공을 세운 한명회 등은 고위 관직을 차지하며 정치를 주도하였는데, 이들을 (가) 훈구 세력이라고 한다. 성종은 훈구 세력을 견제하기 위해 김종직을 비롯한 영남 지역 출신의 (나) 사림을 많이 등용하였다.

8 추천으로 관리를 등용하는 현량과를 건의한 인물은 조광조이다. 조광조는 국가와 왕실의 도교 행사를 주관하던 소격서를 폐지하였고, 중종이 왕위에 오를 때 부당하게 공신이 된 사람들의 자격을 박탈할 것을 주장하였다.
| **바로 알기** | ㄴ. 「조의제문」은 김종직이 항우에게 죽은 초의 의제를 애도하며 쓴 글이다. ㄹ. 세조가 왕위에 오르는 데 공을 세운 대표적인 인물은 한명회이다.

9 사림이 향촌의 전통적인 상부상조 풍속에 유교 윤리를 더하여 향촌 자치 규약인 향약을 만들었다. 사림은 향약의 규약을 잘 지킨 사람에게는 상을 주고, 어긴 사람에게는 벌을 주어 지방 농민들을 유교 윤리에 맞춰 규율하였다.

10 사림은 16세기 후반 선조 때에 이르러 정치의 주도권을 잡았는데, 외척 세력의 정치 참여를 둘러싸고 사림 내부에서 갈등이 일어나 두 세력으로 나뉘었다. 3사의 관리를 심사하고 추천할 수 있는 관직인 이조 전랑의 임명 문제를 놓고 두 세력의 갈등이 더욱 심해졌다. 마침내 사림은 정치적·학문적 의견 차이에 따라 동인과 서인으로 나뉘어 붕당을 형성하였다.
| **바로 알기** | ⑤ 광해군의 중립 외교에 불만을 가졌던 서인은 인조반정을 일으켜 집권하였다.

11 제시된 글에는 세종이 『삼강행실도』를 편찬한 이유가 나타나 있다. 『삼강행실도』는 군신 간, 부자 간, 부부 간에 유교 윤리를 실천한 인물들의 행적을 글과 그림으로 설명한 윤리서이다. 성종 때에는 백성들이 쉽게 이해할 수 있도록 훈민정음으로 번역한 내용을 추가하였다.

12 세종 때에는 국가의 적극적인 지원으로 천문학을 비롯한 과학 기술이 크게 발달하였다. 물시계인 자격루와 해시계인 앙부일구를 만들었으며, 강우량을 측정하고자 측우기를 제작하였다. 또한 혼천의와 간의를 만들어 천체를 관측하고 관측 결과를 토대로 『칠정산』이라는 역법서를 편찬하였다.
| **바로 알기** | ①은 고구려, ③은 신라, ④는 조선 태조 때의 천문학 발달에 대한 사실이다. ⑤ 「혼일강리역대국도지도」는 태종 때 만든 세계 지도이다.

13 제시된 문화유산은 세종 때 만든 간의이다. 간의는 야외에서 천체의 위치를 측정하는 데 사용한 관측 기구이다.

14 제시된 자료는 조선 시대 양반 사회에 일상생활에까지 유교 윤리가 확산되면서 유교식 예법에 따라 혼례, 상례, 제례를 지낸 경우가 늘어난 것을 보여 주고 있다. 이렇게 일상생활에까지 유교 윤리가 확산된 데에는 정부뿐만 아니라 양반의 노력이 큰 영향을 끼쳤다. 양반은 『주자가례』를 적극 보급하여 가정에서 유교 예법을 따르도록 하였다.

15 (가)는 백자이다. 백자는 깨끗하고 고상한 느낌을 준다. 성리학이 발달하면서 외적인 화려함보다 내면의 수양을 중시하는 선비들의 취향과 잘 어울려 16세기 이후에 유행하였다. 한편, 달항아리는 눈처럼 흰 바탕색과 둥근 형태가 보름달을 닮아 붙여진 이름이다.
| **바로 알기** | ①은 고려청자, ②는 분청사기, ④는 고려청자 중 상감 청자에 대한 설명이다. ⑤ 유네스코 세계 유산은 움직일 수 없는 유산이 대상이 된다.

16 (가)에 들어갈 인물은 이순신이다. 이순신은 수군을 이끌고 옥포, 사천, 당포, 한산도, 명량 등에서 승리를 거두었고, 퇴각하는 일본군을 노량에서 무찔렀다.
| **바로 알기** | ①은 김시민, ②는 권율, ③은 휴정과 유정, ⑤는 유정에 대한 설명이다.

17 왜란 이후 광해군은 전쟁 피해를 복구하는 데 힘을 기울였다. 한편, 만주에서는 여진이 후금을 세우고, 명을 공격하였다. 명이 조선에 군사 지원을 요청하자 광해군은 강홍립이 이끄는 군대를 명에 파견하면서 강홍립에게 상황에 따라 적절하게 대처하라고 지시하였다. 광해군이 후금과의 충돌을 피해 실리를 얻는 중립 외교를 전개한 것이었다. 하지만 광해군의 중립 외교는 서인의 반발을 불러일으켰고, 결국 서인은 인조반정을 일으켰다.

18 후금은 나라 이름을 청으로 바꾸고 황제를 칭하며 조선에 군신 관계를 요구하였다. 당시 조선 조정은 청에 맞서 싸워야 한다는 척화론과 청과 외교적으로 해결하자는 주화론이 대립하였는데, 척화론이 우세하였다.
| **바로 알기** | ①은 병자호란이 끝난 후, ②, ③은 임진왜란이 일어난 후, ④는 광해군 때 명이 쇠퇴하고 후금이 성장하여 명의 지원군 요청을 받은 후의 모습이다.

V. 조선 사회의 변동(1회)　　　　p. 68~70

1 ②	2 ④	3 ②	4 ④	5 ③	6 ⑤	7 ③	8 ④	9 ⑤
10 ⑤	11 통신사	12 ⑤	13 ①	14 ②	15 ②	16 ①		
17 ④	18 ③							

1 비변사가 양 난을 거치며 국가의 최고 통치 기구가 되었다. 비변사의 구성원이 각 군영의 대장과 3정승을 비롯한 고위 관원들로 확대되었고, 비변사에서 군사 문제뿐만 아니라 외교, 재정, 인사 등도 다루었다. 이에 따라 의정부와 6조의 기능이 축소되고, 왕권이 약해졌다.
| 바로 알기 | ㄴ. 붕당 정치가 크게 변질되자 영조와 정조가 탕평책을 시행하였다. ㄹ. 비변사의 기능이 강화되면서 의정부의 기능은 축소되었다.

2 (가)에 들어갈 군대는 훈련도감이다. 훈련도감은 포수, 사수, 살수의 삼수병으로 이루어졌고, 삼수병은 일정한 급료를 받는 직업 군인이었다. 훈련도감은 5군영 중 가장 먼저 설치되었고, 이후 한성과 그 외곽을 방어하는 어영청, 총융청, 수어청, 금위영이 설치되어 중앙군은 5군영 체제로 정비되었다.
| 바로 알기 | ① 훈련도감은 5군영 중 하나이다. ② 훈련도감은 중앙군이다. ③, ⑤는 속오군에 대한 설명이다.

3 제시된 그림은 대동법에 관한 학생들의 대화이다. 조선 정부는 왜란 이후 집집마다 토산물을 부과하던 공납을 고쳐서 토지 결수를 기준으로 쌀이나 옷감, 동전 등으로 내게 하는 대동법을 실시하였다. 대동법 시행 이후 공인이 국가에 필요한 물품을 조달하였다. 이에 공인이 물품을 대량으로 구매하면서 상공업이 활성화되었다.
| 바로 알기 | ①은 공납의 폐단으로, 대동법이 실시되는 주요 배경 중 하나이다. ③은 세도 정치기의 사실이다. ④는 조선 전기의 모습이다. ⑤는 균역법 실시의 결과이다.

4 조선은 양 난 이후 국가 재정을 확보하고 농민에게 부담을 덜어 주기 위해 조세 제도를 개편하였다. 전세는 풍흉에 관계없이 토지 1결당 4두를 걷는 영정법으로 바꾸었고, 군역은 군포를 1년에 2필씩 내던 것을 1필로 줄이는 균역법을 실시하였다.
| 바로 알기 | ㄱ. 집집마다 토산물을 부과하던 공납은 대동법이 실시되면서 토지 결수를 기준으로 쌀이나 옷감, 동전 등으로 내게 되었다. ㄷ. 전세는 토지의 비옥도와 그 해의 풍흉의 정도에 따라 차등을 두어 걷다가 영정법을 실시하여 풍흉에 관계없이 토지 1결당 4두를 걷었다.

5 선조 때 사림이 서인과 동인으로 갈라지면서 붕당 정치가 시작되었다. 동인에서 나뉜 북인은 광해군 때 정권을 장악하였지만, 서인이 주도한 인조반정으로 몰락하였다. 이후 서인과 남인의 붕당 정치가 이어지면서 예송이 있었다. 붕당 정치는 숙종이 환국을 여러 차례 실시하면서 변질되었다. 이때 집권 붕당이 상대 붕당을 몰아내고 보복을 가한 결과 남인은 위축되고, 서인은 노론과 소론으로 나뉘었다.
| 바로 알기 | ③ 현종 때 두 차례에 걸쳐 예송이 일어나면서 붕당 간의 갈등이 깊어졌다. 하지만 집권 붕당이 상대 붕당을 몰아내고 보복하는 상황은 숙종 때 환국에서 나타났다.

6 제시된 자료에는 붕당 정치의 변질 문제가 나타나 있다. 붕당 정치의 폐단을 직접 겪은 영조는 붕당의 대립을 줄이고 왕권을 강화하기 위해 탕평책을 시행하였다. 영조는 노론과 소론의 온건파를 중심으로 인재를 등용하였고, 붕당의 근거지인 서원을 대폭 정리하였으며, 이조 전랑의 인사 권한을 약화시켰다.
| 바로 알기 | ㄱ, ㄴ은 정조가 실시한 정책들이다.

7 밑줄 친 '이것'은 모내기이다. 모내기법이 전국적으로 확산된 시기는 조선 후기이다. 조선 후기에는 일부 농민이 인삼, 담배, 목화 등 상품 작물을 재배하여 부를 축적하기도 하였다. 농업이 발달하고 도시 인구가 증가하면서 상업이 활발해졌다. 사상의 자유로운 상업 활동이 허용되었고, 전국 곳곳에 장시가 들어섰으며, 상평통보가 전국적으로 유통되었다.
| 바로 알기 | ③ 조선 후기에는 청, 일본과의 무역이 활기를 띠면서 송상, 내상 등이 대상인으로 성장하였다.

8 조선 후기에는 양반 중심의 신분제가 크게 흔들렸다. (가) 서얼은 문과 응시와 중요 관직 진출의 제한을 없애 달라고 요구하였다. 그 결과 정조 때는 서얼에 대한 차별이 완화되어 서얼 출신들이 규장각 검서관에 임명되기도 하였다. 이에 (나) 기술직 중인도 전문적인 능력과 경제력을 바탕으로 신분 상승을 추구하였다.

9 (가)에 들어갈 종교는 동학이다. 경주의 몰락 양반 최제우는 동학을 창시하였다. 동학은 사람이 곧 하늘이라는 인내천을 중심으로 평등사상을 강조하였다. 정부는 신분 질서를 위협하고 사회 개혁을 주장하는 동학을 금지하고, 최제우를 처형하였다.
| 바로 알기 | ①은 천주교, ②는 무속 신앙, ③은 『정감록』, ④는 미륵 신앙에 대한 설명이다.

10 제시된 자료는 홍경래의 난 때 발표된 격문의 일부이다. 홍경래가 난을 일으켰던 1811년에는 세도 정치가 전개되었다. 당시 세도 가문은 비변사와 주요 관직을 차지하고, 여러 군영의 지휘권을 장악하며 국정을 좌우하였다.

11 에도 막부의 요청으로 조선은 국교 회복 이후 200여 년간 12회에 걸쳐 일본에 통신사를 파견하였다. 통신사는 쇼군에게 국서를 전달하고 쇼군의 답서를 받았다. 한편, 통신사 일행에 포함된 학자, 의원, 화원, 악대 등은 조선의 성리학, 의학, 그림 등을 일본에 전해 주었다.

12 조선은 중국을 오가던 사신들을 통해 17세기 초부터 천주교와 서양 문물을 받아들였다. 이 서학은 조선의 과학 기술 발달에 영향을 주었다. 김육 등은 서양 역법인 시헌력을 도입하였고, 홍대용은 서양 과학을 참고하여 지구가 자전한다는 사실을 설명하였다.

13 제시된 주장은 정약용의 여전론이다. 정약용은 실학을 집대성하였다는 평가를 받는 인물로, 서양 과학 기술의 영향을 받아 거중기를 만들어 수원 화성 축조에 이용하였다.
| 바로 알기 | ②는 유득공, ③은 홍대용, ④는 김정호, ⑤는 박지원에 대한 설명이다.

14 제시된 『북학의』는 박제가가 쓴 책이다. 박제가는 청과의 교역을 확대하고 소비 증대를 통해 생산을 늘려야 한다고 주장하였다. 박제가는 유수원, 홍대용, 박지원 등과 같이 상공업 진흥을 통해 현실을 개혁하자는 주장을 펼쳤다.

15 제시된 그림은 정선이 그린 「금강전도」와 「인왕제색도」이다. 조선 후기에는 중국의 화풍을 모방하던 기존의 산수화에서 벗어나 우리의 자연을 직접 보고 그리는 진경 산수화가 등장하였다. 정선은 우리나라 명승지의 풍경을 사실적으로 담았다.

16 조선 후기에는 양반 중심의 신분제가 동요하면서 향촌 질서에도 변화가 나타났다. 새로 성장한 부농층이 기존의 양반 계층과 향촌의 지배권을 둘러싸고 다툼을 벌이는 등 향촌에서 양반의 지배력과 권위는 점차 약해졌다. 양반은 세력을 유지하기 위해 동족 마을을 형성하고, 사우와 서원을 세웠으며, 족보를 간행하였다.
| 바로 알기 | ㄷ. 향약은 조선 전기인 중종 때 사림이 중국의 『여씨향약』을 번역하면서 보급되기 시작하였다. ㄹ. 붕당은 조선 전기인 선조 때 사림이 서인과 동인으로 나뉘며 형성되었다.

17 조선 후기에는 사회·경제적 변화 속에서 서민의 경제력과 사회적 지위가 높아졌다. 또한 서당이 널리 보급되고 한글 사용이 늘어나면서 서민 의식도 성장하였다. 그 결과 양반을 중심으로 이루어지던 문예 활동과 문화의 폭이 서민층까지 확대되었다.
| 바로 알기 | ㄱ. 『주자가례』의 보급은 유교 윤리를 확산시켰다. ㄷ. 서원은 덕망 높은 유학자를 제사 지내고, 지방 양반의 자제를 교육하여 사림의 정치적 기반이 되었다.

18 조선 후기에는 서민의 경제력이 높아지고 서민 의식이 성장하면서 문예 활동과 문화의 폭이 서민층까지 확대되었다. 사회 모순을 비판하거나 서민의 감정을 자유롭게 표현한 한글 소설과 사설시조가 유행하였고, 지방 장시나 포구 등 사람들이 많이 모인 곳에서 판소리와 탈춤 같은 공연이 열려 서민 의식 성장에 기여하였다.

V. 조선 사회의 변동(2회)   p. 71~73

1 ⑤	2 ④	3 ⑤	4 ①	5 ⑤	6 ⑤	7 ③	8 ①	9 ⑤
10 ④	11 ③	12 ①	13 ④	14 ①	15 ④	16 ②	17 ⑤	

18 김홍도

1 (가)에 들어갈 정치 기구는 비변사이다. 비변사는 양 난을 거치며 최고 통치 기구가 되어 국정을 총괄하였다. 세도 정치 시기에는 세도 가문이 비변사를 장악하여 권력을 차지하였다.

2 양 난을 거치면서 조선의 정치 운영과 군사 제도가 달라졌다. 중앙 정치에서는 비변사의 기능이 강화되었다. 군사 제도에서 중앙군은 임진왜란 중에 훈련도감을 설치한 후 5군영 체제를 갖추었다. 지방군은 양반에서 노비까지 속오군으로 편성하였다.
| 바로 알기 | ④ 장용영은 탕평 정치를 편 정조 때 설치되었다.

3 공납은 집집마다 토산물을 부과하는 것이었는데, 토산물을 마련하기 힘들어지자 하급 관리나 상인들이 공납을 대신 납부하고 과도한 대가를 챙기는 방납의 폐단이 나타났다. 이에 정부는 공납을 토산물 대신에 토지를 기준으로 쌀이나 옷감, 동전 등으로 거두는 대동법을 시행하였다.

4 붕당 정치의 전개 과정 대로 나열하면 ③ 붕당의 형성 → ② 북인의 집권 → 인조반정 → ① 1, 2차 예송 → 3차례의 환국(경신환국, 기사환국, 갑술환국)과 ④ 서인의 분열 → ⑤ 탕평비 건립 순이다.

5 밑줄 친 '이곳'은 규장각이다. 정조는 규장각을 설치하여 개혁 정치를 뒷받침할 젊고 유능한 관리들을 길러 냈다. 그는 시전 상인의 특권을 축소하여 상업의 발달에 영향을 끼쳤다.
| 바로 알기 | ①은 성종, ②는 세종, ③은 영조, ④는 태종에 대한 설명이다.

6 제시된 자료는 세도 정치가 전개되던 시기의 상황을 보여 주고 있다. 세도 정치 시기에는 정치 기강이 해이하여 과거제의 문란이 극심해졌으며, 관직을 사고파는 일도 공공연히 일어났다.

7 지도는 조선 후기 상업 활동과 대외 무역을 나타내고 있다. 조선 후기에는 전국 곳곳에 장시가 들어섰고, 포구에서도 상업이 활발하였다. 국경 지대에서는 공무역과 사무역이 이루어졌고, 청, 일본과의 무역이 활기를 띠면서 국제 교역에 참여한 송상, 내상 등이 대상인으로 성장하였다.
| 바로 알기 | ③ 고려 시대에 벽란도가 국제 무역항으로 번성하였다.

8 조선 후기에는 상업이 발달하면서 상평통보가 전국적으로 유통되었다. 당시에는 정치·경제적 변화가 나타나면서 양반 중심의 신분제가 크게 흔들렸다. 소수 양반만 권력을 장악하여 향촌에서 겨우 위세를 유지하거나 일반 농민과 다를 바 없는 처지로 몰락한 양반이 생겨났다. 한편, 서얼은 문과 응시와 관직 진출의 제한을 없애 달라고 요구하였다. 부유해진 일부 농민이나 상인들은 공명첩을 사들여 양반 신분을 얻었고, 노비는 도망하여 노비 신분에서 벗어나는 경우도 많았다.
| 바로 알기 | ① 조선 후기에는 상민과 노비의 수가 줄고 양반의 수가 크게 늘었다.

9 제시된 그림은 환곡이 문란해진 상황을 나타내고 있다. 세도 정치기에는 정치 기강이 문란해져 부패한 관리들의 수탈로 전정, 군정, 환곡의 삼정이 문란해져 백성이 고통을 받았다.

10 1862년(임술년)에 경상 우병사 백낙신의 수탈을 견디지 못한 진주의 농민들이 몰락 양반 유계춘을 중심으로 봉기하였다. 이 진주 농민 봉기를 비롯하여 그 해에 농민 봉기가 전국에서 일어났는데 이 봉기들을 임술 농민 봉기라고 한다.

11 (가)에 들어갈 인물은 정약용이다. 정약용은 농업 중심 개혁론을 편 실학자로, 마을에서 공동으로 토지를 소유하고 경작한 뒤 일한 날짜에 따라 생산물을 분배하자고 하였다.
| 바로 알기 | ①은 이익, ②는 유형원, ④는 박지원, ⑤는 박제가의 주장이다.

12 자료는 박지원이 오랑캐(청)의 선진 문물을 수용하자고 주장하는 글이다. 홍대용, 박지원, 박제가 등은 청의 선진 문물을 배우자고 하여 북학파 실학자라고 불린다.
| 바로 알기 | ㄷ은 병자호란 때 청과 맞서 싸울 것을 주장한 척화론에 대한 설명이다. ㄹ은 병자호란으로 청에 대한 반감이 커지면서 나타난 북벌론에 대한 설명이다.

13 밑줄 친 '연구'는 국학이다. 조선 후기에 실학자들이 우리의 전통과 현실에 관심을 가지고 역사, 지리, 언어 등을 연구하면서 국학이 발달하였다. 안정복은 고조선부터 고려 말까지의 역사를 체계적으로 정리한 『동사강목』을 저술하였고, 유득공은 발해사를 우리 역사의 일부로 인식하여 『발해고』를 지었다. 김정호는 산맥, 하천, 포구, 도로망 등을 정밀하게 표시한 「대동여지도」를 만들었다. 한글 연구도 활발해져 신경준이 『훈민정음운해』를 편찬하였다.
| 바로 알기 | ④ 『동국여지승람』은 성종 때 편찬한 지리서이다.

14 정선은 중국의 화풍을 모방하던 기존의 산수화에서 벗어나 우리의 자연을 직접 보고 그리는 진경 산수화를 개척하였다. 정선이 금강산의 풍경을 사실적으로 담은 진경 산수화는 ① 「금강전도」이다.
| 바로 알기 | ②는 김홍도의 풍속화 중 「벼타작」, ③은 민화 중 「까치호랑이」, ④는 강세황이 서양 화법을 적용해 그린 「영통동구도」, ⑤는 정선의 또 다른 진경 산수화인 「인왕제색도」이다.

15 수원 화성과 보은 법주사 팔상전은 조선 후기 건축을 보여 주는 문화재들이다. 수원 화성은 정조가 아버지 사도 세자의 묘를 수원으로 옮기고 여기에 세운 성곽 도시이다. 보은 법주사 팔상전은 우리나라에 남아 있는 유일한 5층 목탑으로 조선 후기에 양반 지주와 부유한 상인의 지원으로 만들어졌다.
| 바로 알기 | ④ 분청사기는 고려 말에, 백자는 조선 전기에 등장하였다.

16 제시된 자료는 아들이 없는 경우 양자를 들이는 모습을 보여 주는 것이다. 이러한 모습은 조선 후기에 성리학적 생활 규범이 정착되어 부계 중심의 가족 제도가 강화되면서 나타났다. 당시 양반의 경우 여성은 안채에서, 남성은 사랑채에서 주로 거주하였고, 여성이 혼례 후에 곧바로 남자 집에 가서 생활하였다.
| 바로 알기 | ㄴ. 조선 후기에는 부계 중심의 가족 제도가 강화되면서 남성이 호주가 되었고, ㄷ. 재산 상속에서 큰아들이 우대를 받았다.

17 조선 후기에는 상업이 발달하였다. 대동법 실시로 등장한 공인이 왕실과 관청에서 쓸 물품을 대량으로 구입하면서 상공업이 활성화되었다. 사상의 자유로운 활동이 허용되면서 경강상인, 송상 등 대상인이 출현하였다. 한편, 조선 후기에는 서민 문화가 발달하였다. 『홍길동전』과 『춘향전』 등의 한글 소설이 유행하였고, 판소리와 탈춤이 장시 등에서 공연되었다.
| 바로 알기 | ⑤ 「몽유도원도」는 도화서 화원인 안견이 세종의 셋째 아들인 안평 대군이 꾼 꿈을 그린 조선 전기의 그림이다.

18 김홍도는 「씨름」, 「서당」, 「벼타작」, 「대장간」 등의 풍속화를 통해 농촌 서민의 일상생활을 익살스럽게 표현하였다.

1 ⑤	2 ⑤	3 ③	4 ①	5 ①	6 ③	7 ④	8 ②
9 ③	10 ⑤	11 ①	12 ②	13 산미 증식 계획		14 ④	
15 ①	16 ④	17 ⑤	18 ⑤	19 ②	20 ⑤	21 ②	22 ①
23 ④	24 ①						

1 성리학과 성리학적 사회 질서를 지키고 성리학 이외의 종교와 사상을 배격하자는 위정척사 운동을 전개한 유생층은 개항과 개화를 반대하였다.

2 자료의 사건은 1882년에 일어난 임오군란이다. 구식 군대의 반란인 임오군란을 진압한 청은 조선에 군대를 주둔시키면서 조선의 내정에 간섭하였다.
| 바로 알기 | ① 병인양요는 1866년에 프랑스가 강화도를 침략한 사건이다. ② 청일 전쟁은 동학 농민 운동의 과정에서 1894년에 일어났다. ③ 을사늑약은 1905년에 체결된 조약으로, 일본이 대한 제국의 외교권을 빼앗은 조약이다. ④ 강화도 조약은 1876년에 조선과 일본 사이에 체결된 조약이다.

3 (가)는 군국기무처이다. 일본은 경복궁을 점령한 후 김홍집을 중심으로 새 정부를 구성하여 개혁을 강요하였다. 새 정부가 군국기무처를 중심으로 추진한 개혁이 갑오개혁이다. 갑오개혁 당시 궁내부를 설치하여 왕실 사무와 국정 업무를 분리하였다. 신분제가 폐지되고 과부의 재가가 허용되었다.
| 바로 알기 | ㄱ, ㄹ은 대한 제국 시기에 있었던 일이다.

4 독립문 건립, 이권 수호 운동, 헌의 6조 채택 등의 활동을 펼친 밑줄 친 '이 단체'는 독립 협회이다. 독립 협회는 근대적 민중 집회인 만민 공동회를 통해 러시아 등 열강의 이권 침탈 반대 등의 주장을 펼쳤다.
| 바로 알기 | ②는 1920년대 초 민립 대학 설립 기성회에 대한 설명이다. ③은 흥선 대원군에 대한 설명이다. ④는 보안회에 대한 설명이다. ⑤ 1972년에 유신 체제가 성립된 후 재야인사, 종교인, 학생들을 중심으로 저항 운동이 전개되었다.

5 안창호 등이 주도하여 비밀 결사로 조직한 밑줄 친 '이 단체'는 신민회이다. 신민회는 공화정 체제의 근대 국민 국가 수립을 목표로 하였다.
| 바로 알기 | ②는 독립 협회, ③은 대한 제국, ④는 전봉준 등에 대한 설명이다. ⑤ 항일 의병 운동은 처음에는 지방 유생층이 주로 주도하였는데 점차 평민 출신 의병장도 출현하였다.

6 3·1 운동은 우리 민족의 독립 의지를 전 세계에 널리 알렸으며, 중국의 5·4 운동, 인도의 반영 운동 등에 영향을 끼쳤다. 또한 농민·노동자·학생 등 다양한 계층의 참여로 이후 민족 운동의 주체가 확대되었다. 이를 바탕으로 국권 회복과 민권 확립을 위한 다양한 민족 운동이 국내외에서 전개되었다. 또한 일제가 무단 통치를 철회하고 문화 통치를 실시하여 한국인의 자유를 제한적으로나마 허용하도록 만들었다.
| 바로 알기 | ㄴ. 3·1 운동으로 인해 헌병 경찰제로 대표되는 일제의 무단 통치가 철회되고 문화 통치가 실시되었다. ㄷ. 3·1 운동의 결과 대한민국 임시 정부가 수립되었다.

7 1919년에 중국 상하이에서 대한민국 임시 정부가 수립되었다. 대한민국 임시 정부는 삼권 분립에 기초한 헌법을 제정하였고, 임시 의정원(입법), 국무원(행정), 법원(사법)을 구성하였다. 또한 연통제와 교통국을 운영하여 국내와 연락하고 독립운동을 지도하였다. 독립신문을 펴내 국내외 동포에게 독립운동 소식을 알렸고, 독립 공채를 발행하거나 의연금을 모아 독립운동 자금을 마련하였다. 1932년에 윤봉길의 홍커우 공원 의거가 일어난 후부터 근거지를 옮기며 이동 생활을 한 임시 정부는 충칭에 정착한 후 한국 광복군을 창설하고 대한민국 건국 강령을 발표하였다.
| 바로 알기 | ㄱ. 대한민국 임시 정부가 충칭에 정착한 이후 대한민국 건국 강령을 발표하였다. ㄷ. 대한민국 임시 정부가 상하이에 있을 때 연통제와 교통국을 운영하였다.

8 3·1 운동 이후 민족주의 계열 지식인들은 민족의 실력을 길러 독립을 이루고자 하였다. 이에 따라 1920년대 초, 평양에서 물산 장려 운동을 시작하였다. 이 운동은 '내 살림 내 것으로' 등의 구호를 내걸고 국산품 애용을 강조하였는데 이후 민족 산업을 발전시키는 것을 목표로 전국으로 확산되었다.
| 바로 알기 | ①은 대한민국 임시 정부에 대한 설명이다. ③은 제헌 국회에 대한 설명이다. ④는 독립 협회에 대한 설명이다. ⑤는 3·1 운동에 대한 설명이다.

9 1919년에 만주에서 김원봉을 중심으로 조직된 의열단은 일제의 주요 기관을 폭파하고 고위 관리와 친일파를 처단하였다. 이들의 의거 활동은 일제에 큰 타격을 주었으며, 민족의 항일 의식을 높였다.

10 대한민국 임시 정부가 충칭에 정착한 후 창설한 밑줄 친 '이 부대'는 한국 광복군이다. 태평양 전쟁이 발발하자, 대한민국 임시 정부는 일본에 선전 포고를 하고 한국 광복군을 연합군의 일원으로 참전시켰다. 그리고 미국에 의해 특수 훈련을 받은 대원들을 국내에 투입하는 작전을 준비하였다.
| 바로 알기 | ①은 대한 독립군에 대한 설명이다. ②는 을사늑약 체결에 저항하여 일어난 항일 의병에 대한 설명이다. ③은 동학 농민군에 대한 설명이다. ④는 북로 군정서, 대한 독립군 등 독립군 연합 부대에 대한 설명이다.

11 밑줄 친 '회의'는 모스크바 3국 외상 회의이다. 미국, 소련, 영국의 외무 장관이 모스크바에서 회의를 열어 한반도 문제를 협의하였다. 이 회의에서 한반도에 임시 민주 정부 수립, 미소 공동 위원회 구성, 최고 5년간의 신탁 통치 실시 등이 결정되었다. 국내에 신탁 통치 실시 소식이 알려지자 신탁 통치를 둘러싸고 좌익과 우익의 대립이 심해졌다.

12 강화도 조약 및 부속 조약의 체결에 따라 일본 상인들은 개항장에서 일본 화폐 사용, 무관세 등의 특권을 누렸다. 한편, 일본으로의 곡물 유출이 늘어나면서 국내의 쌀값이 폭등하였다. 임오군란 이후에는 청 상인이 대거 침투하여 조선의 상권을 두고 일본 상인과 치열한 경쟁을 벌였다. 아관 파천 이후에는 러시아에게 주었던 이권이 최혜국 대우 규정을 앞세운 다른 나라에게도 넘어가면서 열강의 이권 침탈이 가속화되었다.
| 바로 알기 | ② 임오군란 이후 조선에 대거 침투한 청 상인은 청일 전쟁에서 청이 패배하면서 일본 상인에게 밀려났다.

13 산미 증식 계획의 결과 한국의 식량 사정이 크게 나빠졌고, 농민들의 생활이 더욱 어려워졌다.

14 일제는 1930년대 초에 만주 사변을 일으켰고, 1937년에 중일 전쟁을 일으켰다. 이듬해 일제는 국가 총동원법을 제정하여 인력과 물자를 수탈하였다. 미곡과 금속의 공출제, 식량 배급제, 지원병제·징병제, 국민 징용령, 일본군 '위안부' 강제 동원 등을 실시하여 인적·물적 자원을 수탈하였다.
| 바로 알기 | ① 토지 조사령은 토지 조사 사업이 전개되던 1912년에 발표되었다. ② 국채 보상 운동은 1907년에 추진되었다. ③ 조일 무역 규칙은 강화도 조약의 부속 조약으로 1876년에 체결되었다. ⑤ 동양 척식 주식회사는 1908년에 설립되었다.

15 (가) 시기는 제1·2차 경제 개발 계획이 추진된 기간이다. 1960년대에 제1·2차 경제 개발 계획이 추진되면서 경제 성장의 발판이 마련되었다. 당시에 정부는 외국 자본을 유치하여 경공업을 육성하고 수출을 늘리는 데 총력을 기울였다.
| 바로 알기 | ㄷ, ㄹ은 1970년대의 경제 상황에 대한 설명이다.

16 밑줄 친 '이 운동'은 금 모으기 운동이다. 한국 경제는 1997년 말 외환 위기를 맞이하여 국제 통화 기금(IMF)의 구제 금융을 지원받았다. 국민들은 이를 극복하기 위해 자발적으로 금 모으기 운동에 참여해 성금을 모았다.
| 바로 알기 | ①은 일제 강점기 중 국가 총동원법 제정 이후의 경제 상황이다. ②는 1930년대의 경제 상황이다. ③, ⑤는 6·25 전쟁 직후인 1950년대의 경제 상황이다.

17 (가) 인물은 전태일이다. 전태일은 근로 기준법이 제대로 지켜지지 않는 평화시장의 노동 실태를 밝히며 노동자들의 처지를 개선하기 위해 각계각층에 호소하는 등 많은 노력을 기울였다. 그러나 이러한 노력이 사회로부터 외면을 당하자 1970년 11월 13일에 근로 기준법 준수를 요구하며 분신하였다. 이후 노동 문제에 대한 사회적 관심이 높아졌고, 노동자들은 생존권 쟁취 운동, 노동조합 설립 운동 등을 전개하였다.

18 1960년 3월 15일 정부통령 선거에서 이승만 정부가 부정 선거를 자행하자, (다) 선거 당일 마산 등지에서 시위가 전개되었는데, 시위 도중 실종된 김주열의 시체가 4월 11일 마산 앞바다에서 떠오르면서 국민의 분노가 폭발하였다. 4월 19일에는 중·고등학생, 대학생, 시민 등의 시위대가 서울 거리를 가득 메웠다. 4월 19일에 시작된 시위는 (나) 대학 교수들이 시국 선언을 하고 시위에 동참하는 데까지 이르렀고 (가) 마침내 4월 26일에 이승만이 대통령직에서 물러나면서 막을 내렸다.

19 밑줄 친 '이 협정'은 한일 협정이다. 박정희 정부는 조국 근대화와 국가 안보 등을 주요 국정 지표로 삼고 경제 개발 5개년 계획을 추진하였다. 경제 개발에 필요한 자금을 마련하기 위해 한일 회담을 통해 1965년에 한일 협정을 체결하고 일본과 국교를 정상화하였다. 당시 많은 학생과 시민은 식민 지배에 대한 일본의 사죄와 배상이 미흡하다며 한일 협정 반대 시위를 전개하였다.
| 바로 알기 | ① 한일 협정은 한일 간 국교를 정상화하기 위한 조약이지 무역 확대를 위한 자유 무역 협정(FTA)이 아니다. ③은 강화도 조약에 대한 설명이다. ④는 국군의 베트남 전쟁 파병에 대한 설명이다. ⑤ 제헌 국회에서 제정한 반민족 행위 처벌법에 대한 설명이다.

20 자료는 5·18 민주화 운동과 관련 있다. 1980년 5월에 학생과 시민들은 신군부의 퇴진과 민주화를 요구하며 시위를 벌였다. 신군부는 이를 저지하기 위해 계엄을 전국으로 확대하였다. 5월 18일에 광주에서는 계엄 철회와 민주주의 회복을 요구하는 대규모 시위가 일어났다. 신군부는 계엄군을 투입하여 시위를 무력 진압하였으며, 광주 시민들은 시민군을 조직하여 계엄군에 맞섰다.

21 자료의 사건은 김영삼 정부 시기에 발생한 외환 위기와 관련 있다. 1993년에 출범한 김영삼 정부는 고위 공직자의 재산 등록제, 금융 실명제를 시행하고 지방 자치제를 전면적으로 실시하였다. 또한 '역사 바로 세우기'를 통해 전두환, 노태우 전 대통령을 반란 및 내란죄로 법정에 세웠다. 그러나 집권 말기에 외환 위기를 맞아 국제 통화 기금(IMF)의 지원을 받는 어려움을 겪었다.
| 바로 알기 | ①, ⑤는 노태우 정부, ③은 전두환 정부, ④는 김대중, 노무현, 문재인 정부와 관련된 내용이다.

22 제시된 사건은 남북 협상이다. 남한만의 단독 선거 실시 결정으로 사실상 분단이 확정되자, 김구와 김규식은 평양으로 가 북측 지도자와 만나 통일 정부 수립 문제를 논의하였다. 하지만 성과를 거두지 못하였고, 예정대로 1948년 5월 10일 총선거 실시를 통해 대한민국 정부가 수립되었다.

23 밑줄 친 '이 사건'은 제주 4·3 사건이다. 국제 연합(UN)은 인구 비례에 따른 남북한 총선거를 통한 정부 수립을 결정하였으나 북한과 소련이 이를 거부하였다. 이에 유엔 소총회는 선거가 가능한 남한 지역에서의 총선거를 결정하였다. 그러자 제주도에서는 남한만의 단독 선거에 반대하는 일부 좌익 세력이 무장봉기하였고, 이를 진압하는 과정에서 많은 무고한 희생자가 발생하였다.

24 (가)는 김대중 정부 시기에 발표된 6·15 남북 공동 선언, (나)는 노무현 정부 시기에 발표된 10·4 남북 공동 선언과 관련된 기사이다. 6·15 남북 공동 선언에 따라 개성 공단 건설, 경의선 복구, 이산가족 상봉 등의 남북 교류 협력 사업이 추진되었다.
| 바로 알기 | ② 12·12 사태는 박정희 대통령이 피살된 지 얼마 지나지 않은 1979년 12월 12일에 신군부가 군사 반란을 일으켜 권력을 잡은 사건이다. ③ 남북 기본 합의서는 노태우 정부 시기인 1991년에 채택되었다. ④는 박정희 정부 시기인 1971년의 일이다. ⑤ 박정희를 중심으로 한 군인 세력이 1961년에 5·16 군사 정변을 통해 정권을 잡은 후 약 2년간 군정이 실시되었다.

1 ⑤　2 ⑤　3 ③　4 ①　5 ②　6 ⑤　7 ④　8 물산 장려
운동　9 ④　10 ③　11 ⑤　12 ③　13 ⑤　14 ①　15 ④
16 ③　17 ④　18 ②　19 ④　20 ①　21 ⑤　22 ④

1 그림은 갑신정변의 배경을 보여 주는 것이다. 임오군란을 진압
한 청은 군대를 주둔시키면서 조선의 내정에 간섭하였다. 청의
간섭이 심해지면서 개화 정책의 추진이 지지부진해졌다. 그러
자 김옥균, 박영효를 중심으로 한 급진 개화파는 일본의 재정
적·군사적 지원을 약속받고 정변을 일으켰다.
| 바로 알기 | ①은 을미사변에 대한 설명이다. ②는 3·1 운동에 대
한 설명이다. ③은 신미양요 후의 일이다. ④는 5·10 총선거에 대한
설명이다.

2 밑줄 친 '정부'는 대한 제국이다. 대한 제국은 '옛 것을 근본으
로 삼고, 새 것을 참고한다.'라는 원칙에 따라 광무개혁을 추진
하였다. 이때 국가 재정을 늘리기 위해 양전 사업을 실시하고
근대적 토지 소유 문서인 지계를 발급하였으며, 상공업 진흥
정책을 펼쳤다. 한편, 칙령 제41호를 통해 울릉군이 독도를 관
할하게 하였는데 이것은 독도가 우리 영토라는 역사적 증거 중
하나이다.
| 바로 알기 | ①은 정조에 대한 설명이다. ② 대성 학교와 오산 학
교는 각각 신민회원인 안창호와 이승훈이 세운 사립 학교이다. ③은
이승만 정부와 자유당에 대한 설명이다. ④ 홍범 14조는 2차 갑오개
혁 당시 고종이 개혁의 방향을 밝힌 문서이다.

3 자료는 동학 농민군의 폐정 개혁안이다. 동학 농민 운동에서
제기한 것이다. 동학 농민군은 전주성을 점령하고 정부와 전주
화약을 체결하였으며, 전라도 각지에 집강소를 설치하여 폐정
개혁안을 실천해 나갔다.
| 바로 알기 | ①은 고려 시대 묘청의 서경 천도 운동에 대한 설명이
다. ②는 1811년에 일어난 홍경래의 난에 대한 설명이다. ④ 강화도
조약은 1876년에 체결되었다. ⑤는 국채 보상 운동에 대한 설명이다.

4 (가)는 독립 협회이다. 독립 협회는 독립문을 세워 자주 의식을
드러냈고, 토론회와 연설회를 통해 민중의 정치의식을 향상시
키고자 하였다. 또한 만민 공동회를 열어 열강의 이권 침탈에
반대하였으며, 정부 대신들이 참여한 관민 공동회에서 헌의 6
조를 결의하고 이를 고종에게 건의하였다.
| 바로 알기 | ②, ④는 조선 후기인 영조, 정조의 탕평 정치와 관련
이 있다. ③은 동학 농민 운동과 관련이 있다. ⑤ 흥선 대원군은 통
상 수교 거부 정책을 펼쳤다.

5 밑줄 친 부분은 헤이그 특사를 가리킨다. 러일 전쟁에서 승리
한 일본은 을사늑약을 강제로 체결하여 대한 제국의 외교권을
빼앗고 통감부를 설치하여 내정 전반을 간섭하였다. 이에 고종
은 을사늑약의 부당성을 국제 사회에 알리기 위해 헤이그에서
열린 만국 평화 회의에 특사를 파견하였다.

6 자료는 3·1 운동 때 발표된 독립 선언서이다. 민족 지도자들이
제1차 세계 대전이 끝나갈 무렵에 제시된 민족 자결주의와 도
쿄 유학생들의 2·8 독립 선언 등에 영향을 받아 전국적인 독립
운동을 준비한 결과 3·1 운동이 일어났다.

| 바로 알기 | ㄱ. 일제의 민족 말살 정책은 1930~1940년대에 실시
되었다. ㄴ은 1945년 8월 15일의 일이다.

7 밑줄 친 '정부'는 대한민국 임시 정부이다. 1919년에 중국 상하
이에서 수립된 대한민국 임시 정부는 삼권 분립에 기초한 헌법
을 제정하였고 임시 의정원(입법), 국무원(행정), 법원(사법)을
구성하였다. 또한 비밀 조직인 연통제와 교통국을 두어 국내와
연락하고 독립운동을 지도하였다. 독립신문을 펴내 국내외 동
포에게 독립운동 소식을 알렸고, 독립 공채를 발행하거나 의연
금을 모아 독립운동 자금을 마련하였다.
| 바로 알기 | ① 강화도 조약은 조선 고종 때인 1876년에 체결되었
다. ② 대한 제국 시기에 대한국 국제가 반포되었다. ③ 토지 조사
사업은 1910년대에 일제가 시행하였다. ⑤ 조선 의용대는 김원봉이
창설하였다.

8 1920년대에 민족주의 계열이 전개한 실력 양성 운동에는 물산
장려 운동, 민립 대학 설립 운동 등이 있다. 1920년대 초반에
평양에서 국산품 애용 등을 통해 민족 자본을 육성하자는 물
산 장려 운동이 시작되었다.

9 (가)는 신간회이다. 1920년대에 일제가 이른바 '문화 통치'를 시
행하자 일부 민족주의 세력이 일제의 식민 지배를 인정하고 민
족의 역량을 키우자고 주장하였다. 여기에 맞서 비타협적 민족
주의 계열과 사회주의 계열이 힘을 합하여 신간회를 창립하였
다. 신간회는 전국 각지에 지회를 만들어 강연회와 연설회를
열었고, 1929년에 광주에서 일어난 학생 시위가 전국으로 확대
되자 이 광주 학생 항일 운동을 지원하려 하였다.
| 바로 알기 | ① 신간회는 합법 단체로 공개 조직이었다. ② 김구와
김규식이 남북 협상을 추진하였다. ③ 6·10 만세 운동을 계기로 민
족주의 세력과 사회주의 세력의 연합이 본격적으로 추진되어 신간
회가 창립되었다. ⑤는 독립 협회에 대한 설명이다.

10 밑줄 친 '의거'는 윤봉길의 홍커우 공원 의거이다. 대한민국 임
시 정부는 김구의 주도로 한인 애국단을 조직하였다. 한인 애
국단의 윤봉길은 1932년 4월 29일에 일본군의 상하이 사변 승
전 기념식장에 폭탄을 던져 일본군 육군 대장을 비롯한 고위
관리를 처단하였다.

11 1945년 8월 15일에 일본이 연합군에 항복하면서 우리 민족은
8·15 광복을 맞았다. (라) 당시 여운형은 조선 건국 준비 위원
회를 조직해 독립 국가 건설 준비를 하였다. 하지만 (다) 그 해
12월에 열린 모스크바 3국 외상 회의에서 미소 공동 위원회 설
치, 최대 5년간의 신탁 통치를 결정하자, 국내에서는 신탁 통
치 문제를 둘러싸고 좌익과 우익의 대립이 극심하였다. (나) 여
운형, 김규식 등 중도 세력이 통일 정부 수립을 위해 좌우 합작
운동을 전개하였으나 실패하고 결국 유엔 소총회에서 선거가
가능한 지역에서의 총선거 즉, 남한만의 단독 선거를 결정하여
(가) 1948년 5월 10일 총선거를 통해 국회가 구성되고, 대한민
국 정부가 수립되었다.

12 자료는 국채 보상 운동을 주장하는 글 중 일부이다. 일본은 한
반도 지배에 필요한 기반을 마련하기 위하여 대한 제국에 막대
한 차관 도입을 강요하였다. 그 결과 대한 제국이 일본에 많은
빚을 지게 되면서 일본에 경제적으로 예속되었다. 이에 국민들
이 성금을 모아 나라의 빚을 갚자는 국채 보상 운동이 전개되
었다.

13 자료는 일제가 토지 조사 사업을 전개하면서 발표한 토지 조사령이다. 일제는 근대적 토지 소유권을 확립하고 세금 부담을 공평히 한다는 명분을 내세워 1910년대에 토지 조사 사업을 시행하였다. 조선 총독부는 토지 조사 사업을 통해 토지 소유자가 직접 정해진 기간 내에 신고한 토지만 소유지로 인정하였고, 이외의 토지는 조선 총독부의 소유로 하였다. 그 결과 조선 총독부의 소유 토지와 지세 수입이 증가하였다. 조선 총독부는 빼앗은 토지를 동양 척식 주식회사에서 관리하도록 하였고, 농업 이민을 통해 조선에서 지주가 되는 일본인도 증가하였다. 또한 지주의 권한이 강화되었고, 많은 소작농이 조상 대대로 인정받던 경작권을 잃었다.

| 바로 알기 | ⑤ 소작농의 관습적인 경작권이 부정당하였다.

14 광복 직후 남한은 산업 기반이 취약하였고, 6·25 전쟁으로 많은 산업 시설이 파괴되어 미국의 원조에 의존하였다. 이에 미국에서 원조해 주는 밀가루(제분), 설탕(제당), 면화(면방직) 등 흰색의 농산물을 가공하여 판매하는 삼백 산업이 발달하였다.

15 제시된 조형물은 수출 100억 달러 기념 아치이다. 박정희 정부는 경제 개발 5개년 계획을 추진하며 수출 주도형 정책을 지속하였다. 그 결과 1977년에는 수출 100억 달러를 돌파해 이를 기념하는 조형물을 세웠다.

16 2000년대 이후 우리나라의 영화, 드라마, 가요 등이 전 세계에서 인기를 얻고 있다. 이를 '한류'라고 한다. 최근에는 케이팝(한국 대중 가요)의 인기에 힘입어 '한류'가 더욱 확산되고 있다.

17 밑줄 친 '이 개헌안'은 사사오입 개헌안이다. 이승만 정부와 자유당은 초대 대통령에 한해 연임 횟수 제한을 적용받지 않도록 하는 헌법 개정안을 제출하였다. 본래 부결되었는데 203명의 2/3가 135.333……이기 때문에 사사오입(반올림)하면 135명이라는 의견이 제시되면서 다시 통과되는 사태가 벌어졌다.

| 바로 알기 | ① 대한민국 헌정사에서 내각 책임제가 규정된 개헌은 4·19 혁명 후 추진되었다. 이 결과 장면 내각이 성립하였다. ②는 이승만 정부 시기인 1952년의 발췌 개헌, 6월 민주 항쟁으로 개정된 1987년의 헌법에 해당한다. ③ 박정희 대통령 시기인 1969년에 3선 개헌이 이루어졌다. ⑤는 1972년에 공포된 유신 헌법에 대한 설명이다.

18 자료는 4·19 혁명에 대한 설명이다. 4·19 혁명은 3·15 부정 선거로 인해 일어났다.

19 밑줄 친 '이 헌법'은 유신 헌법이다. 1972년에 제정된 유신 헌법에서는 국민의 기본권을 침해하는 긴급 조치권, 국회 의원의 1/3을 임명할 수 있는 권리, 국회 해산권 등 초법적인 강력한 권한이 대통령에게 집중되었다. 또한 대통령의 중임 제한을 없애 영구 집권이 가능하였다.

| 바로 알기 | ㄱ. 6월 민주 항쟁의 결과 개정된 1987년의 헌법은 현재의 헌법이다. ㄷ. 유신 체제에서 대통령은 통일 주체 국민 회의에서 선출하도록 하였다.

20 전두환 정부의 강압적 통치 하에서 민주화를 요구하는 목소리가 높아지는 가운데, 대학생 박종철이 경찰의 고문으로 사망하자 진상 규명과 대통령 직선제 개헌을 요구하는 시위가 일어났다. 그러나 전두환 정부가 개헌을 거부하는 4·13 호헌 조치를 발표하면서 대통령 직선제 개헌과 전두환 정부의 퇴진을 요구하는 대규모 시위가 전국 각지에서 전개되었는데 이것이 6월 민주 항쟁이다.

21 1950년 6월 25일에 북한군의 남침으로 6·25 전쟁이 발발하였다. 북한군은 3일 만에 서울을 점령하였고, 국군은 점점 남쪽으로 밀려나 낙동강 유역까지 후퇴하였다. 유엔 안전 보장 이사회는 북한의 남침을 침략 행위로 규정하고 유엔군의 파병을 결정하였다. 국군과 유엔군은 인천 상륙 작전에 성공하여 서울을 되찾았다. 이후 (가) 국군과 유엔군은 압록강 유역까지 진격하였다. 그러나 중국군의 참전으로 후퇴를 시작하였고, (나) 이듬해 초에는 서울을 다시 빼앗겼다(1·4 후퇴). 이후 전열을 재정비한 국군과 유엔군은 서울을 다시 되찾았고, 38도선 부근에서 밀고 밀리는 전투가 지속되는 상황에서 정전 협상이 2년여간 진행되었다.

| 바로 알기 | ① (나) 이후의 상황이다. ②는 6·25 전쟁 발발 이전의 일이다. ③, ④는 (가) 이전의 상황이다.

22 자주·평화·민족 대단결의 통일 3대 원칙에 합의한 성명서는 7·4 남북 공동 성명이다. 7·4 남북 공동 성명은 분단 이후 남북한 정부가 최초로 합의한 통일 방안이다.

대단원별 서술형 문제

IV 조선의 성립과 발전   p. 82~83

1 | 예시 답안 | 공신과 왕자들의 사병을 없애고 국왕이 군사권을 장악하였고, 호구 조사와 호패법을 실시하여 인구를 파악하고 세금 징수와 군역 부과의 기초 자료를 마련하였다.

구분	채점 기준
상	태종의 정책 두 가지를 옳게 서술한 경우
하	태종의 정책을 한 가지만 옳게 서술한 경우

2 | 예시 답안 | 경국대전을 완성하여 반포하였다.

구분	채점 기준
상	경국대전의 완성을 서술한 경우
하	법전을 편찬하였다고만 서술한 경우

3 | 예시 답안 | 사간원, 사헌부, 홍문관. 사간원은 국왕이 올바른 정치를 하도록 일깨웠고, 사헌부는 관리의 잘못을 감찰하였으며, 홍문관은 국왕의 정책 자문과 경연을 담당하였다.

구분	채점 기준
상	사간원, 사헌부, 홍문관을 쓰고, 기능을 모두 옳게 서술한 경우
중	사간원, 사헌부, 홍문관을 쓰고, 기능을 두 가지만 옳게 서술한 경우
하	사간원, 사헌부, 홍문관을 쓰고, 기능을 한 가지만 옳게 서술한 경우

4 | 예시 답안 | 고려의 향·부곡·소가 일반 군현에 통합되었으며, 모든 군현에 수령을 파견하였다.(향리는 하급 관리의 처지가 되어 수령을 보좌하여 행정 실무를 처리하였다. 전국을 8도로 나누고 관찰사를 파견하였다. 등)

구분	채점 기준
상	고려와 다른 조선의 지방 행정 제도 두 가지를 옳게 서술한 경우
하	고려와 다른 조선의 지방 행정 제도 한 가지만 옳게 서술한 경우

5 | 예시 답안 | (가) 사림, (나) 훈구. 중종 즉위 때 부당하게 공신이 된 사람들의 자격 박탈 문제를 두고 훈구와 사림이 대립하다가 중종과 훈구가 기묘사화를 일으켜 사림을 제거하였다.

구분	채점 기준
상	(가) 사림, (나) 훈구를 쓰고, 기묘사화의 결과를 옳게 서술한 경우
중	(가) 사림, (나) 훈구를 쓰지 못하였지만, 기묘사화의 결과를 옳게 서술한 경우
하	(가) 사림, (나) 훈구만 쓴 경우

6 | 예시 답안 | 사화. 사화로 피해를 입은 사람이 향촌에서 서원을 세우고 향약을 보급하여 세력을 키웠기 때문이다.

구분	채점 기준
상	사화를 쓰고, 사림이 다시 정치의 주도권을 잡은 이유를 옳게 서술한 경우
중	사화는 쓰지 못하였지만, 사림이 다시 정치의 주도권을 잡은 이유를 옳게 서술한 경우
하	사화만 쓴 경우

7 | 예시 답안 | 서인은 주로 이이와 성혼의 학문을 따르는 경기·충청 지역의 사람이 중심을 이루었다.

구분	채점 기준
상	이이, 성혼, 경기·충청 지역 세 가지를 모두 활용하여 옳게 서술한 경우
중	이이, 성혼, 경기·충청 지역 중 두 가지를 활용하여 옳게 서술한 경우
하	이이, 성혼, 경기·충청 지역 중 한 가지만 활용하여 옳게 서술한 경우

8 | 예시 답안 | 혼천의와 간의를 만들어 천체를 관측하고, 역법서인 칠정산을 편찬하였으며, 물시계인 자격루, 해시계인 앙부일구를 제작하여 시간을 측정하였다.

구분	채점 기준
상	세종 대에 있었던 과학 기술의 발달 사례를 세 가지 모두 옳게 서술한 경우
중	세종 대에 있었던 과학 기술의 발달 사례를 두 가지만 옳게 서술한 경우
하	세종 대에 있었던 과학 기술의 발달 사례를 한 가지만 옳게 서술한 경우

9 | 예시 답안 | 깨끗하고 고상한 느낌을 주는 백자가 유행

구분	채점 기준
상	백자의 특징을 포함하여 백자의 유행을 서술한 경우
하	백자만 쓴 경우

10 | 예시 답안 | 조선은 토지가 황폐해져 백성의 생활과 국가 재정이 어려워졌고 인구가 줄고 신분 질서가 흔들렸다. 중국은 명이 쇠퇴하고 여진이 성장하여 후금을 건국하였다. 일본은 정권이 바뀌어 에도 막부가 수립되었고 약탈한 조선의 문화재 등을 통해 문화 발전의 계기가 마련되었다.

구분	채점 기준
상	임진왜란이 조선, 중국, 일본에 끼친 영향을 모두 옳게 서술한 경우
중	임진왜란이 조선, 중국, 일본 중 두 나라에 끼친 영향을 옳게 서술한 경우
하	임진왜란이 조선, 중국, 일본 중 한 나라에 끼친 영향만 옳게 서술한 경우

11 | 예시 답안 | (왜적이 쳐들어왔을 때 명이 조선을 도운 것을 잊어서는 안 됩니다.) 명에 대한 의리와 명분을 지키며 청과 맞서 싸워야 합니다.

구분	채점 기준
상	명에 대한 의리와 명분을 지키고 청에 맞서 싸워야 한다는 내용을 서술한 경우
하	명에 대한 의리와 명분을 지키는 것, 청에 맞서 싸우자는 것 중 한 가지만 서술한 경우

Ⅴ 조선 사회의 변동 p. 84~85

1 | 예시 답안 | 중앙군은 훈련도감을 비롯한 5군영 체제로 정비하였고, 지방군은 양반에서 노비까지 포함된 속오군을 편성하였다.

구분	채점 기준
상	중앙군은 5군영 체제, 지방군은 속오군 편성을 모두 서술한 경우
하	중앙군은 5군영 체제, 지방군은 속오군 편성 중 한 가지만 서술한 경우

2 | 예시 답안 | 효종은 둘째 아들로(큰아들이 아닌데) 왕위에 올랐기 때문에 일반 사대부의 예법을 따라 대비는 1년 동안만 상복을 입으셔야 합니다.

구분	채점 기준
상	효종이 차남인 것(장남이 아닌 것), 일반 사대부의 예법을 따를 것, 대비가 1년 동안 상복을 입을 것을 모두 서술한 경우
중	효종이 차남인 것(장남이 아닌 것), 일반 사대부의 예법을 따를 것, 대비가 1년 동안 상복을 입을 것 중 두 가지만 서술한 경우
하	효종이 차남인 것(장남이 아닌 것), 일반 사대부의 예법을 따를 것, 대비가 1년 동안 상복을 입을 것 중 한 가지만 서술한 경우

3 | 예시 답안 | 정조. 규장각을 설치하여 정책 자문 기구로 삼았고, 친위 부대인 장용영을 설치하였으며 수원 화성을 건설하였다.(시전 상인의 특권을 축소하여 자유로운 상업 활동을 보장하였다. 서얼 차별을 완화하였다. 도망간 노비를 찾아내 가혹하게 처벌하는 것을 금지하였다. 등)

구분	채점 기준
상	정조를 쓰고, 정조의 개혁 정치의 내용 세 가지를 옳게 서술한 경우
중	정조를 쓰고, 정조의 개혁 정치의 내용을 두 가지만 옳게 서술한 경우
하	정조만 쓰거나 정조의 개혁 정치의 내용을 한 가지만 옳게 서술한 경우

4 | 예시 답안 | 모내기법(이앙법). 모내기법의 보급으로 잡초 제거 일손을 덜고 농업 생산량이 크게 늘어났다. 이에 일부 농민들이 경작지를 늘리고 부농으로 성장하였다. 하지만 소작지마저 얻지 못한 농민들은 농촌을 떠나게 되었다.

구분	채점 기준
상	모내기법(이앙법)을 쓰고, 모내기법이 조선 후기 농촌 사회에 끼친 영향을 옳게 서술한 경우
중	모내기법(이앙법)을 쓰지 못하였지만, 모내기법이 조선 후기 농촌 사회에 끼친 영향을 옳게 서술한 경우
하	모내기법(이앙법)만 쓴 경우

5 | 예시 답안 | 조선 후기의 정치적·경제적 변화로 인해 양반 중심의 신분제가 흔들렸다. 양반의 수가 크게 늘어나고 상민과 천민의 수가 줄어들었다.

구분	채점 기준
상	양반 수 증가, 상민과 천민 수 감소 등의 변동 양상과 함께 양반 중심의 신분제가 흔들렸음을 옳게 서술한 경우
중	양반 수 증가, 상민과 천민 수 감소 등의 변동 양상만 옳게 서술한 경우
하	양반 중심의 신분제가 흔들렸음만 서술한 경우

6 | 예시 답안 | 홍경래의 난. 서북 지방민에 대한 차별과 세도 정권의 수탈에 항거하여 홍경래의 난이 일어났습니다.

구분	채점 기준
상	홍경래의 난을 쓰고, 그 배경을 옳게 서술한 경우
중	홍경래의 난을 쓰지 못하였지만, 그 배경을 옳게 서술한 경우
하	홍경래의 난만 쓴 경우

7 | 예시 답안 | 홍대용, 박제가, 박지원. 상공업 중심의 개혁론을 펼치면서 청의 선진 문물을 배우자고 주장하였다.

구분	채점 기준
상	홍대용, 박제가, 박지원을 쓰고, 북학파의 주장을 옳게 서술한 경우
중	홍대용, 박제가, 박지원은 쓰지 못하였지만, 북학파의 주장을 옳게 서술한 경우
하	홍대용, 박제가, 박지원만 쓴 경우

8 | 예시 답안 | (가) 김홍도, (나) 신윤복. 조선 후기에는 사람들의 생활 모습을 생동감 있게 표현한 풍속화가 유행하였다.

구분	채점 기준
상	(가) 김홍도, (나) 신윤복을 쓰고, 풍속화의 유행에 대해 옳게 서술한 경우
중	(가) 김홍도, (나) 신윤복은 쓰지 못하고, 풍속화의 유행에 대해 옳게 서술한 경우
하	(가) 김홍도, (나) 신윤복만 쓴 경우

9 | 예시 답안 | 혼인 후 곧바로 여자가 남자 집에서 생활하는 풍습이 정착되었고, 제사는 큰아들이 지내야 한다는 인식이 확산되었으며, 재산 상속에서도 큰아들이 우대를 받았다.

구분	채점 기준
상	조선 후기 혼인, 제사, 상속의 변화를 모두 옳게 서술한 경우
중	조선 후기 혼인, 제사, 상속의 변화 중 두 가지만 옳게 서술한 경우
하	조선 후기 혼인, 제사, 상속의 변화 중 한 가지만 옳게 서술한 경우

10 | 예시 답안 | 조선 후기의 사회적·경제적 변화 속에서 서민의 경제력과 사회적 지위가 높아졌으며, 서당이 널리 보급되고 한글 사용이 늘어나면서 서민 의식이 성장하였다.

구분	채점 기준
상	서민의 경제력 향상, 서민의 사회적 지위 향상, 서민 의식 성장을 모두 옳게 서술한 경우
중	서민의 경제력 향상, 서민의 사회적 지위 향상, 서민 의식 성장 중 두 가지만 옳게 서술한 경우
하	서민의 경제력 향상, 서민의 사회적 지위 향상, 서민 의식 성장 중 한 가지만 옳게 서술한 경우

11 | 예시 답안 | 양반들의 위선을 비판(풍자)하고, 사회의 부정과 비리를 고발하며 서민의 생각과 감정을 솔직하게 표현하였다.

구분	채점 기준
상	사회 모순 비판(풍자), 서민의 감정 표현을 모두 옳게 서술한 경우
하	사회 모순 비판(풍자), 서민의 감정 표현 중 한 가지만 옳게 서술한 경우

VI 근·현대 사회의 전개　　　　p.86~87

1 | 예시 답안 | 갑신정변. 갑신정변은 청군의 개입으로 3일 만에 실패하였으나, 자주적 근대 국가 수립을 위한 최초의 정치 개혁 운동이라는 의의가 있다.

구분	채점 기준
상	갑신정변을 쓰고, 갑신정변의 결과와 의의를 모두 옳게 서술한 경우
중	갑신정변을 쓰고, 갑신정변의 결과와 의의 중 한 가지만 옳게 서술한 경우
하	갑신정변만 쓴 경우

2 | 예시 답안 | 단발령을 시행하고 태양력을 사용하였다.

구분	채점 기준
상	단발령 시행, 태양력 사용 등을 비롯한 을미개혁의 내용 두 가지를 옳게 서술한 경우
하	단발령 시행, 태양력 사용 등을 비롯한 을미개혁의 내용을 한 가지만 옳게 서술한 경우

3 | 예시 답안 | 독도. 신라 지증왕 때 이사부가 우산국을 복속한 이래로 우리의 영토였으며, 대한 제국은 1900년에 칙령 제41호를 발표하여 울릉군이 독도를 관할하게 하였다.

구분	채점 기준
상	독도를 쓰고, 독도가 우리 영토인 근거를 두 가지 옳게 서술한 경우
중	독도를 쓰고, 독도가 우리 영토인 근거를 한 가지만 옳게 서술한 경우
하	독도만 쓴 경우

4 | 예시 답안 | 연통제와 교통국을 두어 독립운동을 지도하였고, 독립신문을 편찬하여 국내외 동포에게 독립운동 소식을 전달하였으며, 독립 공채를 발행하여 독립운동 자금을 마련하였다.(미국에 구미 위원부를 두어 외교 활동에 힘썼다. 등)

구분	채점 기준
상	대한민국 임시 정부의 활동을 세 가지 모두 옳게 서술한 경우
중	대한민국 임시 정부의 활동을 두 가지만 옳게 서술한 경우
하	대한민국 임시 정부의 활동을 한 가지만 옳게 서술한 경우

5 | 예시 답안 | 홍범도가 이끄는 대한 독립군이 중심이 된 독립군 연합 부대가 봉오동 전투에서 일본군을 격파하였고, 김좌진이 이끄는 북로 군정서 등의 독립군 연합 부대가 청산리 대첩에서 일본군에 대승을 거두었다.

구분	채점 기준
상	1920년에 일어난 대표적인 만주의 무장 투쟁 두 가지를 조건을 충족하여 설명을 옳게 서술한 경우
중	1920년에 일어난 대표적인 만주의 무장 투쟁 중 한 가지만 조건을 충족하여 설명을 옳게 서술한 경우
하	1920년에 일어난 대표적인 만주의 무장 투쟁을 서술하였지만 조건에 충족하지 못한 경우

6 | 예시 답안 | 모스크바 3국 외상 회의에서 최고 5년간의 신탁 통치가 결정되었다.

구분	채점 기준
상	모스크바 3국 외상 회의 명칭을 포함해 배경을 옳게 서술한 경우
중	모스크바 3국 외상 회의의 명칭은 쓰지 못하였지만, 배경을 옳게 서술한 경우
하	모스크바 3국 외상 회의의 명칭만 쓴 경우

7 | 예시 답안 | 산미 증식 계획. 일제는 자국의 식량 부족 문제를 해결하기 위해 산미 증식 계획을 실시하였다.

구분	채점 기준
상	산미 증식 계획을 쓰고, 산미 증식 계획의 추진 목적을 옳게 서술한 경우
중	산미 증식 계획을 쓰지 못하였지만, 산미 증식 계획의 추진 목적을 옳게 서술한 경우
하	산미 증식 계획만 쓴 경우

8 | 예시 답안 | 1970년대에 정부는 제3·4차 경제 개발 5개년 계획을 통해 철강·화학·조선 공업 등 중화학 공업을 집중 육성하였다.

구분	채점 기준
상	제3·4차 경제 개발 5개년 계획을 언급하고, 중화학 공업에 해당하는 공업을 열거하면서 중화학 공업을 집중 육성하였음을 서술한 경우
중	제3·4차 경제 개발 5개년 계획을 언급하고, 중화학 공업을 집중 육성하였다고만 서술한 경우
하	제3·4차 경제 개발 5개년 계획을 추진하였다고만 서술한 경우

9 | 예시 답안 | 4·19 혁명. 4·19 혁명은 우리나라 역사상 처음으로 학생과 시민의 힘으로 독재 정권을 무너뜨린 사건이다. 4·19 혁명은 이후 우리나라 민주주의 발전의 토대가 되었다.

구분	채점 기준
상	4·19 혁명을 쓰고, 4·19 혁명의 의의를 옳게 서술한 경우
중	4·19 혁명은 쓰지 못하였지만, 4·19 혁명의 의의를 옳게 서술한 경우
하	4·19 혁명만 쓴 경우

10 | 예시 답안 | 대통령의 중임 제한을 없애 영구 집권이 가능해졌으며 대통령에게 국민의 기본권을 제한할 수 있는 등의 막강한 권한을 부여하여 마침내 장기 독재 체제를 구축하였다.

구분	채점 기준
상	대통령의 영구 집권 가능, 대통령에게 모든 권력 집중을 포함하여 유신 헌법의 문제점을 옳게 서술한 경우
하	대통령의 영구 집권 가능, 대통령에게 모든 권력 집중 중 한 가지 내용만 포함하여 유신 헌법의 문제점을 서술한 경우

11 | 예시 답안 | 중국군이 북한을 돕기 위해 6·25 전쟁에 참전하였다.

구분	채점 기준
상	중국군의 참전을 포함하여 옳게 서술한 경우
하	중국군의 참전만 서술한 경우

12 | 예시 답안 | 남북은 7·4 남북 공동 성명을 발표하여 자주·평화·민족 대단결의 통일 3대 원칙에 합의하였다. 이 성명은 분단 이후 남북한 정부가 최초로 합의한 통일 방안이라는 의의가 있다.

30　정답과 해설

구분	채점 기준
상	자주, 평화, 민족 대단결을 쓰고 7·4 남북 성명의 의의를 옳게 서술한 경우
중	자주, 평화, 민족 대단결을 썼지만, 7·4 남북 성명의 의의를 서술하지 못한 경우
하	자주, 평화, 민족 대단결만 쓴 경우

공부 기억이

오 — 래 남는

메타인지 학습

성적 향상 96.8%* **온리원중등**을 만나봐

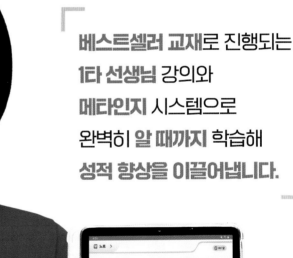

베스트셀러 교재로 진행되는
1타 선생님 강의와
메타인지 시스템으로
완벽히 알 때까지 학습해
성적 향상을 이끌어냅니다.

내·공·의·힘·시·리·즈　단기간에 핵심만 빠르게, 내신 만점을 위한 공부법을 제시합니다.

visang

대표전화 1544-0554
주소 경기도 과천시 과천대로2길 54
협의 없는 무단 복제는 법으로 금지되어 있습니다.